«Che cosa vuol piantarci?» mi chiede il tappezziere, trascinando per il vialetto una grossa poltrona e scrutando al contempo il mio terreno.

«Viti e olivi» rispondo.

«Certo, viti e olivi, ma che altro?»

«Piante ornamentali, fiori... Non credo possa crescerci molto altro, visto che in primavera non possiamo essere qui a occuparcene.»

Appoggia la poltrona sull'erba umida e osserva gli olivi accuratamente potati e i terrazzamenti in cui andavamo scoprendo e risistemando la vecchia vigna. «Be', piantateci delle patate» è il suo consiglio. «Non hanno bisogno di molte cure.» Punta il dito al terzo terrazzamento. «Lì, in pieno sole: è il posto giusto per le patate, le patate rosse, o quelle gialle... Per fare gli *gnocchi*...»[1]

E così, all'inizio della nostra quinta estate qui, ci ritroviamo a tirar fuori dalla terra le patate che ci serviranno per cena. Si cavano facilmente, è come trovare delle uova di Pasqua. E mi stupisco di quanto sono pulite: basta una risciacquata e brillano!

Come abbiamo fatto con le patate, così, negli ultimi quattro anni, abbiamo affrontato i lavori di restauro di questa dimora toscana ormai in abbandono: c'è Francesco Falco, ad esem-

---

[1] In italiano nel testo. Così, nell'intero libro, tutte le parole o frasi italiane evidenziate in corsivo (*N.d.T.*).

pio, che ha trascorso la maggior parte dei suoi settantacinque anni occupandosi di viti; lo osserviamo ripiantare nella terra l'estremità dei tralci di vecchi vitigni, in modo da creare nuovi germogli. E lo copiamo. La nostra uva cresce florida. Proviamo di tutto, da stranieri quali siamo, capitati qui per pura fortuna. In quanto alla ristrutturazione della casa, per lo più abbiamo fatto da soli: un risultato derivante proprio dalla nostra completa ignoranza, direbbe mio nonno.

Nel 1990 (era la prima estate passata qui) ho comprato un enorme libro con le pagine bianche, la copertina in carta di Firenze e dei nastri azzurri per chiuderlo. Sulla prima pagina ho scritto "ITALY". Il libro è di tale bellezza che dovrebbe contenere un qualche immortale poema: invece ho cominciato con lo scrivere una serie di nomi di fiori ed erbe selvatiche, progetti, parole nuove, schizzi di mattonelle in stile pompeiano. Vi ho descritto le stanze, gli alberi, i versi degli uccelli. E poi annotazioni del tipo: "I girasoli si piantano quando la luna entra nel segno della Bilancia", anche se non ho la minima idea del periodo in cui ciò avvenga. Ho citato le persone via via conosciute, i piatti che ho cucinato. Il libro è diventato così una sorta di cronaca dei primi quattro anni trascorsi qui. Oggi è pieno zeppo di menù, cartoline raffiguranti quadri, un disegno con la pianta di un'abbazia, poesie in italiano e schemi del nostro giardino. Ed essendo molto spesso, mi rimane ancora spazio per altre estati. Ecco, *Sotto il sole della Toscana* è appunto quel libro, l'esito naturale dei giorni felici che ho trascorso qui. Il restauro della casa, e poi le migliorie; l'aver riportato il terreno da quella giungla che era alla sua primitiva funzione, e cioè alla coltivazione di olivi e viti; le gite in ogni angolo della Toscana e dell'Umbria; lo sperimentare una cucina nuova, scoprendo a poco a poco i legami tra cibo e cultura: sono tutte gioie intense, che accompagnano l'ancor più profondo piacere di imparare a vivere un altro genere di esistenza. Nel ripiantare i tralci delle viti, che poi germoglieranno, mi par di leggere una metafora della vita: che di tanto in tanto deve mutare, se vogliamo far progredire la nostra coscienza.

In questi primi giorni di giugno dobbiamo ripulire i terrazzamenti dalle erbacce, così da scongiurare il pericolo di incendi, quando sarà più caldo e tutto si seccherà. Vedo dalla finestra tre uomini coi decespugliatori; fanno un rumore simile al ronzio di api giganti. Domani arriverà Domenico a rigirare le zolle, e l'erba che abbiamo tagliato servirà da nuovo concime. Il suo trattore ripercorre il solco sinuoso tracciato dai buoi, tanto tempo fa. Cicli della storia. Anche se i tagliaerba e gli erpici meccanici facilitano il lavoro, per me è sempre un magico rituale dell'estate. L'Italia è geologicamente antichissima, e io mi trovo qui, sull'ultimo strato, in un piccolo appezzamento, a godere dei giaggioli aranciони fioriti lungo il pendio. E proprio ora un uomo anziano che passa sulla strada si ferma, mi chiede se è casa mia. Dice che questa terra la conosce bene. Tace, lasciando vagare lo sguardo sul muro di pietra; poi aggiunge, quasi sottovoce, che suo fratello è stato ucciso lì. A diciassette anni, accusato d'essere un partigiano. E resta a scuotere lentamente la testa; capisco che ciò che lui vede non è il mio giardino di rose, con la siepe di salvia e di lavanda. Si allontana, gettandomi un bacio. «*Bella casa, signora.*» Ieri ho trovato un ciuffo di fiordalisi ai piedi dell'albero sotto cui il fratello dev'essere caduto. Com'erano spuntati? Forse un seme portato da un tordo... Torneranno di nuovo sui terrazzamenti, il prossimo anno? I vecchi luoghi si fondano su spirali di tempo e di spazio che in un certo senso comincio a comprendere.

Apro il libro azzurro. Anche scrivere di questo posto, delle nostre scoperte, della vita di ogni giorno è stato un piacere. Molti secoli fa un poeta cinese disse che ricreare qualcosa con le parole equivale a vivere due volte. Nel più profondo di noi, cercare un cambiamento riflette sempre il desiderio di ampliare lo spazio psichico in cui ci muoviamo. *Sotto il sole della Toscana* rappresenta appunto tale spazio. Spero che il lettore sia come un amico che venga a trovarmi, e impari ad ammassare la farina sul piano di marmo del tavolo e poi a impastarci le uova; un amico che si desti al verso del cuculo tra i rami del tiglio e passeggi tra le vigne canticchiando; che faccia la conserva di prugne, mi accompagni in macchina a visitare le cittadine fortificate sui cocuzzoli delle colline, con le loro cascate di gerani alle finestre; o che voglia veder crescere le olive sugli alberi. Un ospite in vacanza è assorto nel proprio piacere. Sentite il venticello che avvolge le calde statue marmoree? Come vecchi contadini ci sediamo insieme accanto al fuoco, ad abbrustolire fette di pane e olio e a bere il Chianti novello. Dopo aver visitato stanze e stanze piene di Madonne rinascimentali, e percorso le strade polverose di ritorno da Umbertide, friggo in tegame delle piccole anguille, insaporendole con aglio e salvia. Sotto il fico due gatti giocano a rincorrersi; noi ci godiamo il fresco. Ho fatto il conto: i colombi tubano sessanta volte al minuto. Il muro etrusco sopra la casa risale all'VIII secolo a.C. Possiamo chiacchierare. Ne abbiamo tutto il tempo.

BRAMARE: ARCAISMO PER "DESIDERARE ARDENTEMENTE"

Sto per comprare una casa in un paese straniero. Una casa dal nome bellissimo di Bramasole. È alta e squadrata, l'intonaco color albicocca con le persiane d'un verde pallido, il vecchio tetto di tegole e, al secondo piano, una balconata in ferro battuto, dove le signore si sedevano sventagliandosi e guardando giù. Ma adesso giù c'è un intrico di rovi, viluppi di rose selvatiche ed erbacce che arrivano fino al ginocchio. Il balcone è orientato a sud-est e dà su una vasta vallata, con l'Appennino toscano lontano all'orizzonte. Quando piove o cambia la luminosità, la facciata della casa diventa dorata, terra di Siena, ocra; una precedente tinteggiatura rossastra affiora qua e là, come una scatola di pastelli lasciati a fondersi al sole. Dove l'intonaco è caduto appaiono blocchi di pietra irregolari, mostrando come doveva essere l'edificio una volta. La casa sorge in fondo a una *strada bianca* di ciottoli, lungo un pendio coperto di olivi e alberi da frutta. Bramasole: desiderare il sole. E io lo desidero.

Il buonsenso familiare si è opposto strenuamente alla mia decisione. Mia madre ha detto: «Ridicolo» col suo modo enfatico di accentare la seconda sillaba; e le mie sorelle, per quanto eccitate, mi hanno trattata come una diciottenne che stia per fuggire con un marinaio sull'auto di famiglia.

Io stessa ho avuto i miei bravi dubbi. E le sedie dagli alti schienali nello studio notarile peggiorano la situazione: attraverso l'abito bianco di lino leggero mi sento pungere dai crini di cavallo dell'imbottitura ogni volta che cambio posizione; cosa che accade spesso, essendo il salottino d'attesa d'un caldo soffocante. Mi sporgo a guardare cosa sta scrivendo Ed sul rovescio di una ricetta: parmigiano, salami, caffè, pane. È mai possibile, in un momento simile? Finalmente la signora apre la porta e ci investe con un fiume di parole.

In Italia il *notaio* è la persona che stipula i contratti immobiliari. Il nostro, la signora Mantucci, è una piccola e forte donna siciliana, con spesse lenti che le ingrandiscono gli occhi verdi. Parla più veloce di qualsiasi altro essere umano che abbia mai udito. Ci declina ad alta voce lunghi articoli di legge. Pensavo che l'italiano fosse una lingua dolce, invece lo sento nella sua bocca come un rotolio di sassi giù per uno scivolo. Ed la fissa, rapito: mi rendo conto che è come incantato dal suono di quella voce. Il proprietario, il dottor Carta, all'improvviso pensa di aver chiesto troppo poco; sì, davvero troppo poco, visto che abbiamo deciso di acquistare. Per parte nostra, la cifra ci pare eccessiva. Anzi, sappiamo per certo che è eccessiva. La siciliana non si ferma un istante; e non tollera interruzioni da nessuno, tranne che da Giuseppe del bar di sotto, che spalanca la porta di botto e avanza tenendo alto il vassoio: lo vedo sorpreso di trovare i suoi clienti *americani* seduti lì con aria terribilmente smarrita. Porta alla signora il solito espresso di metà mattina, che lei trangugia in un unico sorso, senza quasi smettere di parlare. Il proprietario ha intenzione di dichiarare una somma di vendita molto inferiore a quella reale. «Si fa così» insiste. «Nessuno è così pazzo da dichiarare il prezzo vero.» Vuole che depositiamo un assegno dal notaio, e che poi gli passiamo – praticamente sottobanco – una serie di dieci assegni di importo minore. Noi ci rifiutiamo.

Anselmo Martini, il nostro agente immobiliare, alza le spalle.

Ian, l'agente immobiliare inglese che abbiamo assunto per i problemi di lingua, alza le spalle a sua volta.

Il dottor Carta conclude: «Voi americani! Prendete le cose troppo sul serio! E poi, *per favore*, datate gli assegni a una settimana di distanza l'uno dall'altro, in modo che la banca non abbia sospetti a causa della somma troppo ingente».

È la stessa banca che conosco io? Con i pigri impiegati dagli occhi scuri, che fanno un'operazione ogni quindici minuti tra una sigaretta e una telefonata? La signora tace di colpo, raccoglie le carte e le ficca alla rinfusa in una cartellina, poi si alza. Dovremo tornare quando saranno pronti soldi e documenti.

Una delle finestre del nostro albergo dà su un ampio panorama dei tetti di Cortona, con la pianura della Val di Chiana sullo sfondo. Un vento caldo e forte, lo *scirocco*, dicono che alla lunga conduca alla pazzia. In quanto a me, mi sembra adeguato al mio stato d'animo. Non riesco a dormire. Negli Stati Uniti mi è capitato di comprare e vendere case, di mettere in macchina il ficus e il gatto di mia madre, Spode, per percorrere le cinquemila miglia che mi separavano da una nuova casa, una nuova serratura in cui infilare la chiave. È chiaro che c'è qualcosa in te che sta maturando, nel momento in cui decidi di cambiare il tetto che hai sulla testa: vendere significa allontanarsi da un grumo di memorie, comprare è scegliere dove sviluppare il proprio futuro. E il luogo, mai casuale ovviamente, ha una grande influenza. A parte questo, ci sono poi da superare complicazioni di tipo legale. Ma qui tutto concorre a lasciarmi in uno stato di assoluta confusione.

L'Italia ha sempre esercitato su di me una profonda attrazione. E per quattro estati ho preso in affitto case coloniche in varie parti della Toscana. La prima volta Ed e io abbiamo diviso la casa con amici, e la prima sera siamo stati lì a fare calcoli su calcoli, per capire se coi nostri risparmi messi insieme potevamo permetterci di comprare la casa colonica di pietra che vedevamo dalla terrazza. Ed, subito innamoratosi della vita in campagna, vagava nelle proprietà dei vicini per osservare i lavori agricoli. Gli Antolini avevano una rigogliosa piantagione di tabacco, anche se raccoglierlo non li entusiasmava. Ogni tanto si sentiva gridare dal campo: «*Vipera!*» per avvertire gli altri che c'era un serpente velenoso. Dalla distesa di foglie, la sera, si levava una nebbiolina violacea. Viste dalla posizione privilegiata del nostro terrazzo, le fattorie ci apparivano in lontananza quiete e ordinate. I nostri amici non sono più tornati in Italia, mentre per noi la ricerca di una casa in cui trascorrere l'estate era diventata, negli ultimi tre anni, un lavoro sistematico. Il fatto che la trovassimo o meno aveva poca importanza: intanto capitavamo in luoghi di produzione di olio extravergine di oliva, scoprivamo piccole, deliziose pievi romaniche, o percorrevamo le strade del vino, fermandoci a degustare il morbido Brunello o il più scuro Vino Nobile. Cercare una casa comporta un'intensa concentrazione. Abbiamo ispezionato i mercati dei paesi non col semplice scopo di acquistare pesche per un picnic, bensì per vagliare la qualità e la varietà dei prodotti in vendita, figurandoci le cene di compleanno, le feste, le colazioni per gli ospiti il fine settimana. Abbiamo trascorso ore e ore seduti in piazza, o a sorseggiare limonata nei bar, tentando di impossessarci dell'atmosfera del posto. Mi sono curata parecchie vesciche al tallone tenendolo a mollo nei bidet degli alberghi, e spalmando pomate sui miei poveri piedi che avevano percorso chilometri e chilometri di strade lastricate in pietra. Vagando tra alberghi e appartamenti in affitto, ci siamo trascinati dietro libri di storia, guide, libri con i nomi dei fiori selvatici, romanzi. Chiedevamo sempre a persone del luogo in che ristorante mangiavano, così andavamo in trattorie neppure citate dalle guide. Entrambi avevamo un'insaziabile curiosità per ogni castello in rovina che vedessimo su una collina. E la mia idea del paradiso resta quella di girovagare in macchina sulle strade di ghiaia delle fattorie dell'Umbria e della Toscana; e magari smarrire gradevolmente il cammino.

Cortona è stata la prima città che abbiamo visitato, e ci siamo sempre tornati anche dopo, quando abbiamo preso in affitto case strane e affascinanti a Volterra, Firenze, Montisi, Rignano, Vicchio, Quercegrossa. Una aveva una cucina in cui non si entrava in due, ma in compenso si vedeva un piccolo tratto del corso dell'Arno. Un'altra cucina non disponeva di acqua calda né di coltelli, ma l'appartamento era all'interno dei bastioni medioevali da cui si godeva il panorama dei vigneti. Una aveva numerosi servizi in porcellana per quaranta persone, infiniti bicchieri e argenteria, ma il frigorifero raffreddava troppo, e ogni giorno, verso le quattro, il portello si spalancava rivelando un nuovo igloo. In caso di tempo umido, prendevo la scossa qualsiasi cosa toccassi. La leggenda narra che proprio in quei paraggi Cimabue incontrasse il giovane Giotto che disegnava una pecora per terra. Una casa aveva dei letti infossati nel mezzo che spezzavano le ossa. I pipistrelli scendevano giù dalla canna fumaria e ci sorvolavano a bassa quota; i tarli nelle travi provocavano una continua, uniforme caduta di polverina di legno sui cuscini. Il caminetto era così grande da potercisi sedere sotto, mentre arrostivamo la carne e i peperoni.

Viaggiavamo in macchina per centinaia di chilometri, per poi trovare case che risultavano essere già nella valle del Tevere, o con una veduta su una zona di miniere. L'agente immobiliare di Siena ci disse allegramente che, tempo vent'anni, il panorama sarebbe stato bellissimo: una legge, infatti, impone il rimboschimento delle aree degradate. Una casa in uno splendido paesino medioevale era troppo cara. Il contadino dalla dentatura vampiresca incontrato in un bar tentò di venderci la casa della sua infanzia, una specie di pollaio in pietra, senza finestre, adiacente a un'altra casa, con una sfilza di cani che ringhiavano strattonando le catene. Per una casa colonica appena fuori Montisi avevamo quasi perso la testa; la proprietaria, una *contessa*, ci fece aspettare per giorni, e poi decise che Dio le doveva mandare un segno, altrimenti non avrebbe venduto. Fummo costretti a partire prima che il segno arrivasse.

Se ripenso a tutti quei posti, e anche a Cortona, mi sembrano, non so perché, lontanissimi. Per Ed non è così. Lui scende in piazza ogni pomeriggio, e si mette a guardare la giovane coppia che tenta di portare a spasso il bimbo in carrozzina: dico tenta perché vengono fermati di continuo, le persone circondano la culla, si chinano sul neonato, gli fanno dei versi graziosi, lo ricoprono di complimenti. «Nella prossima vita» mi dice Ed «voglio rinascere bambino italiano.» Si immerge nella vita della piazza: ecco un uomo gagliardo e impomatato, che appoggiando languidamente il mento sulla mano si tira su la manica per mettere in evidenza i muscoli; o le pure note d'un flauto di Vivaldi che calano dolcemente da una finestra al primo piano; o ancora i mazzi colorati davanti all'antica bottega del fioraio. Un uomo senza collo tira giù dal camion degli agnelli: se li issa in spalla come sacchi di farina, e loro sgranano gli occhi. Di tanto in tanto Ed alza lo sguardo al grande orologio che da così tanto tempo batte le ore in questa piazza. Poi decide di fare una passeggiata per le vie lastricate.

Dall'altra parte del cortile un turista arabo canta la sua preghiera all'alba, proprio nel momento in cui finalmente riesco a prender sonno. Il suono è di uno che stia facendo i gargarismi con acqua e sale. Per ore modula la voce su un registro basso; non smette mai. Vorrei affacciarmi e gridargli: «Basta! Zitto!». Invece mi viene da ridere. Guardo fuori e lo vedo inchinarsi in direzione della finestra, sorridendo mitemente. Mi ricorda i venditori di tabacco del Sud, che sentivo gridare in un magazzino all'ingrosso quando ero piccola. Sono a dodicimila chilometri da casa, e sto gettando via tutti i miei risparmi per un capriccio. Ma lo è davvero? Mi sembra una cosa molto simile all'innamoramento, e l'amore non è mai un capriccio, ma nasce da qualcosa di molto profondo. O no?

Ogni volta che lasciamo la frescura dell'albergo e ci avventuriamo sotto il sole ardente, passeggiamo per la città, sempre più incantati. I tavolini all'aperto del Bar Sport guardano su piazza Signorelli. Ogni mattina qualche contadino vende i suoi prodotti sui gradini del *teatro* del XIX secolo. Mentre prendiamo il caffè li vediamo pesare i pomodori su rugginose bilance a mano. Per il resto la piazza è circondata da *palazzi* medioevali e rinascimentali perfettamente conservati. Pare quasi una scena da melodramma, e che da un momento all'altro spunti qualcuno e si metta a cantare la *Traviata*. Ogni giorno passiamo per le porte medioevali aperte nelle mura etrusche, per le strade lastricate in pietra davanti ad antiche dimore, o lungo gli stretti, misteriosi vicoletti, spesso a gradini molto ripidi. In alcune case si vede ancora la porticina del XIV secolo, la cosiddetta "porta del morto":

situata accanto alla porta principale, serviva, narrano, a portar fuori i cadaveri dei morti di peste, perché uscire dall'altra avrebbe portato male alle loro anime. Noto anche che la gente usa lasciare la chiave infilata nella serratura dalla parte esterna.

Le guide descrivono Cortona come "solenne" e "austera", ma non mi pare corretto. La posizione in cima alla collina, le alte mura e i bastioni, i solidi edifici di pietra conferiscono a questa architettura un forte senso di verticalità. Attraversando la piazza vedo le ombre dei palazzi che si stagliano sul terreno con purezza euclidea. Mi viene voglia di restare dritta in piedi, i palazzi sembrano coinvolgere anche gli abitanti nella loro posizione eretta. Tutti camminano lentamente, hanno un portamento elegante. Non finisco mai di esclamare: «Hai visto quello? Non è bellissimo?». Oppure: «Guarda quella faccia: puro Raffaello!». Nel tardo pomeriggio siamo di nuovo seduti al caffè, rivolti all'altra piazza. Ci passa davanti una donna sui sessant'anni, insieme alla figlia e alla nipote adolescente; passeggiano tenendosi a braccetto, i visi intensi inondati dal sole. Non riusciamo a capire perché qui la luce ha questa qualità. Forse i campi di girasoli emanano oro... Le tre donne appaiono serene, fiere, allegre. Dovrebbero coniare una moneta d'oro coi loro volti.

Intanto, tra un caffè e l'altro, il dollaro cala. Ogni mattina giriamo per le varie banche, vagliando le diverse cifre di cambio affisse fuori. Se si tratta di incassare dei *travellers' cheques* per un acquisto dell'ultim'ora al mercato della pelle, il cambio ha poca importanza, ma questa è una casa con terreno di seimila metri quadri e ogni lira conta. Anche una goccia in più ogni volta ti dissangua, se consideri l'intero ammontare. Di cento lire in cento lire, la casa diventa sempre più cara. Mi ritrovo assurdamente a calcolare quante paia di scarpe potrei comprare con la stessa somma. Prima di ora le scarpe sono state la mia spesa più considerevole, in Italia: un vizio segreto. Mi è capitato di tornare a casa con nove paia di scarpe nuove: scarpe rosse di serpente col tacco basso, sandali, stivali di pelle scamosciata, e alcune paia di *décolletés* di vernice nera con tacchi di varia altezza.

C'è differenza tra banca e banca rispetto alla cifra di commissione che trattengono quando ricevono un grosso bonifico dall'estero. Il che significa un cumulo di interessi a loro favore, dato che per riscuotere un assegno in Italia possono volerci settimane.

Alla fine qualcuno ci ha impartito una buona lezione su come vanno effettivamente le cose. Il dottor Carta, ansioso di concludere l'affare, chiama la sua banca di Arezzo, a una mezz'ora da qui, la banca di cui si servono sia il padre sia il suocero. Poi ci telefona: «Andate da loro» dice. «Non prendono nessuna commissione per ricevere il denaro, e vi daranno le lire sulla base del cambio del giorno.»

Il suo senso pratico non mi stupisce, anche se durante le trattative sembrava assolutamente disinteressato al denaro, salvo per sparare la grossa cifra di vendita senza poi smuoversene di un millimetro. Ha comprato casa e terreno l'anno precedente, da cinque anziane sorelle appartenenti a una famiglia di proprietari terrieri di Perugia; pensava di passarci le estati con i suoi. Invece lui e la moglie hanno ereditato una casa al mare e hanno deciso di utilizzare quella. È davvero così? Oppure ha strappato la proprietà alle vecchie novantenni pagandola un prezzo irrisorio, e ora fa fagotto, magari andando a comprarsi la casa al mare coi nostri soldi? Non che la cosa mi dispiaccia. Lui è uno furbo.

Il dottor Carta, forse per timore che ci tiriamo indietro, telefona chiedendo di vederci alla casa. Arriva rombando sulla sua Alfa 164, vestito Armani da capo a piedi. «C'è qualcos'altro che voglio mostrarvi» dice, come continuando un precedente discorso. «Venite con me.» A poche centinaia di metri dalla strada, imbocca un sentiero tra cespugli di profumatissima ginestra. Strano, il sentiero lastricato in pietra continua su per la collina, curva lungo il crinale. Dopo poco ci si apre davanti un vasto panorama della valle, con il viale di cipressi proprio sotto di noi e un dolce paesaggio disseminato di vigne ordinate e piccole macchie di olivi. In lontananza si vede un'azzurra pennellata, ed è il lago Trasimeno; sulla destra, i tetti rossi di Cortona che si stagliano netti contro il cielo. Il dottor Carta si gira verso di noi, trionfante. La stradina mostra in questo punto blocchi di pietra più grandi. «I romani» dice. «Questa strada è stata costruita dagli antichi romani, arriva fino a Cortona.» Il sole è cocente. Raggiungiamo la grande chiesa in cima al colle, e lui ci indica i resti della strada romana, la parte che conduceva dritto a Bramasole.

Tornati alla casa, apre un rubinetto esterno e si sciacqua la faccia. «Vedrete che acqua buona c'è qui! Una vera e propria *acqua minerale*, ottima per il fegato. *Eccellente!*» Vuole apparire entusiasta e al contempo un po' annoiato, amichevole e un tantino accondiscendente nei nostri confronti. Ho paura di aver parlato di soldi in maniera troppo diretta. O forse lui ha interpretato il nostro riferirci alla legge americana in materia di compravendite come un atteggiamento incredibilmente *naïf*. Lascia scorrere l'acqua, con le mani a coppa sotto il getto, e si china a bere, senza levarsi lo spolverino di lino che ha sulle spalle. «C'è acqua abbastanza per una piscina» continua. «Il punto perfetto per costruirla è da dove si vede il lago, il luogo in cui Annibale ha sconfitto i romani.»

Restiamo incantati dalla strada romana che serpeggia tra i fiori di campo. Scenderemo da lì per raggiungere la città, e il nostro caffè di fine pomeriggio. Ci mostra anche la vecchia cisterna. L'acqua in Toscana è preziosa, e viene raccolta goccia a goccia. Illuminando l'interno con una torcia elettrica, vediamo che il fondo della cisterna ha un passaggio a volta, una specie di corridoio. Nella fortezza medicea abbiamo visto nella cisterna lo stesso arco, e il custode ci ha spiegato che si tratta di un passaggio segreto sotterraneo che porta giù alla valle e fino al lago Trasimeno. Gli italiani considerano simili vestigia con grande naturalezza. A me sembra impossibile che sia permesso acquistare queste cose antiche.

La prima volta che ho visto Bramasole ho pensato subito che volevo appendere i miei abiti estivi in un *armadio* lì dentro, sistemare i libri sotto una delle finestre che danno sulla vallata. Abbiamo trascorso quattro giorni in compagnia del signor Martini, che aveva un piccolo ufficio buio in via Sacco e Vanzetti, nella città bassa. Dietro la scrivania era appesa una foto di lui soldato, immagino nel periodo fascista. Ci è stato ad ascoltare come se parlassimo un italiano perfetto. Quando abbiamo finito di descrivere quello che volevamo, si è alzato, ha messo in testa il Borsalino e ha detto una sola parola: «*Andiamo*». Sebbene si fosse operato di recente a un piede, ci ha guidati per strade a stento riconoscibili, tra intrichi di rovi; voleva mostrarci posti che soltanto lui conosceva. Alcune erano case coloniche col tetto crollato, lontane chilometri e chilometri dalla città e carissime. Una aveva un torrione costruito dai Crociati, ma la contessa si è messa a piangere e ha raddoppiato il prezzo, appena si è resa conto del nostro reale interesse. Un'altra era attaccata ad altre case coloniche, dove le galline spadroneggiavano, entrando e uscendo dalle costruzioni. Il cortile era pieno di attrezzi agricoli arrugginiti e di maiali. Alcune proprietà erano piccole e senza luce, o difficilmente raggiungibili. Una avrebbe avuto bisogno della costruzione di una strada: era seminascosta tra i cespugli di more, e abbiamo potuto solamente sbirciare da una finestra perché un serpente arrotolato rifiutava di spostarsi dalla soglia.

Abbiamo preso i fiori del signor Martini e lo abbiamo ringraziato, salutandolo. Sembrava davvero dispiaciuto di vederci andar via.

La mattina dopo lo abbiamo incontrato di nuovo in piazza. Ci ha detto: «Ho appena visto un medico di Arezzo. Forse ha una casa da vendere. *Una bella villa*» ha aggiunto in tono enfatico. La casa era vicinissima a Cortona, una passeggiata a piedi.

«Quanto vuole?» gli abbiamo chiesto, anche se ormai avevamo capito che la domanda diretta lo intimoriva.

«Andiamo a dare un'occhiata, prima» è stata la risposta. Usciti dalla città, abbiamo preso per una strada che s'inerpicava dall'altro lato della collina. Poi abbiamo svoltato per una strada bianca, quindi, dopo un paio di chilometri, siamo arrivati sul lungo viale d'accesso. Ho visto di sfuggita un tabernacolo, poi ho alzato lo sguardo all'edificio su tre piani, con una rosta in ferro battuto al di sopra del portone d'ingresso, fiancheggiato da due alte palme. In quel chiaro mattino la facciata sembrava emanare luce, coi suoi colori giallo, rosso, terracotta. Uscendo dall'auto siamo rimasti entrambi in silenzio. Dopo aver a lungo vagato per strade sconosciute, la casa sembrava attenderci da sempre.

«Perfetta, la prendiamo!» ho scherzato mentre arrancavamo tra le erbacce. Come aveva fatto con le altre case, il signor Martini non ha speso parole di imbonimento: si è limitato a guardare insieme a noi. Per raggiungere la casa siamo passati sotto una pergola arrugginita, piegata dal peso delle rose rampicanti. La porta d'ingresso, a doppio battente, si è aperta stridendo come una cosa viva. I muri, spessi quanto l'intera lunghezza del mio braccio, emanavano frescura. I vetri alle finestre erano malfermi. Spazzando via la polvere con un piede mi sono resa conto che il pavimento di cotto era in perfette condizioni. In ogni stanza Ed ha aperto la finestra e spalancato le imposte, scoprendo magnifici panorami di cipressi, verdi colline ondulate, ville lontane, una vallata. C'erano addirittura due bagni funzionanti; non bellissimi, ma comunque dei bagni, dopo tutte le case visitate che non avevano pavimenti, e tantomeno impianti idraulici. La casa era disabitata da trent'anni, e il terreno intorno rammentava un giardino incantato, un viluppo di rovi e di viti. Osservavo il signor Martini che giudicava la proprietà con l'occhio esperto di un uomo di campagna. L'edera si attorcigliava agli alberi e ricadeva sui terrazzamenti semidiruti. «*Molto lavoro*» concluse Martini.

Durante gli anni di ricerche, vuoi casuali, vuoi ostinate fino all'esaurimento, non mi era mai capitata una casa che mi suggerisse subito sì in modo tanto forte e chiaro. Comunque dovevamo partire il giorno seguente, e quando abbiamo saputo il prezzo abbiamo detto tristemente di no e siamo tornati a casa.

I sei mesi successivi mi scoprivo a parlare sempre di Bramasole. Avevo attaccato una fotografia allo specchio di camera e continuavo a percorrerne mentalmente le stanze e il terreno intorno. La casa è una metafora dell'io, certo, ma è anche reale in sé. E una casa nuova, sconosciuta, enfatizza tutte le associazioni sottese al concetto di dimora. Uscendo da un lungo matrimonio che immaginavo non dovesse finire mai, e avendo da poco cominciato una nuova relazione, questa ricerca della casa mi pareva connessa con la nuova identità che volevo costruirmi. Passata la bufera del divorzio, mi ero ritrovata con una figlia grande, un incarico universitario a tempo pieno (dopo anni di insegnamento *part-time*), una certa sicurezza economica e un intero futuro da inventare. Sebbene divorziare sia un po' come morire, sentivo di recuperare me stessa dopo anni di esistenza chiusa nell'ambito familiare. Avevo urgenza di provare la mia vita in un'altra cultura, di andare oltre le cose a me note. E volevo una dimensione in qualche modo fisica, che subentrasse a quella tutta mentale degli anni vissuti fino ad allora. Ed condivide fino in fondo la mia passione per l'Italia, e anche il piacere di staccare dall'insegnamento universitario per i tre mesi estivi. Avremmo avuto tanto tempo per visitare, per scrivere e progettare lavori di ricerca. Se guida lui, puoi giurare che la sua curiosità gli fa imboccare sempre le stradine secondarie. Lingua, storia, arte, città e campagne sono, in Italia, un campo sconfinato: due vite non basterebbero a esaurirlo. E poi c'è l'importanza del luogo inedito: la nuova vita si forma sui contorni della casa, la casa inserita nel paesaggio, e sui ritmi di esistenza ch'essa imprime.

In primavera ho telefonato a una signora californiana che aveva cominciato un'attività di agente immobiliare in Toscana. Le ho chiesto di informarsi su Bramasole: forse, pensavo, non l'hanno ancora venduta, e il prezzo è sceso. Una settimana dopo mi ha chiamata da un bar, dopo aver incontrato il proprietario. «Sì» mi ha detto, «è ancora in vendita, ma secondo quel particolare tipo di logica tutta italiana è ancora più cara. Il dollaro è calato, e si rammenti che la casa necessita di molte riparazioni.»

Adesso siamo tornati. E questa volta (il tipo di logica è la stessa) mi sono intestardita nel voler acquistare Bramasole. In fondo l'unica cosa che non va è il prezzo. La posizione ci piace, e così la città, la casa, il terreno. Se abbiamo contro un fattore soltanto, mi sono detta, andiamo avanti.

Però costa davvero un *sacco di soldi*. Sarà un'impresa immane recuperare casa e terra dall'abbandono. Crepe, muffa, terrazzamenti dirupati, l'intonaco che si sbriciola, un bagno puzzolente, un altro con tanto di vasca in ferro e il water rotto.

Ma perché in questo luogo mi pare divertente, laddove la semplice idea di risistemare la cucina a San Francisco rappresenta un grave attentato al mio equilibrio? A casa se cerco di appendere un quadro mi casca addosso un pezzo di intonaco; e quando ficco le mani nell'acqua del lavandino intasato (dimentico sempre che lo scarico non gradisce le foglie dei carciofi), la poltiglia sembra salire su dalla baia di San Francisco.

Sull'altro piatto della bilancia, invece, ecco una maestosa dimora vicino a una strada romana, con una muraglia etrusca (etrusca!) che si staglia in cima alla collina, una fortezza medicea dal lato opposto, in lontananza il panorama del monte Amiata, un passaggio segreto, centodiciassette olivi, venti susini e non so quanti albicocchi, mandorli, meli e peri. Accanto al pozzo prosperano molte piante di fico, e vicino ai gradini dell'ingresso c'è anche un nocciolo. E non dimentichiamo che siamo vicini a una delle città più belle che abbia mai visto. Saremmo pazzi a non comprare questa splendida casa dal nome di Bramasole!

E se uno di noi viene investito da un camion di patatine e non può lavorare? Passo in rassegna i vari tipi di malanno: una zia morta di infarto a quarantadue anni, mia nonna diventata cieca, tutte le brutte infermità... E se un terremoto distrugge le università in cui lavoriamo? Gli edifici dove si insegnano materie umanistiche sono, a detta delle statistiche, quelli più soggetti a cedimenti in caso di eventi sismici di media entità. E se crolla la borsa valori?

Salto giù dal letto alle tre di notte, entro sotto la doccia e mi faccio scorrere sul viso l'acqua fredda. Torno verso il letto al buio; procedo a tentoni, e urto con l'alluce contro la base metallica del letto. Un dolore lancinante mi arriva alla spina dorsale. «Ed, svegliati! Credo di essermi rotta l'alluce: come puoi dormire?»

Lui si tira su a sedere. «Stavo sognando di tagliare l'erba in giardino. Sentivo il profumo di salvia e di limoni.» Continua a pensare che l'acquisto di Bramasole sia una grande idea, e che quello è un angolo di paradiso in terra. Accende la luce sul comodino e sorride.

Ora sull'alluce mi pende di lato mezza unghia, e da sotto affiora un orribile colore porporino. Non so decidere se lasciarla o toglierla. «Voglio andare a casa» dico.

Ed mi fascia l'alluce e mi domanda: «Per casa intendi Bramasole, vero?».

La grossa cifra che occorre ci è già stata mandata telegraficamente dalla California, ma non è ancora arrivata. Com'è possibile? chiedo alla banca, dovrebbe arrivare subito... Gli impiegati alzano le spalle: forse la sede della banca, a Firenze, la sta trattenendo per qualche motivo. Passano i giorni. Da un bar telefono a Steve, il mio agente in California. Mi tocca gridare per sovrastare il baccano di una partita di calcio in TV. «Devi fare ricerche dalla tua parte» mi grida a sua volta. «Da qui il denaro è partito da tanto; lo sai che dalla Seconda Guerra Mondiale ad oggi il governo in Italia è cambiato quarantasette volte? Era meglio se bloccavi i soldi in obbligazioni a tasso variabile e in fondi di investimento. Le tue obbligazioni australiane hanno guadagnato il diciassette per cento. Oh, be', *la dolce vita!*»

Le zanzare invadono l'albergo insieme al vento del deserto. Mi avvolgo nel lenzuolo fin quasi a soffocare dal caldo. Mi alzo nel cuore della notte e mi avvicino alla finestra dalle persiane socchiuse, cerco di immaginare gli altri clienti addormentati, le piaghe che si sono procurate ai piedi per via delle strade lastricate, le guide turistiche ancora fra le mani. Siamo sempre in tempo a tirarci indietro, a ficcare armi e bagagli nella Fiat presa a nolo dicendo: «*Arrivederci*». E magari stabilirci per un mese sulla costiera amalfitana, per poi tornare a casa abbronzati e tranquilli. Comprare un sacco di sandali. Mi par di sentire ancora mio nonno che, quando avevo vent'anni, mi diceva:

«Guarda in faccia la realtà, scendi dalle nuvole». E si arrabbiava perché studiavo poesia e filologia latina, materie completamente inutili. E ora, che mi è saltato in mente? Comprare una casa abbandonata in un paese di cui non parlo quasi la lingua. Se lo sapesse mio nonno si rivolterebbe nella tomba. E poi non è che abbiamo così tante riserve da cavarci dai guai, in caso qualcosa andasse storto.

Ma perché mai questa schiavitù dalle case? Appartengo a una lunga genìa di donne che si portano in borsa campioni di stoffa per tappezzerie, pezzettini colorati di piastrelle da bagno, sette sfumature di tinta gialla per interni, e strisce di carta da parati a fiori. Abbiamo sempre amato il concetto delle quattro mura. «Com'è la sua casa?» chiede mia sorella, ed entrambe sappiamo che intende com'è la persona in questione. Ogni volta che vado da qualche parte per il fine settimana, anche se è a un passo da casa, prendo sempre la pubblicità delle compravendite immobiliari che trovo dal droghiere. Una volta, di giugno, ho preso in affitto una casa a Majorca, insieme a due amici; un'altra estate, invece, una casina a San Miguel de Allende, quando ho avuto un innamoramento folle per le corti con fontana, le stanze da letto con le bouganvilles ricadenti dai balconi e l'austera Sierra Madre. Un'estate, a Santa Fe, ho cominciato a guardare il tipo di mobilio che si usava lì, e ho pensato di diventare una tipica signora del Sud-ovest, che cucina col *chili*, porta gioielli di pasta di turchese... Condurre un'esistenza differente, insomma, darmi la possibilità di vivere in un'altra versione.

Adoro le isole della costa georgiana, da ragazzina ci trascorrevo le vacanze. E allora perché non una casa grigia proprio lì, esposta alle intemperie, fatta d'un legno simile a quello che si arena talvolta sulle spiagge? Tappeti di cotone, tè freddo alla pesca, un'anguria messa a raffreddare nel ruscello, e il sonno cullato dal rumore dei marosi che spumeggiano sotto la finestra. Un posto in cui le mie sorelle, gli amici e le loro famiglie potrebbero venire a trovarmi senza difficoltà. Eppure mi ricordo che ogni volta non mi allontanavo dalla solita traccia, non mi sentivo davvero rinnovata. Il noto mi attrae, è vero, ma ancor più mi interessa sperimentare cose nuove. E l'Italia esercita su di me un fascino singolare: a questo punto perché non considerare l'inizio della *Divina Commedia*, con la sua implicita domanda: Cosa bisogna fare per crescere? Mi appare giusto ciò che diceva mio padre, a sua volta figlio di una persona – mio nonno – dalla mentalità pratica, un risparmiatore. «Il motto di famiglia» diceva «è: "Fare e disfare i bagagli". E anche: "Se non puoi viaggiare in prima classe, meglio non partire affatto".»

Sto distesa a letto, sveglia, e comincio a percepire il senso, a me ben noto, d'una qualche Risposta in procinto di arrivare. Come le divinazioni attraverso la sfera di cristallo – che mi piaceva da matti quando avevo dieci anni – spesso ho la sensazione che un'idea o lo scioglimento d'un problema affiorino da un liquido scuro, ed è come se all'improvviso li vedessi scritti a lettere chiare e luminose. Amo il momento intenso dell'attesa, la percezione – fisica e mentale al tempo stesso – di un misterioso serpeggiare sulla superficie della coscienza.

Ma come potresti non avere incertezze? mi suggerisce qualcosa dentro. Sei forse immune dal dubbio? Perché non chiamarlo emozione, invece? Mi sporgo dal davanzale a cogliere la prima luce dorata dell'alba. L'arabo dorme ancora. Il dolce paesaggio ispira serenità. Le case coloniche color del miele, posate in graziose vallette, sembrano pagnotte appena sfornate e messe fuori a raffreddare. So che queste colline sono frutto di un violento sollevamento della crosta terrestre nel periodo giurassico, eppure appaiono come smussate da una gigantesca mano. Sotto il sole sempre più luminoso, la terra offre una gamma delicata di colori: un verde come quello d'un dollaro lavato per errore, un giallo crema, e il cielo azzurrino come gli occhi d'un cieco. I pittori rinascimentali avevano visto giusto. Non ho mai pensato al Perugino, a Giotto o al Signorelli come pittori realisti, ma le vedute sullo sfondo dei loro quadri sono identiche a questa, con le macchie verde scuro dei cipressi ad accrescere la bellezza dell'insieme. Ora capisco perché gli stivaletti rossi di un angelo biondo nel museo di Cortona sono così vivi, e l'abito blu cobalto della Madonna ha un colore tanto profondo e intenso. Con questo paesaggio e questa luce ogni cosa si presenta nel suo segno originario. Persino un asciugamano rosso steso su un filo diventa totalmente saturo nel suo stesso colore.

Penso: E se tutto va bene? Se in tre anni riusciamo a sistemare la casa? Avremo allora le etichette fatte a mano per le bottiglie di olio, tende di lino leggero davanti ai vetri all'ora della siesta, vasetti di marmellata di prugne sugli scaffali, una lunga tavola per pranzare all'aperto sotto il tiglio, e davanti alla porta una serie di cesti per raccogliere pomodori, rucola, finocchio selvatico, rose e rosmarino. E chi saremo noi due, in questa nuova vita?

Finalmente i soldi sono arrivati e abbiamo aperto il conto bancario. Comunque non ci hanno dato gli assegni. Una banca importante come questa, con dozzine di filiali in tutta Italia, non ha un libretto di assegni per noi. «Forse la prossima settimana» ci spiega la signora Raguzzi. «Ma per il momento niente.» Ci lamentiamo. Due giorni dopo richiama: «Ho dieci assegni per voi». Che storia è, questa degli assegni? A casa ne ho cassetti interi. La signora Raguzzi, invece, ce li dà col contagocce. La signora Raguzzi con la gonna stretta, la T-shirt aderente, e le labbra umide atteggiate a un perpetuo broncio. Ha la pelle luminosa, è sempre elegantissima e fa sfoggio di un pesante girocollo d'oro e di braccialetti a entrambi i polsi, che tintinnano ogni volta che imprime il nostro numero di conto su ciascun assegno.

«Che gioielli magnifici!» dico. «I suoi braccialetti mi piacciono molto.»

«Qui dentro abbiamo solo oro» replica con una punta di tristezza. Non ne può più delle piazze, delle tombe di Arezzo. Preferirebbe la California. Quando ci vede s'illumina. «Ah, la California» sospira, quasi un saluto. La banca comincia a parermi surreale. Siamo in una stanza interna, un uomo tira un carretto carico di lingotti d'oro, in realtà mattoncini. Nessuno sembra in stato di all'erta. Un altro ne porta due in sacchetti di plastica. È vestito molto semplicemente, quasi da operaio. Esce in strada, deve portare i lingotti da qualche parte. Un tantino pericoloso per un portavalori, ma l'abito serve a celare la sua reale funzione. Torniamo agli assegni. Sono senza immagini di navi o di palme, non hanno bisogno di nome, indirizzo, numero della patente o della cassa mutua: solo assegni d'un verde pallido, che sembrano stampati negli anni Venti. Siamo molto contenti. In fondo disporre di un conto bancario equivale un po' ad avere la cittadinanza.

Ci riuniamo nuovamente dal notaio per la stipula definitiva. È una cosa rapida. Parlano tutti insieme e nessuno ascolta. Il barocchismo dei termini legali ci lascia sconcertati. Sento un martello pneumatico trapanarmi il cervello. A un certo punto qualcuno parla di due buoi e due giornate. Ian, che traduce per noi, ci spiega che si tratta di una terminologia legale risalente al XVIII secolo, e che serve per descrivere l'estensione di terreno: si calcolava il tempo che due buoi ci mettevano ad ararlo. A quanto pare abbiamo una proprietà arabile in due giorni.

Prendo gli assegni; mi viene un crampo alle dita ogni volta che scrivo la parola "milione". Penso a quante azioni sicure, a quanti titoli d'impresa, serbati negli anni del mio matrimonio, si stanno adesso trasformando in un pendio a terrazze e in una vasta casa vuota. La casa di vetro in California, dove ho vissuto per dieci anni, circondata da limoni, lauroceraso e psidio, con la bella piscina e la veranda piena di poltrone di vimini e cuscini colorati: tutto mi sembra svanire in un'infinita lontananza, come se lo vedessi attraverso un cannocchiale rovesciato. "Milione" è parola grossa in inglese, non è possibile rapportarsi ad essa con disinvoltura. Ed controlla attentamente il numero degli zeri, non tollererebbe che scrivessi per sbaglio *miliardo*. Paga il signor Martini in contanti. Lui non ha mai menzionato un onorario, è stato il proprietario della casa a informarci della sua percentuale. Il signor Martini sembra soddisfatto, come se avesse ricevuto un regalo. Per me è un modo confusionario ma divertente di condurre gli affari. Strette di mani dappertutto. Ma cos'è quel sorrisino furbo sulla faccia della moglie del venditore? Ci aspettavamo un atto in pergamena, vergato in calligrafia antica; invece il notaio è in procinto di andare in vacanza, farà di tutto per consegnarci il documento prima di partire. «*Normale*» ci dice il signor Martini. Ho notato che per cose simili qui è ancora sufficiente darsi la parola. Così usciamo fuori, nel torrido pomeriggio, muniti solo di due grosse chiavi in ferro più lunghe del mio braccio, una per il cancello arrugginito, l'altra per la porta principale. Non assomigliano a nessuna delle chiavi che ho avuto. Né sarà possibile, credo, farne delle copie.

Giuseppe si sbraccia dalla soglia del bar; gli raccontiamo di aver comprato una casa. «Dov'è?» vuole sapere.

«Bramasole» dice Ed, e sta per spiegarne la posizione.

«Ah, Bramasole, *una bella villa*!» Da ragazzo ci rubava le ciliege. Anche se siamo ancora di pomeriggio, ci spinge dentro e ci offre una grappa. Poi grida: «Mamma!». La madre e la zia entrano dal retro e tutti si complimentano. Parlano tutti insieme, alludendo a noi come agli *stranieri*. La grappa picchia forte. La beviamo d'un fiato, proprio come fa la signora Mantucci con il caffè, poi usciamo, un po' ebbri, nel sole. Troviamo la macchina calda quanto un forno da pizza. Ci sediamo dentro con le portiere spalancate, e cominciamo a ridere, a ridere.

Abbiamo assunto due donne per dare una pulita sommaria e per farci portare un letto, non appena firmati i documenti di compravendita. In città abbiamo acquistato una bottiglia di prosecco gelato e, in una rosticceria, zucchine marinate, olive, pollo arrosto e patate.

Arriviamo alla casa un po' storditi dagli eventi e dalla grappa. Anna e Lucia hanno lavato i vetri, sconfitto strati e strati di polvere, tolto innumerevoli ragnatele. La stanza da letto al secondo piano, che dà su un terrazzino, risplende. Hanno fatto il letto con le lenzuola nuove, azzurre; dalla vetrata, lasciata aperta, si ode il verso del cuculo e del cardellino tra i rami del tiglio. Co-

gliamo le ultime rose sul balcone e usiamo come vasi due bottiglie vuote di Chianti. La camera – persiane chiuse e pareti bianche, pavimento tirato a cera, letto nuovo con lenzuola nuove,
rose sul davanzale e la luce della lampadina da quaranta watt –
assomiglia molto a una cella francescana. Appena entrata, penso che sia la stanza più bella del mondo.

Dopo la doccia e il cambio d'abiti ci sediamo ad ammirare il
tranquillo crepuscolo sul muretto in pietra del terrazzo; brindiamo a noi e alla casa col fragrante prosecco, che sembra una
forma liquida dell'aria stessa. Brindiamo ai cipressi lungo la
strada e al cavallo bianco nel campo del vicino, alla villa lontana, costruita appositamente per accogliere un papa in visita.
Buttiamo giù dal balcone i noccioli di olive, sperando che il
prossimo anno germoglino. La cena è ottima. Si sta facendo
notte, un barbagianni ci vola sulla testa, talmente vicino da sen-
tirne il vento delle ali; e posandosi sul carrubo emette uno strano grido che prendiamo per un saluto. L'Orsa Maggiore è giusto sopra la casa, sembra stia per adagiarsi sul nostro tetto. Le
costellazioni saltano fuori d'un tratto, chiare e visibili come su
una carta astronomica. Quando infine è buio del tutto, vediamo
anche la Via Lattea, che sfreccia proprio sulla casa. Vivendo alle luci perenni delle città, mi ero dimenticata delle stelle. E invece eccole qui, fitte e lucenti, che pulsano, che cadono. Stiamo
col naso all'insù finché non ci duole il collo. La Via Lattea sembra un nastro di pizzo lanciato nello spazio. Ed, a cui piace parlare sottovoce, si avvicina e mi bisbiglia all'orecchio: «Vuoi ancora andare a casa, oppure è questa la tua casa?».

CASA E TERRENO
VASTO QUANTO DUE GIORNI DI ARATURA

Ammiro gli scorpioni per la loro bellezza: sembrano geroglifici neri come l'inchiostro. Mi affascina anche il fatto che si adeguino al corso degli astri, sebbene non comprenda come possano vedere le costellazioni dagli angoli polverosi delle vecchie case in cui vivono. Uno corre dentro al bidet ogni mattina. Altri ne ho risucchiati per errore col mio nuovo aspirapolvere: di solito sono più fortunati, li catturo in un barattolo e li metto fuori. Considero con sospetto ogni tazza, ogni scarpa. Mentre sprimaccio un cuscino, uno di tipo albino mi atterra sulla spalla nuda. Nel ripulire lo stipo del sottoscala dalla collezione di bottiglie vuote, sconvolgiamo eserciti di ragni. Particolarmente impressionanti sono quelli che hanno corpi minuscoli e lunghe zampe filiformi; riesco a vederne anche gli occhi. Oltre a questi abitanti, l'eredità dei precedenti inquilini consiste in un mucchio di bottiglie di vino vuote, a migliaia, accumulate nel capanno e nelle stalle. Con esse abbiamo riempito più volte i contenitori per il riciclaggio del vetro, facendovi scivolare, dalle scatole di cartone che usiamo per trasportarle, vere e proprie cascate di vetro. Le stalle e la *limonaia* (un locale delle dimensioni di un garage, adiacente alla casa, usato un tempo per ricoverare le piante di limoni durante l'inverno) sono stracolme di casseruole arrugginite, giornali del 1958, rete metallica, barattoli di vernice e rottami vari. Interi ecosistemi di ragni e scorpioni sono stati distrutti, sebbene poche ore dopo sembrassero risorti dalle loro ceneri. Credevo di trovare delle vecchie foto, o qualche mestolo di legno del tempo che fu, e invece le sole cose interessanti sono state alcuni utensili di ferro forgiato a mano e un "prete", un oggetto in legno dalla vaga forma di cigno con un gancio per appenderci un cestello di braci, che si usava l'inverno per scaldare il letto, togliere l'umidità alle lenzuola. Un altro attrezzo fatto a mano, elegante come una scultura, è una piccola mezzaluna col manico di castagno ormai consunto. Qualsiasi toscano lo riconoscerebbe all'istante: serve per staccare i grappoli d'uva dal tralcio.

Quando abbiamo visitato la casa per la prima volta, era piena di letti in ferro battuto dalle testate dipinte: medaglioni con la Vergine Maria o scene bucoliche di pecore e pastori. E poi cassettoni tarlati col ripiano di marmo, lettini, specchi macchiati, culle, scatoloni e lugubri quadri a soggetto religioso, Crocifissioni con Gesù dal cuore trafitto e sanguinante. Il proprietario ha tolto tutto, persino le prese elettriche e le lampadine; salvo una credenza da cucina degli anni Trenta e un brutto letto rosso al terzo piano, che non sapevamo come far passare dalle scale troppo strette. Alla fine lo abbiamo smontato e gettato dalla finestra pezzo per pezzo. Anche il materasso ha fatto la stessa fine, e vederlo cadere giù al rallentatore mi ha dato una certa nausea.

I cortonesi si fermano davanti alla casa durante la passeggiata pomeridiana e osservano la nostra frenetica attività, il bagagliaio dell'auto zeppo di bottiglie vuote, il materasso in volo, io che urlo perché uno scorpione mi cade sulla maglietta mentre spazzo le pareti della stalla, Ed che armeggia tra l'erba alta con una sinistra falce fienaia. Qualche volta ci gridano: «Quanto vi è costata la casa?».

Presa in contropiede e affascinata da una simile sfacciataggine, rispondo: «Troppo, probabilmente». Una persona ricorda che tanto tempo fa ci viveva un artista napoletano; ma per lo più dicono che, a loro memoria, è sempre stata disabitata.

Ogni giorno leviamo roba, ripuliamo. Ci stiamo prosciugando come le colline qui intorno. Abbiamo comprato grandi quantità di detergenti e altre cose per le pulizie, una cucina nuova e un frigorifero. Con due cavalletti e due assi di legno abbiamo fatto il piano di lavoro in cucina. Così quest'ultima è abbastanza funzionante, anche se dobbiamo portarci l'acqua calda dal bagno, in un catino di plastica. A poco a poco comincio ad assumere una visione più semplice della cucina: tre mestoli di legno – due per l'insalata e uno per rimestare –, una padella, un coltello da pane, un coltello da arrosti, una grattugia, un'insalatiera, una teglia da forno e una macchinetta da caffè. Ci siamo portate dietro alcune vecchie posate da picnic e abbiamo comprato pochi piatti e bicchieri. Le nostre prime pastasciutte qui mi sembrano ottime. Dopo una giornata di lavoro divoriamo grandi quantità di cibo, poi crolliamo di peso sul letto. Il nostro piatto preferito sono gli spaghetti con un sugo di *pancetta* leggermente soffritta, quindi unita a panna e *rucola*, un'erba amara che si trova in abbondanza ai bordi del viale d'accesso e lungo i muretti di pietra. Infine aggiungiamo del parmigiano grattugiato e ci satolliamo. Oltre all'insalata più buona di tutte, quella fatta con meravigliosi pomodori tagliati grossi, mozzarella e basilico, abbiamo imparato a preparare i tipici fagioli bianchi toscani con olio e salvia. La mattina li sgrano e li metto a bollire, poi li lascio a temperatura ambiente prima di innaffiarli con olio abbondante. Consumiamo olive nere in quantità industriali.

In genere non usiamo più di tre ingredienti, ma bastano e avanzano per ottenere piatti prelibati. L'idea di cucinare qui mi ispira, con queste meravigliose materie prime tutto sembra facile. Un piano di marmo, residuo di un qualche vecchio cassettone, mi serve per impastare, se decido di tirare la sfoglia per la crostata di prugne. E mentre la spiano con una delle famose bottiglie di Chianti trovate nella stalla, penso con stupore alla mia cucina di San Francisco: il pavimento a piastrelle bianche e nere, le pareti lustre tra gli armadietti e il tavolo, i lunghi banconi bianchi e lucenti, il piano dei fornelli formato ristorante, così grande da poter servire un esercito; i raggi del sole che spiovono dal lucernario, e in sottofondo sempre la musica di Vivaldi, Robert Johnson o Villa Lobos. Qui, invece, mi fa compagnia un ragno tenace che tesse la sua tela all'angolo del camino. La cucina e il frigorifero appaiono troppo nuovi rispetto all'intonaco che si sbriciola e alla luce della nuda lampadina, appesa a un filo che sembra vivo.

Nel tardo pomeriggio faccio lunghi bagni nella vasca piena di schiuma, mi libero i capelli dalle ragnatele, mi pulisco le unghie sporche di terra, i cerchi di polvere nera attorno al collo. Era da quando, bambina, giocavo a calciare le lattine nelle lunghe sere d'estate, che non mi ritrovavo il collo così sudicio. Ed esce dalla doccia rigenerato; la maglietta bianca e i calzoncini color kaki ne mettono in risalto l'abbronzatura.

La casa vuota rimanda un senso di vastità e di purezza, ora che è ripulita a fondo. La maggior parte degli scorpioni è migrata altrove. Le mura spesse mantengono il fresco anche nelle giornate più afose. Un tavolino rustico, ripescato nella limonaia, diventa il nostro tavolo da pranzo in veranda. Ci sediamo fuori e parliamo fino a tardi dei problemi di ristrutturazione, mentre gustiamo il gorgonzola con le pere appena colte e il vino del lago Trasimeno, che è giusto di là dalle colline. In realtà non occorrono molte cose: l'impianto di riscaldamento, un nuovo bagno messo in comunicazione coi due già esistenti, una cucina nuova; ma tutto dovrà essere semplicissimo. Quanto ci vorrà per avere i permessi? Abbiamo davvero bisogno del riscaldamento centrale? È meglio lasciare la cucina dov'è, oppure spostarla nei locali della stalla? Così la cucina attuale, col grande caminetto, potrebbe trasformarsi in salotto. Nella semioscurità vediamo le tracce del giardino come dev'essere stato una volta: una lunga siepe di bosso inselvatichito da cui s'innalzano cinque grossi cespugli irregolari, che in passato saranno stati potati in forma sferica. Dobbiamo restaurare il giardino secondo lo stesso criterio? O tagliare la siepe nella maniera più semplice? Oppure sradicarla e al suo posto mettere qualcosa di meno pomposo, come la lavanda? Chiudo gli occhi e cerco di immaginare l'aspetto del giardino fra tre anni, ma quella giungla inestricabile è impressa troppo fortemente nella mia visione. Sul finire della cena già dormo in piedi, come un cavallo.

Ho idea che la casa sia orientata bene, secondo le teorie cinesi di Feng Shui. Qualcosa, comunque, ci trasmette uno straordinario senso di benessere. Ed ha l'energia di tre uomini. Dopo aver sofferto d'insonnia tutta la vita, io ho ripreso a dormire come un neonato per l'intera notte, facendo bellissimi sogni in cui nuoto nella corrente di un chiaro fiume, gioco nell'acqua. La prima notte ho sognato che il vero nome della nostra casa non fosse Bramasole ma Cento Angeli, e che li avrei incontrati uno dopo l'altro. Porta male cambiare il nome a una casa, così come si dice avvenga per le barche? Comunque, da timida straniera qual sono, non mi arrischierei a farlo. Però adesso, per me, la casa ha anche un suo nome segreto, che vale tanto quanto l'altro.

Le bottiglie sono sparite, la casa è pulita. Il pavimento incerato brilla. Fissiamo qualche gancio dietro le porte, tanto per non tenere i vestiti in valigia. Con delle cassette e dei pezzi di marmo trovati nella stalla facciamo due comodini che vanno benissimo con le due sedie da giardino che abbiamo comprato.

Siamo pronti ad affrontare le operazioni di restauro. Andiamo in centro per il caffè e telefoniamo a Piero Rizzatti, il *geometra*. I termini inglesi *draftsman* o *surveyor* non spiegano bene la figura del geometra, che non ha l'equivalente negli Stati Uniti. Fa da tramite tra i proprietari di immobili, le imprese edili e l'ufficio urbanistico del comune. Ian ci ha garantito che questo è il migliore della zona, lasciando intendere che ha anche buoni agganci, e potrà procurarci i permessi con relativa rapidità.

Il giorno dopo Ian ci porta il signor Rizzatti, che si presenta con taccuino e rotella metrica. Facciamo insieme il giro della casa per valutare gli interventi da compiere.

Il piano terra si compone di una fila di cinque stanze: la cucina di servizio, quella principale, il salotto, la stalla per il cavallo e un'altra stalla; dopo le prime due stanze ci sono un corridoio e dei gradini. L'edificio è diviso in due parti dalla grande scala di pietra con il corrimano in ferro battuto. Una strana pianta, comunque: la casa è stata progettata come una casa di bambole, con tutte le stanze di dimensioni identiche. Mi fa l'effetto di uno che chiami tutti i propri figli con lo stesso nome... Nei due piani superiori si aprono due camere da letto, una da ciascun lato della scala; e bisogna attraversare la prima stanza per raggiungere la seconda. A quanto pare le famiglie italiane non si sono mai poste problemi di privacy, almeno fino a tempi recenti. Persino Michelangelo, mi rammento, dormiva con quattro dei suoi scalpellini, se stavano lavorando a un'opera. E nei grandi *palazzi* di Firenze le stanze danno l'una nell'altra: i corridoi dovevano sembrare loro uno spreco di spazio.

Un muro divide dal resto l'ala di ponente – una stanza per ciascun piano – destinata ai *contadini*, la famiglia che lavorava la terra, occupandosi degli olivi e della vigna. Una stretta scala conduce all'appartamento, che non dispone di un ingresso nel corpo principale della casa: vi si può accedere solo dalla porta della cucina. Con quest'ultima, le due porte delle stalle e il portone centrale, sulla facciata si aprono in tutto quattro porte. Cerco di immaginarle con gli infissi nuovi, spalancate sul giardino e inframmezzate da vasi di lavanda, di rose, di limoni; e i profumi che si diffondono in casa, la vita che si svolge in un naturale andirivieni tra dentro e fuori. Il signor Rizzatti gira la maniglia della porta della cucina e questa gli resta in mano.

Sul retro dell'appartamento, in corrispondenza del terzo piano, è stata aggiunta una rozza toilette – poco più di una latrina – su un supporto di cemento aggettante. I contadini, che ai piani superiori non disponevano di acqua corrente, si servivano probabilmente di un secchio a mo' di sciacquone. Anche i due bagni "veri" sono costruiti all'esterno della casa, nella parte posteriore, uno per ciascun piano. E ho notato che si ricorreva molto spesso a questa brutta soluzione, nel caso di edifici costruiti prima che esistesse l'impianto idraulico interno. Mi è capitato sovente di vedere simili sgabuzzini aggettanti, talvolta sostenuti da fragili pali di legno incastrati nel muro. Il bagno piccolo, che immagino sia stato il primo della casa, ha il soffitto basso, il pavimento a scacchiera e la vasca di ferro. Quello grande dev'essere stato aggiunto negli anni Cinquanta, non molto prima che il luogo fosse abbandonato. Qualcuno ha voluto divertirsi con il rivestimento di piastrelle, alto fino al soffitto: rosa, azzurre e bianche, a formare una farfalla gigante. Anche il pavimento è azzurro, ma in un'altra tonalità. Lo scarico della doccia è un semplice buco in terra: l'acqua schizza da tutte le parti. Inoltre hanno fissato il diffusore talmente in alto che il getto provoca una sorta di risucchio, e le tende che abbiamo messo ci si avvolgono invariabilmente attorno alle gambe.

Usciamo sul terrazzo a L della stanza da letto al secondo piano, affacciandoci sullo splendido panorama della vallata da una parte, e degli olivi e degli alberi da frutto dall'altra. Non ci riesce difficile immaginare le nostre colazioni qui su, con l'albicocco fiorito proprio davanti e la collina coperta di giaggioli selvatici, di cui ora scorgiamo ovunque i gambi rinsecchiti. Già vedo mia figlia e il suo ragazzo stesi sulle sdraio e spalmati di olio abbronzante, che leggono un libro sorseggiando tè freddo. Il pavimento del terrazzo è uguale a quello interno, solo che il cotto ha un aspetto più antico e una bellissima patina muschiosa per via degli agenti atmosferici. Il signor Rizzatti, però, lo guarda preoccupato. Scendiamo nella limonaia, e ci indica il soffitto (corrispondente al terrazzo, appunto) incrostato di muffe e rovinato in più punti, pieno di crepe. Ci sarà da spendere. Annota sul blocco per due pagine intere.

Pensiamo che quella bizzarra disposizione dei locali in fondo ci soddisfa. Certo non abbiamo bisogno di otto camere da letto. Ciascuna delle quattro potrebbe avere accanto uno studio/salottino/guardaroba; e potremmo trasformare la stanza adiacente alla nostra in una sala da bagno. Due bagni basterebbero, ma vorremmo concederci il lusso di un bagno solo per noi. Se smantelliamo la latrina del fattore attaccata a questa stanza, avremo anche un antibagno, e sarebbe l'unico della casa. Con il metro rigido il geometra ci fa notare i contorni di una porta murata che metteva in comunicazione la camera da letto del fattore con la nostra attuale. Riaprirla, pensiamo, sarà un gioco da ragazzi.

Al pianterreno la fila di stanze non ci convince. La prima volta che ho visto la casa ho detto, senza troppo pensare: «Be', buttiamo giù queste pareti e ne facciamo due grandi stanze!». Adesso il nostro geometra ci dice che per la legge antisismica non si possono praticare aperture nelle pareti più grandi di due metri. Stare qui mi ha dato un senso profondo della costruzione. Mi rendo conto di come i muri del primo piano s'incurvano in prossimità del pavimento, adattandosi alle grosse pietre delle fondamenta. La casa è stata edificata secondo lo stesso criterio dei terrazzamenti, con le pietre incastrate una sull'altra, senza malta. Dalla misura dello strombo di porte e finestre mi accorgo che i muri si assottigliano verso l'alto: un metro circa al primo piano, quasi la metà al terzo. Ma cos'è che tiene insieme la casa nella parte alta? E delle moderne travi d'acciaio potrebbero fare le veci dei blocchi di pietra?

Quando fu progettata la cupola del duomo di Firenze, nessuno conosceva la tecnica per costruire una semisfera di quelle dimensioni. Qualcuno propose di sostenerla riempiendo la cattedrale con un enorme mucchio di terra, in cui fossero nascoste delle monete d'oro: una volta terminata la cupola, la gente del popolo si sarebbe messa a scavare per trovare il denaro, liberando al contempo la chiesa dalla terra. Ma per fortuna Brunelleschi aveva ben chiaro in mente come fare. Spero che questa casa sia stata costruita sulla base di altrettanto solidi principi, però comincio ad avere dei dubbi sulla scelta di abbattere le spesse pareti al pianterreno.

Il geometra ha un sacco di idee: pensa che la scala di servizio sul retro dell'appartamento dovrebbe essere eliminata. A noi piace, ci sembra una segreta via di fuga. Dice di rintonacare la facciata e ridipingerla in color ocra. No davvero: io amo i colori che mutano con la luce, il bagliore intenso dell'oro quando piove, come se il sole filtrasse attraverso i muri.

Il geometra ritiene che il tetto debba avere la priorità assoluta. «Ma il tetto è abbastanza solido» ribattiamo noi, «perché andare a toccarlo, se ci sono altre cose più urgenti?» Gli spieghiamo che non siamo in grado di ristrutturare tutto insieme. Già la casa ci costa un patrimonio. I lavori dovranno essere scaglionati, e per lo più vorremmo farceli da soli. Gli americani, gli dico, sono gente incline al fai-da-te. Mentre lo dico vedo il panico sul viso di Ed. Il fai-da-te è un concetto sconosciuto, qui. Il geometra scuote la testa: allora non c'è speranza, deve pensare, se è costretto a spiegare anche cose elementari come queste.

Ci parla lentamente, come se grazie a una precisa enunciazione lo capissimo meglio. «Sentite, il tetto ha bisogno di essere consolidato. Toglieremo le tegole, le numereremo, e poi le rimetteremo a posto nello stesso ordine, dopo aver collocato lo strato di materiale isolante; così la copertura sarà più stabile.»

A questo punto la scelta è tra il riscaldamento centrale e il tetto. Discutiamo l'importanza dell'uno e dell'altro. In realtà staremo qui soprattutto d'estate, ma non vogliamo congelare, a Natale, quando verremo per la raccolta delle olive. E se decidiamo per il riscaldamento centrale, questo sarà connesso a un sistema idraulico tutto da costruire. Il tetto può essere sistemato in qualunque momento, o mai. Ora come ora l'acqua si raccoglie in una cisterna nella stanza da letto del fattore. Quando facciamo la doccia o tiriamo lo sciacquone, entra in azione una pompa e l'acqua del pozzo scorre nella cisterna. Sopra ogni doccia è appeso un piccolo scaldabagno (miracolo: funzionano ancora!). Ci occorre una caldaia centralizzata, e poi una cisterna più grande, in modo che la rumorosissima pompa non debba funzionare di continuo.

Optiamo dunque per il riscaldamento. Il geometra, sicuro che alla fine dovremo ravvederci, dice che vuole occuparsi egualmente di ottenere i permessi per ristrutturare il tetto.

In un periodo tra i meno felici della vita della casa, qualcuno ha avuto la folle idea di dipingere le travi di castagno in ogni stanza con un'orrenda vernice rosso scuro. Questa impensabile soluzione era abbastanza in uso nel sud dell'Italia, un tempo: dipingevano le travi vere con una poltiglia colorata, e poi ci facevano sopra delle striature per simulare quelle del legno! Perciò la sabbiatura dei soffitti ha la priorità assoluta. Un lavoro molto scomodo ma veloce, e poi il turapori e la cera potremmo passarli noi stessi. Una volta mi è capitato di restaurare un vecchio baule, e mi ci sono divertita. Dobbiamo sistemare anche gli infissi di porte e finestre, che nell'intera casa sono ricoperti dello stesso miscuglio marroncino. Il genio di soffitti e finestre dev'essere stato altresì responsabile dello stato del caminetto, rivestito di piastrelle in ceramica similcotto. Che strana idea, ricoprire le cose vere con imitazioni del vero! Tutto questo deve sparire, esattamente come le piastrelle azzurre sul davanzale e le farfalle nel bagno. Entrambe le cucine, quella del fattore e quella padronale, sfoggiano bruttissimi lavandini di cemento. La lista del geometra copre adesso tre pagine. La cucina di servizio ha inoltre il pavimento a lastre di marmo, tutte rotte e davvero orrende. Sui soffitti corrono un sacco di vecchi fili elettrici, che si riuniscono in corrispondenza di borchie in porcellana bianca. Accendendo la luce vedo talvolta sprigionarsi qua e là delle scintille.

Il geometra si siede sul muretto della terrazza, asciugandosi il sudore dalla faccia con un largo fazzoletto di lino col monogramma. Ci guarda con un pizzico di compassione.

La prima regola se devi restaurare una casa è esserci. E noi saremo a dodicimila chilometri da qui nel momento in cui verrà eseguito il grosso dei lavori. Così ci prepariamo a cercare la ditta migliore, quella che ci darà maggiori garanzie.

Nando Lucignoli, mandatoci dal signor Martini, arriva con la sua Lancia e si ferma in fondo al viale d'ingresso, guardando non la casa ma il panorama della valle. Immagino che ami profondamente la natura, e invece mi accorgo che sta parlando a un cellulare, gesticolando con la sigaretta tra le dita. Infine getta il telefono sul sedile anteriore.

«*Bella posizione.*» Agita ancora la Gauloises mentre mi stringe la mano, quasi inchinandosi. Suo padre è muratore e lui è diventato imprenditore, un imprenditore di ottimo aspetto, a quanto pare. Come molti italiani, il profumo di colonia o di dopobarba lo circonda come un'aura, dissipata appena dal fumo della sigaretta. Prima che aggiunga altro, sono sicura che è il nostro uomo. Gli facciamo fare il giro della casa. «*Niente, niente*» ripete, come dire: È affar di poco. «Per incassare i tubi del riscaldamento nei muri sul retro basta una settimana di tempo; per il bagno tre giorni, signora. E per finire tutto non più d'un mese. La casa sarà a posto; adesso dovete soltanto chiudere la porta, lasciate la chiave a me e quando sarete di ritorno troverete tutto sistemato.» Ci assicura che si procurerà dei mattoni vecchi, in modo da uniformare al resto della casa la nuova cucina nella stalla. L'impianto elettrico? Ha un amico. I mattoni del terrazzo? Alza le spalle: basta un po' di malta. Aprire i muri al pianterreno? L'esperto in questo è suo padre. Una ciocca di capelli neri impomatati gli ricade sulla fronte. Mi ricorda il *Bacco* del Caravaggio, solo che lui ha occhi verde muschio e una certa scompostezza, forse acquisita per affinità con la Lancia sparata a tutta birra. Pensa che le mie idee siano buone, avrei dovuto fare l'architetto – dice – ho un gusto squisito. Ci sediamo fuori, sul muretto di pietra, a bere un bicchiere di vino. Ed rientra per farsi il caffè. Nando disegna sul retro di una busta il percorso dei tubi dell'acqua. Il mio italiano è incantevole, mi bisbiglia. Capisce tutto quello che cerco di dirgli. Promette di portarmi il preventivo l'indomani. Sono sicura che sarà ragionevole, e che durante l'inverno lui, suo padre e un manipolo di operai di fiducia trasformeranno Bramasole. «Pensi a divertirsi e lasci fare a me» grida, sgommando sul vialetto. Mentre lo saluto noto Ed sul terrazzo. Su Nando non si sbilancia; dice solo che odora quanto una *profumeria,* che fuma le Gauloises in maniera affettata e che il suo progetto per il riscaldamento centrale è sbagliato.

Ian ci presenta Benito Cantoni, un tracagnotto dagli occhi gialli che somiglia per l'appunto a Mussolini. Ha circa sessant'anni, e il nome probabilmente gli è stato dato in onore del Duce. Mi ricordo che Mussolini a sua volta venne chiamato come il messicano Benito Juárez, che lottò contro la tirannia dei francesi. Strano come il nome di un rivoluzionario sia passato attraverso un dittatore per arrivare infine a quest'uomo mite dalla faccia larga e inespressiva, dal cranio pelato che brilla come una lucida zucca. Quando parla – assai di rado – usa il dialetto della Val di Chiana. Non capisce una parola di ciò che diciamo, e certo a noi il suo linguaggio riesce oscuro. Persino Ian ha delle difficoltà. Benito ha restaurato la cappella delle Celle, un monastero qui vicino, il che rappresenta una referenza sicura. Ma ci colpisce ancor di più la villa che ha ristrutturato vicino Castiglion del Lago, e che Ian ci porta a vedere: si tratta di una casa colonica, con un torrione costruito dai Templari, dicono. Il lavoro sembra accurato. I suoi due muratori, a differenza di Benito, sorridono sempre.

Di ritorno a Bramasole, Benito gira di qua e di là; non prende appunti. Ha l'aria tranquilla, sicura. Quando Ian gli chiede da parte nostra un preventivo, esita: impossibile sapere quali problemi si presenteranno. Quanto vogliamo spendere? (Che domanda!) Non è sicuro di potersi procurare del cotto vecchio, né che cosa troverà dopo aver smantellato il pavimento del terrazzo. Fa notare che al terzo piano c'è da sostituire una piccola trave.

I preventivi non sono un genere molto in uso, tra le imprese edili del posto. Sono più abituati a lavorare giorno per giorno, con qualcuno sempre in casa che controlli le ore effettivamente impiegate. Insomma, non è questo il loro metodo operativo, e anche se dichiarano: «Ci vogliono meno di tre giorni» o «Quindici giorni», abbiamo capito che si tratta di un semplice modo di dire, laddove l'interlocutore non ha idea del tempo necessario, ma neppure pensa che tale tempo sia davvero infinito. Abbiamo imparato a nostre spese, perdendo un treno, che «Quindici minuti» significa pochi minuti, non quindici effettivi, anche se è un capotreno a dare informazioni sulle partenze. Penso che la maggioranza degli italiani abbia un senso del tempo più dilatato rispetto al nostro. Che fretta c'è? Una volta costruito, un edificio resta in piedi per un lungo, lunghissimo tempo, magari un migliaio d'anni. Perciò due settimane o due mesi poco importa.

Abbattere i muri interni? No, non è d'accordo. Mima la casa che crolla attorno a noi. Comunque Benito dice che cercherà di fare un po' di conti, e che li darà a Ian entro la settimana. Andando via ci regala finalmente un sorriso. I suoi denti giallastri e squadrati sembra abbiano la forza di rompere un mattone a morsi. Ian gli affibbia il nomignolo di "playboy d'Occidente". Ed si dimostra soddisfatto.

Il nostro geometra ci raccomanda la terza ditta, quella di Primo Bianchi, che arriva in Ape, un camion in miniatura con tre ruote. Anche lui è in miniatura, alto meno di un metro e sessanta, tozzo e vestito d'una tuta con fazzoletto attorno al collo. Rotola fuori dall'Ape e ci saluta alla vecchia maniera: «*Salve, signori*». Sembra uno degli assistenti di Babbo Natale: ha gli occhiali cerchiati d'oro, capelli bianchi scompigliati e alti stivali. «*Permesso?*» chiede varcando la soglia. E poi entrando in ogni stanza continua a fermarsi e a dire «*Permesso?*», come se volesse evitare di disturbare l'intimità di qualcuno. Tiene il cappello in mano in un modo che mi ricorda i dipendenti di mio padre, nel nostro mulino nel Sud. È abituato a sentirsi il contadino che parla con il *padrone*. Però si muove con una certa sicurezza, e ha una fierezza che qui ho notato spesso in camerieri, meccanici, fattorini. Prova le chiusure delle finestre e fa girare le porte sui cardini. Con la punta del coltello verifica le travi, se mai fossero marce, e localizza i mattoni malfermi. S'inginocchia sul pavimento e ci indica due mattoni d'un colore leggermente più chiaro. «*Io*» dice, raggiante, col dito al proprio petto, «*molti anni fa.*» Quei due mattoni li ha sostituiti lui. Ci racconta poi di essere stato lui a costruire il bagno principale; e che veniva chiamato ogni anno, a dicembre, per trasportare nella limonaia le piante di limoni che adornavano il terrazzo. Il padrone di casa aveva l'età di suo padre ed era vedovo; le cinque figlie si erano poi trasferite altrove. Quando morì, la casa rimase abbandonata. Loro non volevano separarsene, ma intanto nessuno se n'era occupato per trent'anni. M'immagino le cinque sorelle di Perugia nei loro lettucci di ferro, in cinque stanze diverse, che si svegliano alla medesima ora e spalancano in contemporanea le persiane. Non credo ai fantasmi, ma fin dal primo giorno mi è parso di sentire la loro presenza, le trecce grosse e nere adorne di nastri, le camicie da notte con le cifre ricamate, e la madre che ogni sera le mette in fila davanti allo specchio, per i rituali cento colpi della sua spazzola d'argento.

Sul terrazzo al primo piano il signor Bianchi scuote la testa: deve togliere il cotto e stendere un foglio catramato insieme a del materiale isolante. Abbiamo la sensazione che non parli a vanvera. Il riscaldamento centralizzato? «Costa troppo. Meglio tenere il fuoco acceso e coprirsi bene, signora.» Abbattere le due pareti? Sì, forse. Le decisioni hanno alcunché di irrazionale: entrambi, Ed e io, pensiamo che Primo Bianchi sia la persona giusta a cui affidare la ristrutturazione.

Se nel primo capitolo del romanzo si parla di un fucile sulla mensola del caminetto, puoi star sicuro che alla fine della storia qualcuno lo userà.

Chi ci ha venduto Bramasole non si è limitato a parlarci della sua ottima acqua, ne ha addirittura cantato le lodi. Per lui era motivo di grande orgoglio. Mostrandoci i confini della proprietà si è fermato ad aprire un rubinetto in giardino, ha messo le mani sotto il getto d'acqua fredda proveniente dal pozzo. «Qui venivano a rifornirsi gli etruschi! È un'acqua famosa per la sua purezza. La stessa rete idrica dei Medici» ha aggiunto, indicando la fortezza del XV secolo in cima alla collina, «passa attraverso questo terreno.» Il suo inglese era perfetto. E certo si intendeva di acqua. Ci ha poi descritto i corsi d'acqua nelle montagne attorno, e la vena abbondante presente dal nostro lato del monte Sant'Egidio.

Ovviamente abbiamo fatto fare delle ricerche sulla proprietà che stavamo per comprare. Un imparziale geometra di Umbertide, a parecchi chilometri da qui, ci ha fornito informazioni dettagliate. C'è molta acqua, ci ha assicurato.

Mentre facevo la doccia, sei settimane dopo l'acquisto, l'acqua ha cominciato a rallentare, fino a diventare un rivolo, una serie di gocce, e poi fermarsi del tutto. Col sapone in mano, sono rimasta immobile, stupita per qualche istante, poi ho pensato che qualcuno avesse chiuso la pompa per errore, oppure, più verosimilmente, che fosse andata via la corrente. Ma la lampadina era tuttora accesa. Sono uscita dal box e mi sono tolta il sapone di dosso con un asciugamano.

Il signor Martini lascia l'ufficio e ci accompagna in macchina; ha con sé un lungo spago suddiviso in metri, con un peso all'estremità. «*Poca acqua*» proclama, quando il peso tocca il fondo del pozzo. Lo tira su, insieme a neri filamenti di radici: soltanto pochi centimetri risultano bagnati. Il pozzo è profondo una ventina di metri appena, con una pompa risalente alla Rivoluzione Industriale. Ecco cosa conta la perizia dell'imparziale geometra di Umbertide! Né ci giova sapere che la Toscana, da tre anni, è afflitta da una grave siccità.

«*Un nuovo pozzo*» annuncia, sempre ad alta voce. Nel frattempo, dice, possiamo comprare l'acqua da un suo amico; ce la porterebbe col camion. Fortuna che ha un "amico" per ogni bisogno.

«È acqua del lago?» chiedo, figurandomi piccoli rospi ed erbe viscide tirati su dal Trasimeno. Ma lui mi garantisce che è acqua buona, anzi arricchita di fluorite. Il suo amico ne pomperà nel nostro pozzo parecchie centinaia di litri, quanto basta per il resto dell'estate. E in autunno avremo il pozzo nuovo, profondo, con acqua pura a volontà, persino per una piscina.

La piscina è sempre stato un *Leitmotiv*, durante la nostra ricerca di case. Dato che siamo della California, tutti quelli che ci mostrano una casa immaginano che per prima cosa vorremo costruire la piscina. Rammento che qualche anno fa, durante un viaggio nei paesi dell'Est, mi sono sentita domandare dallo smunto figliolo di un amico se per caso non facessi lezione in costume da bagno. E l'idea mi ha divertita. Ma dopo aver posseduto una piscina, penso che il modo migliore di godersela sia, invece, avere un amico che ce l'ha. Armeggiare con depuratori e luci al neon non fa parte dei miei progetti per le vacanze. Qui i problemi da affrontare sono già molti.

Così abbiamo comprato un camion d'acqua, sentendoci un po' pazzi e un po' sollevati. Ci restano solo due settimane da trascorrere a Bramasole, e pagare l'amico di Martini è certo meno caro che trasferirci in albergo, e non altrettanto umiliante. Non capisco perché l'acqua non s'infiltri nella faglia inaridita. Comunque facciamo docce rapidissime, beviamo soltanto acqua minerale, mangiamo spesso fuori e spendiamo una fortuna in lavanderia. Il rumore delle trivelle che scavano il pozzo giù nella valle ci accompagna l'intera giornata. A quanto pare anche altre persone mancano di pozzi profondi. Mi chiedo se è mai successo che qualcun altro in Italia abbia acquistato un camion d'acqua per riempirne un buco nel terreno. Continuo a confondere la parola *pozzo* con *pazzo*: come noi, ad esempio.

Stiamo cominciando appena a comprendere ciò di cui la casa ha bisogno (oltre all'acqua), ed ecco che è ora di partire. In California gli studenti stanno comprando i libri di testo, s'informano sugli orari delle lezioni. Ci occupiamo di avviare le richieste di permessi. I preventivi raggiungono tutti cifre astronomiche: ci toccherà compiere personalmente più lavoro di quanto pensassi. In California, un giorno, ho preso la scossa cambiando un interruttore. E Ed quasi veniva giù attraverso il soffitto una volta che era salito in mansarda per riparare un buco nel tetto. Chiamiamo Primo Bianchi e gli diciamo che vorremmo fosse lui a fare il grosso del lavoro; gli raccomandiamo di avvertirci quando giungeranno i permessi. Per fortuna Bramasole è all'interno di un'area protetta, sia dalle Belle Arti che da un punto di vista ambientale; è vietato costruirvi nuovi edifici e anche restaurare le case in modo da alterarne la struttura originaria. Perciò i permessi devono essere firmati sia dalle autorità locali, sia da quelle nazionali, e la trafila potrebbe durare mesi, forse un anno. Speriamo che Rizzatti abbia davvero gli appoggi di cui ci parlavano. Bramasole resterà vuota per un inverno ancora. E lasciare un pozzo senz'acqua significa andarsene con un gusto amaro in bocca.

Incontriamo in piazza il precedente proprietario, dotato di nuovo soprabito Armani; ci saluta cordialmente: «Come va a Bramasole?» ci chiede.

«Non potrebbe andar meglio» rispondo. «Ci piace tutto, qui!»

Chiudendo casa conto sette porte e sette serrature, diciassette finestre, ognuna con persiane esterne ed elaborati infissi interni dai pannelli di legno traballanti. Chiuse le persiane, ogni stanza piomba improvvisamente nel buio, tranne per qualche raggio di sole che filtra. Le porte hanno tutte una sbarra di ferro per bloccarle dall'interno; il *portone* no, ha soltanto la serratura per la grossa chiave: il che rende quasi superflue le complicate chiusure delle altre porte e finestre, se un ladro ben deciso può passare da questa parte, senza farsi scoraggiare dal ripetuto *tump tump* del chiavistello. Ma la casa è rimasta vuota per trenta inverni: che conta uno in più? Il ladro che dovesse entrare qui troverebbe un letto, un po' di biancheria, una cucina e un frigorifero, pentole e stoviglie.

Mi sembra strano fare la valigia e montare in macchina alle prime luci dell'alba (una delle mie ore preferite), come se non fossimo mai stati qui.

Attraversiamo Toscana e Liguria, diretti a Nizza. Le colline battute dal sole, i campi di girasoli ormai secchi, e le uscite dell'autostrada che ci ammiccano con la magia dei loro nomi: Montevarchi, Firenze, Montecatini, Pisa, Lucca, Pietrasanta, Carrara, di cui intravediamo il fiume, lattiginoso per la polvere di marmo. Le case hanno per me qualcosa di antropomorfo, ciascuna con la sua unicità. Senza di noi Bramasole tornerà ad essere quel che era, eretta e austera in faccia al sole.

Canticchio fra me *The cheese stands alone* mentre entriamo e usciamo dalle gallerie. «Che cosa canti?» mi chiede Ed, superando a centoquaranta all'ora: temo che abbia assunto fin troppo le pessime abitudini di guida italiane.

«Hai mai giocato a "la vecchia fattoria" quando eri al liceo?»

«No, io giocavo a "rubabandiera". Quei giochi in cui bisognava cantare erano roba da ragazze.»

«Mi è sempre piaciuta la fine, il momento in cui tutti cantano all'unisono *The cheese stands alone*, caricando d'enfasi ogni sillaba. È triste andarsene lasciando la casa da sola tutto l'inverno, e noi così occupati da non avere neppure il tempo di pensarci.»

«Sei pazza! Ci penseremo ogni giorno, invece: a dove metteremo le cose, alle nuove piante, e a quanto ci ruberanno per i lavori.»

A Mentone ci fermiamo in un albergo e passiamo il resto del pomeriggio al mare. L'Italia è lontana, ora, perduta nel caliginoso crepuscolo. Da qualche parte, ad anni luce di distanza, Bramasole è nell'ombra; qui il sole è tramontato dietro la collina alle nostre spalle, mentre ad altri anni luce, in California, è mattina: i raggi filtrano nel salotto dove la gatta Sister si riscalda il pelo sul tavolo sotto la finestra. Arriviamo in centro per il lungomare, poi ci fermiamo in un ristorante a mangiare *soupe au pistou* e pesce alla griglia. L'indomani, molto presto, guidiamo fino a Nizza, dove prendiamo l'aereo. Sulla pista di decollo intravedo ancora un istante le palme scosse dal vento contro il cielo chiaro. Ecco, siamo partiti; e staremo via nove mesi.

SORELLA ACQUA,
FRATELLO FUOCO

Giugno. Ci hanno detto che l'inverno è stato duro, e la primavera particolarmente prodiga di fioriture. I papaveri sono in ritardo, e l'aria è ancora piena del profumo di ginestre. La casa sembra imbevuta di sole, più di quando l'abbiamo lasciata. Le stagioni compiono mirabilmente le rifiniture che i pittori *fauves* tentano invano di rendere perfette. Per il resto, è tutto invariato, ho l'impressione che non siano passati mesi, ma solo pochi giorni. Un momento fa stavo strappando le erbacce, e adesso mi ritrovo a compiere l'identica operazione. Però mi fermo spesso: aspetto l'uomo dei fiori.

Un ramoscello di oleandro, un mazzo di rose selvatiche e fiori di finocchio legati insieme con uno stelo denti di leone, ranuncoli, lavanda: ogni giorno vado a vedere che cos'ha messo nel tabernacolo in fondo al viale. La prima volta che me ne sono accorta, ho pensato che i fiori li portasse una donna, e immaginavo di incontrarla, vestita con un abito fantasia e la borsa della spesa attaccata al manubrio d'una vecchia bicicletta.

Qualche mattina, molto presto, passa una vecchia curva avvolta in uno scialle rosso, si bacia la punta delle dita e poi tocca l'icona in ceramica della Madonna. Ho anche visto un uomo fermare la macchina, saltare giù un momento, quindi ripartire sgommando. Ma nessuno di loro recava con sé dei fiori. Poi un giorno vedo un uomo avvicinarsi a piedi sulla strada che viene da Cortona. È alto e dignitoso. Ne sento il passo sulla ghiaia arrestarsi un istante, e più tardi trovo nel tabernacolo un fascio di fiori rossi; gli aster selvatici di ieri sono posati adesso sul mucchio dei mazzi precedenti, ormai appassiti.

Ora lo sto aspettando. Osserva attentamente i campi e il ciglio della strada, in cerca di fiori da cogliere; si china e sceglie quelli che gli piacciono di più. Varia sempre, portando i nuovi fiori che via via spuntano. Io sono su uno dei terrazzamenti più in alto, occupata a staccare l'edera dai muri e a tagliare i rami secchi da alcuni alberi. Abbiamo così tanti fiori che resto sbalordita; non ne conosco i nomi in inglese, figuriamoci in italiano. Una pianta con fiori bianchi, che ha l'aspetto di un piccolo albero di Natale, spunta un po' ovunque. E credo ci siano anche dei gladioli rossi. Grossi papaveri tappezzano le colline, il loro colore sgargiante attenuato da macchie di iris azzurri, che ora stanno diventando d'un grigio cinerino. L'erba mi arriva alle ginocchia. Alzando lo sguardo vedo avvicinarsi il pellegrino. Si ferma sulla strada e mi fissa a sua volta. Gli faccio cenno con la mano ma non risponde al saluto, continua a fissarmi come se io, in quanto straniera, non mi rendessi conto di essere guardata, quasi fossi un animale da giardino zoologico.

Il tabernacolo è la prima cosa che si vede giungendo alla casa: una semplice nicchia scavata in un muro di pietra, un genere abbastanza comune da queste parti, con la Madonna di porcellana su sfondo azzurro, in stile robbiano. M'imbatto in altri tabernacoli nella campagna qui intorno, polverosi e abbandonati. Per chissà quale ragione di questo, invece, si prendono cura.

È un vecchio, il viandante col cappotto sulle spalle e la camminata lenta e contemplativa. Una volta l'ho incontrato in città, al giardino pubblico; mi ha salutato con un grave «*Buon giorno*», ma solo dopo che gli avevo rivolto la parola io per prima. Si è tolto il cappello per un istante, e ho visto una corona di capelli bianchi attorno alla chierica, lustra quanto una lampadina. Gli occhi sono appannati e distanti, e di un gelido azzurro. Non è un tipo molto socievole, in città non si unisce agli amici, non frequenta bar, durante la passeggiata sul corso principale non si ferma mai a salutare la gente. Comincio a pensare che sia un angelo, perché ha sempre le spalle nascoste dal soprabito; e che sia visibile soltanto a me. Mi ricordo il sogno che ho fatto la prima notte trascorsa qui: avrei scoperto i cento angeli abitatori del luogo. Ma questo angelo ha un corpo. Si asciuga la fronte col fazzoletto. Forse è nato in questa casa, o qui c'era qualcuno che amava. O forse i cipressi lungo il viale, ognuno dei quali commemora un ragazzo morto nella Seconda Guerra Mondiale (tanti, per una città così piccola!) gli rammenta un amico. Sua madre era bellissima, e magari viaggiando sul carretto si fermava qui davanti; o forse aveva un padre severo, che gli proibiva di avvicinarsi alla casa. Forse ringrazia ogni giorno Gesù per avergli salvato la figlia, operata all'ospedale di Parma; o semplicemente questo è il punto più distante a cui arriva nella passeggiata quotidiana, e l'omaggio al Dio dei viandanti è diventato per lui una piacevole abitudine. Comunque non oso togliere la polvere della strada dal volto di Maria, né lucidare con uno straccio la ceramica azzurra; lascio intatti persino i mazzi di fiori rinsecchiti che si accumulano davanti all'immagine. C'è una vita nelle vecchie cose, a cui non badiamo. Sento che questa casa è come protetta da una serie di cerchi concentrici; e mi ci vorranno anni per capire ciò che posso toccare o meno, e in che maniera mi devo comportare in tal senso. Mi figuro ancora le cinque sorelle di Perugia proprietarie della dimora, il destino a cui l'avevano abbandonata, con i muri interni che si ricoprivano di lievi strati di muffa, l'edera rampicante che soffocava gli alberi, le pere e le susine che cadevano in terra estate dopo estate. Eppure non volevano separarsene. Chissà se, davvero, da ragazze abitavano qui, si levavano alla stessa ora, e spingevano le imposte delle cinque camere da letto, respirando a pieni polmoni l'aria pura. Così non riuscivano a lasciarla, piena di memorie com'era.

Alla fine sono arrivata io, capitata qui per caso. Ora mi aggiro con la piantina del XVIII secolo, dove sono indicati esattamente i confini della proprietà. Poco distante da questi scopro dei gradini che si dipartono da un muro in pietra. Appaiono sistemati con perfezione geometrica, certo dovevano servire a facilitare il contadino nello spostarsi da un terrazzamento all'altro. Negli anni l'agapanto e i licheni hanno cancellato ogni traccia di passaggio, ma facendo scorrere la mano sul gradino percepisco un leggero avvallamento nella parte centrale.

Da questo alto terrazzamento guardo meglio la casa. Nei punti in cui l'intonaco è caduto affiorano i blocchi in *pietra serena,* solidi e squadrati. Le palme ai due lati della facciata rammentano le case in Costa Rica, o a Tangeri. Mi piacciono le palme, il rumore secco delle chiome scosse dal vento, la loro aria esotica. Sopra il portone d'ingresso e la sua rosta, scorgo il balcone con la ringhiera in ferro battuto, grande appena quanto basta ad affacciarsi per godere del gelsomino e dei gerani che intendo piantarvi.

Da qui non vedo e non sento gli operai che lavorano; vedo gli olivi, alcuni secchi o stentati a causa della famosa gelata del 1985, altri rigogliosi di verde e d'argento. Conto tre alberi di fico dalle larghe foglie, e anche i giaggioli gialli ai loro piedi. Resto immobile a contemplare le colline ondulate, i viali di cipressi, il cielo azzurro punteggiato da soffici nubi, da cui ti aspetti di veder spuntare da un momento all'altro la faccia di un cherubino; e poi le case di pietra in lontananza, appena accennate, i declivi ordinati di olivi e vigne: saranno mai così, i nostri?

Il fatto di aver comprato un tabernacolo mi sembra meraviglioso. Ma ancor più sono felice per aver acquisito al contempo il rituale dell'uomo dei fiori. Poso le cesoie sull'erba. Lui si avvicina lentamente, i fiori quasi dietro le spalle. Quando è davanti alla santa immagine non guardo mai. Solo dopo scendo e vado a vedere cos'ha lasciato. *Ginestra* e papaveri? Lavanda e spighe di grano? Accarezzo il filo d'erba che tiene insieme il mazzo.

Ed sta strappando l'edera rampicante da un carrubo, due terrazzamenti più in su di me. Ogni volta che odo un sinistro scricchiolio, o lo spezzarsi improvviso di un ramo, me lo vedo precipitare fino a valle. Voglio liberare un muro di pietra dai tralci tenaci dell'edera. L'edera uccide, e qui ce n'è davvero un sacco, ovunque. In certi punti il tronco è grosso quanto la mia caviglia. Penso all'edera nei vasi che tengo appesi a San Francisco, la vedo crescere a dismisura in mia assenza, soffocare i mobili, oscurare le finestre. Il terreno è sempre più in discesa via via che mi sposto lungo il muro. Mi sale alle narici il profumo dell'erba cedrina, della *nepitella* che mi capita di calpestare. Taglio un tralcio, lo tiro via. La polvere mi vola in faccia, si stacca del pietrisco che mi finisce sulle scarpe. Evito di disturbare un lungo serpente che sta facendo un sonnellino. Tiene la testa dentro il muro (ma quanto profondamente?) e la coda penzola fuori di un mezzo metro. Come farà a uscire? A marcia indietro o proseguendo per poi fare una svolta a U? Ad ogni buon conto mi allontano di qualche metro e ricomincio a tagliare. D'un tratto il muro scompare, e io frano in una grossa buca.

Chiamo Ed: «Guarda» gli dico, «è un pozzo? Ma com'è possibile che ci sia un pozzo dentro il muro?». Lui caracolla giù, quindi si sporge a guardare, sopra di me. Nel punto in cui si trova, i rovi e l'edera appaiono particolarmente fitti.

«Sembra che ci sia un'apertura, qui.» Cerca di usare il decespugliatore, ma i rovi sono troppo intricati, bloccano i fili rotanti. Allora ripiega sulla falce fienaia. A poco a poco mette alla luce uno stretto varco. La gigantesca pietra è inclinata come uno scivolo e scompare sotto il livello del suolo. Osserviamo il sovrastante terrazzamento: nulla. Ma due livelli più sopra, sulla stessa linea, notiamo un'altra macchia di rovi.

Forse acqua e pozzi sono diventati un'ossessione, per noi. Pochi giorni fa, al nostro arrivo, siamo stati accolti da camion e macchine ai lati della strada, e mucchi di terra sul viale d'accesso. Il nuovo pozzo, scavato da un amico del signor Martini, è quasi finito. Giuseppe, l'idraulico incaricato di installare la pompa, era riuscito chissà come a incastrare la vecchia *Cinquecento* sul ciglio in pietra del vialetto. Si è presentato affabilmente, poi è tornato a calciare e a maledire la sua auto. «*Madonna serpente! Porca Madonna!*» gridava. Un serpente? pensavo io; un maiale? la Madonna? Accelerava al massimo, ma le tre ruote che facevano presa sul terreno non riuscivano a smuovere l'assale. Ed ha cercato di liberarla facendola oscillare. Giuseppe le ha sferrato un altro calcio. I tre operai addetti allo scavo del pozzo se la ridevano; alla fine si sono decisi ad aiutarlo, e, sollevando letteralmente a forza di braccia la macchina, quasi un giocattolo, l'hanno deposta sul terreno. Giuseppe ha preso dal bagagliaio la pompa nuova e si è diretto al pozzo, continuando a borbottare qualcosa a proposito della Madonna. Abbiamo assistito mentre la calava per una decina di metri: certo questo dev'essere il pozzo più profondo del mondo! A dire il vero l'acqua l'hanno trovata quasi subito, ma il signor Martini ha ordinato loro di scavare ancora, onde evitare il rischio di farci rimanere nuovamente senz'acqua. Abbiamo trovato lo stesso Martini all'interno della casa, a sorvegliare il manovale di Giuseppe. Senza che noi ci avessimo neppure pensato, ha spostato lo scaldabagno in cucina, così avremo acqua calda nella cucina improvvisata, quest'estate. Mi ha quasi commosso che ci abbia fatto trovare la casa pulita, e le calendule e le petunie che ha piantato alla base delle palme, un tocco gentile nel selvatico giardino.

Ha la pelle abbronzata e il piede è guarito. «Come va il lavoro?» gli chiedo. «Ha venduto molte case a poveri stranieri sprovveduti?»

«*Non c'è male*» risponde. Ci fa cenno di seguirlo. Giunti al vecchio pozzo, trae di tasca un peso e lo getta nella bocca. Dopo un istante appena lo sentiamo colpire la superficie dell'acqua. Si mette a ridere: «*Pieno, tutto pieno*» dice. Durante l'inverno il pozzo si è riempito fin quasi all'orlo.

Ho letto in un libro di storia locale su Cortona che Torrione, la zona dove sorge Bramasole, è una conca idrica: da un lato l'acqua scorre verso la Val di Chiana, dall'altro in direzione della Val Tiberina. La cisterna sotterranea vicino al vialetto ci incuriosisce molto. Calando una torcia elettrica nell'apertura, osserviamo meglio l'arco di pietra, alto più d'un uomo; e il bacino di raccolta delle acque è tanto largo che neppure la nostra canna più lunga arriva a misurarlo. Mi viene in mente un racconto di Nancy Dew che mi piaceva tanto da bambina, *Il mistero del vecchio pozzo*, però non ne ricordo la trama. I passaggi segreti dei Medici, comunque, mi sembrano più emozionanti. Mentre guardo dentro la cisterna, ripenso alle prime cose che ho imparato sulla storia d'Italia, e a Mrs. Bailey, la mia insegnante di liceo, che disegnava sulla lavagna le alte arcate di un acquedotto romano, spiegandoci la particolare genialità di questo popolo nell'incalanare le acque. L'Acqua Marcia è lungo quasi cento chilometri, il che significa – ci faceva notare – due terzi della distanza da Fitzgerald, in Georgia, a Macon; e parte dell'acquedotto risale all'anno 140. Rammento che cercavo di afferrare il concetto di anno 140, e sovrapponevo l'immagine degli archi romani a quella dei ponti autostradali nella contea di Ben Hill.

La cisterna continua in una sorta di galleria. Si scorgono due passaggi, uno da una parte e uno dall'altra dello specchio d'acqua, ma nessuno di noi è abbastanza coraggioso da immergersi per esplorare. Fissiamo il buio domandandoci che scorpioni e che vipere abnormi potranno esserci. A una certa altezza nella parete, si vede una *bocca*, che costituisce la via di rifornimento idrico.

Togliendo dal muro di pietra le grosse radici dell'edera, ci rendiamo conto che lo scivolo scoperto prima dev'essere collegato proprio con quella bocca nella cisterna. E nei giorni successivi troviamo altre quattro lastre di pietra, che scendono di terrazzamento in terrazzamento, per finire in corrispondenza di una larga bocca squadrata, che seguita sottoterra per circa otto metri, quindi riappare presso il terrazzamento più a valle, sopra la cisterna. Avevamo visto giusto. La parte posteriore di ogni scivolo è dotata di una grossa pietra concava, atta a raccogliere l'acqua piovana. Così, una volta ripuliti i canali, l'acqua potrà nuovamente rifluire nella cisterna, dopo ogni pioggia. Comincio a chiedermi se, mediante una piccola pompa collegata alla cisterna, sarebbe possibile ottenere un flusso d'acqua ininterrotto. Dopo l'esperienza del pozzo prosciugato, lo scroscio dell'acqua sarebbe musica, per le nostre orecchie. È stato solo un caso se non abbiamo trovato questi scivoli lo scorso anno, mentre vagavamo allegri per i terrazzamenti, ammirando i fiori selvatici e identificando gli alberi da frutto.

Tagliando i rovi, un tubo arrugginito che sporge dal muro del terzo livello di terrazzamenti ci si sbriciola in mano. E alla base scopriamo un lastrone di pietra. Lo ripuliamo dalla terra e ci versiamo dell'acqua. A quanto pare è gigantesco. A poco a poco affiora il lavandino di pietra fatto a mano che certo sostituiva, in cucina, il "moderno" lavandino in cemento. Ho paura che sia rotto; togliamo il fango e lo liberiamo dal suo buco facendo leva con un piccone: è intatto, invece, un unico blocco lungo quasi due metri e largo circa mezzo, con la vasca per lavare e accanto un ripiano scanalato per scolare l'acqua. Il foro di scolo è ostruito da pezzi di radici. Ci dispiace molto di non avere in casa un oggetto così originale e caratteristico; ho visitato parecchie vecchie dimore in cui si usa ancora, e lo scarico passa attraverso il muro della cucina direttamente in cortile, dove c'è una pietra a pettine, sporgente verso l'esterno. Sarei contenta di lavare i piatti in questo prototipo di lavandino. Lo sistemeremo contro il muro, sotto gli alberi: ci servirà a tenere il ghiaccio e il vino se organizziamo qualche festa all'aperto, oltre che a sciacquarci dopo aver fatto giardinaggio. Quante pentole incrostate ci avranno lavato, nel corso degli anni! E adesso ha un posto onorevole per riempire un bicchiere, o per tenerci su un vaso di rose. È tornato a vivere, dopo essere rimasto seppellito così a lungo.

Continuiamo a strappare erbacce. Sono ormai a circa quattro metri dal lavandino, quando vedo spuntare di sotto il fogliame due ganci arrugginiti. E un'altra pietra piatta. Ed leva un mucchio di terra, finché urta con la pala un catenaccio, attorno al quale è attorcigliato del fil di ferro. Facciamo pulito tutt'intorno, Ed incastra la pala nella fessura e infine, forzando, riesce ad alzare il lungo chiusino.

È pomeriggio tardi, subito dopo un temporale, quando c'è quella luce dorata che vorrei imbottigliare e tenere. La stessa luce che penetra nel terreno appena sollevato il lastrone, e va a colpire uno specchio d'acqua chiara in una conca naturale di pietra bianca. Ci stendiamo sul ventre ficcando a turno le teste e la torcia elettrica nel buco. Le radici del fico s'insinuano sotto la parete di roccia alla ricerca di umidità. Sul fondo intravediamo un grosso bidone rovesciato su un fianco e la scritta a caratteri cubitali: "OLIO D'OLIVA". Non è esattamente come trovare un busto romano o un'anfora con satiri danzanti... Un tubo arrugginito piega sul dietro della pietra bianca, e notiamo che è situato proprio sotto i due ganci: qualcuno lo ha otturato con un tappo di sughero. Risulta ormai chiaro che i ganci servivano a reggere una pompa a mano e che questa era una fonte naturale di cui si è in seguito persa notizia. Per quanto tempo è rimasta lì nascosta? Un momento, però: sotto il coperchio in pietra si scorgono tracce di un'altra apertura, ovvero due strati di travertino e una sorta di poggiapiedi intagliato a mano. Se la scoperchiamo, potremmo farne una piscina all'aperto? Ho letto di un uomo che, sceso in cortile la vigilia di Natale per raccogliere della lattuga, si è ritrovato a gambe all'aria in una tomba etrusca, con tanto di elaborati sarcofagi. Forse questa è solo un'apertura nella roccia e i contadini se ne servivano come ulteriore riserva d'acqua. Ma perché appare tagliata a mano? E perché, poi, ricoperta con una normalissima lastra di pietra? Probabilmente è stata messa in disuso all'epoca in cui fu scavato il secondo pozzo. Adesso possediamo ben tre pozzi; quali epigoni dei cercatori d'acqua, la nostra tecnologia – rumorose trivelle in grado di perforare qualsiasi roccia – è ben lontana da quella dell'ignoto scopritore di questa segreta fenditura nella terra.

Chiamiamo il signor Martini per mostrargli il nostro miracoloso rinvenimento. Con le mani in tasca, non si china nemmeno a guardare. *«Boh»* dice (sorta di interiezione buona a tutto, simile a "Be'", "Oh", "Chissà?"); poi aggiunge *«Acqua»*. Considera il nostro entusiasmo per le case abbandonate e i vecchi pozzi come riprova che siamo dei bambini, e dobbiamo essere assecondati nelle nostre fantasie. Gli facciamo vedere anche il lavandino di pietra, spiegandogli come l'abbiamo tirato fuori dalla terra, pulito, sistemato. Si limita a scuotere il capo.

Giuseppe, venuto insieme a lui, si dimostra invece più eccitato. Avrebbe dovuto fare l'attore shakespeariano: rafforza ogni frase con tre o quattro gesti, l'intero corpo partecipa delle sue parole. Praticamente sta ritto sulla testa per meglio vedere nel pertugio. «*Molta acqua*» ripete, indicando sia a destra sia a sinistra. Pensavamo che il pozzo si allargasse in una direzione soltanto, ma, lasciandosi penzolare quasi tutto dentro, Giuseppe si rende conto che non è così. «*Ok, yes!*» Sono le uniche parole inglesi che conosce, proferite sempre a braccia spalancate, quasi per abbracciare un'idea. Vuole installare una nuova pompa a mano per il giardino. Abbiamo già visto, in un negozio di attrezzi in Val di Chiana, delle bellissime pompe verdi. L'indomani ne compriamo una, togliamo il tappo al tubo e la piazziamo sui vecchi ganci. Giuseppe ci insegna a usarla, pigiando sul manico secondo un certo ritmo. È un gesto antico, che i miei cromosomi hanno dimenticato, eppure mi risulta facile e naturale. Dopo qualche singulto a vuoto, l'acqua fresca arriva nel secchio. Abbiamo la presenza di spirito di non bere acqua non controllata da un punto di vista della potabilità. In compenso stappiamo una bottiglia di vino sul terrazzo. Giuseppe ci chiede di Miami e di Las Vegas. Guardiamo verso l'intrico di vegetazione sulle colline. Giuseppe pensa che dovremmo curare di più le palme, ma come facciamo a potarle? Nessuna scala è alta abbastanza... Dopo due bicchieri, Giuseppe si arrampica fino in cima a quella più alta. Ha un sorriso più largo che mai. Però l'albero si flette pericolosamente e lui scende veloce, velocissimo, atterrando in un balzo. Ed si affretta ad aprire un'altra bottiglia.

Dunque il precedente proprietario aveva ragione, a proposito dell'acqua. Anche se non siamo ai livelli di Villa d'Este, il complesso idrico è ingegnoso abbastanza da tenerci occupati parecchi giorni a esplorare e a scavare. L'elaborato sistema sotterraneo ci fa capire esattamente quanto sia preziosa l'acqua da queste parti. Quando c'è, si pensa ai modi per raccoglierla; quando le riserve sono piene, come adesso, occorre rispettarla. San Francesco d'Assisi lo sapeva bene, nel suo *Cantico delle creature* scrive appunto: "Laudato si', mi' Signore, per sor'acqua,/la quale è molto utile et humile et pretiosa et casta". Impariamo a fare docce rapide, a non lasciar scorrere troppo l'acqua quando rigoverniamo o ci laviamo i denti.

È interessante il fatto che questo vecchio pozzo abbia canali da entrambi i lati, in modo da convogliare nella cisterna più acqua possibile. Ripulendo attorno alla cisterna, abbiamo trovato due vasche in pietra per lavare i panni e parecchi ganci sul muro sovrastante, dove probabilmente era appesa un'altra pompa. Perché neppure una goccia andasse perduta. E a meno di due metri dal pozzo naturale, c'è il vecchio pozzo rimasto senz'acqua lo scorso anno, ora stracolmo grazie alle piogge invernali. Ed decide che la pompa a mano servirà per le piante in vaso, il vecchio pozzo per l'erba; e per casa abbiamo il nostro nuovo pozzo, profondo un centinaio di metri, ottenuto perforando strati di roccia.

«La vostra acqua è ottima» ci assicura il *pozzaiolo*, mentre gli versiamo una cifra da capogiro. «Sono dovuto scendere praticamente all'inferno, ma è gelida come ghiaccio.» Lo paghiamo in contanti, non accetta assegni: solo chi non ha soldi paga con un assegno. «*Acqua, acqua*» dice, indicando con ampio gesto l'intera proprietà. «Ce n'è abbastanza per una piscina.»

Al momento dell'acquisto abbiamo notato che un muro in pietra perpendicolare alla facciata era crollato in più punti. Erbacce di ogni tipo e piante di fico erano cresciute tra le pietre rovinate al suolo. La prima volta che abbiamo visto la casa, la parte di cortile al di sotto del muro era ricoperta d'un pergolato di rose e glicine lungo circa un metro e mezzo. Quando siamo tornati a trattare il prezzo, la pergola era scomparsa, qualcuno l'aveva eliminata nello zelo di ripulire tutto per bene. Rose e glicine erano stati spiantati. E quando ho alzato lo sguardo da quel disastro, mi sono accorta che le persiane verdi sbiadite erano state ridipinte con uno smalto marrone scuro. Sbalordita, non ho quasi notato i mucchi di pietre. In seguito abbiamo capito che il lungo muro di circa quattro metri, fatto di enormi blocchi squadrati, doveva essere ricostruito. E ci siamo dimenticati della romantica pergola di rose rampicanti.

Nelle poche settimane passate qui la scorsa estate, dopo l'acquisto della casa, Ed ha cominciato ad abbattere le parti di muro adiacenti a quelle crollate. Pensava che lavorare con le pietre fosse assai gratificante: trovare la pietra giusta per un certo punto, prendere il mazzuolo e colpirla con precisione per incunearla nella fessura. Si sentiva chiamato all'antico, duro mestiere. Così un'inquietante pila di pietre cresceva ogni giorno di più, di pari passo con la sua muscolatura. È diventato leggermente ossessivo. Ha comprato dei grossi guanti in pelle e accatastava le pietre secondo tre categorie: quelle grosse, quelle piccole e quelle piatte. Come tutti i muri dei terrazzamenti nella nostra proprietà, anche questo era stato costruito a secco, ed entrava nel terreno per circa un metro. Le pietre più grandi stavano davanti, ordinate come in un'opera di traforo, le più piccole nella parte posteriore. La struttura inclinava verso il dietro, per creare un equilibrio rispetto al pendio della collina. A differenza dei graziosi muretti in pietra del New England, costruiti con le pietre che i contadini tolgono dal terreno, questi sono strutturali: solo con terrazzamenti rinforzati è possibile coltivare olivi e viti sul fianco d'una collina. Dove un terrazzamento è franato, è caduto anche un grande mandorlo.

Il giorno della partenza circa dieci metri di muro giacevano al suolo in pile ordinate. Ed era entusiasta del suo lavoro, sebbene leggermente spaventato dallo scavo e da quanto profondamente il muro fosse fondato. Invece di pensare alle migliaia di chilometri da percorrere, non avevamo occhi che per il grosso mucchio di pietre.

Durante l'inverno abbiamo letto *Costruire con la pietra,* di Charles Mc Raven, che ci ha chiarito concetti come l'isolamento dall'umidità, la struttura delle fondamenta eccetera. L'altezza della restante parte di muro non corrispondeva a quella necessaria per reggere il peso del grande terrazzamento alle spalle della casa. Su dieci metri di lunghezza ce ne vogliono circa cinque di altezza, e dev'essere rafforzato posteriormente da un contrafforte. Leggendo di terrapieni, equilibri, spostamenti del terreno in caso di gelate, abbiamo cominciato a pensare di avere per le mani la Grande Muraglia Cinese.

Avevamo ragione. Dopo aver chiamato vari *muratori* per valutare il lavoro, ci siamo resi conto che è davvero un'opera immane. I restauri interni sembrano una bazzecola, se raffrontati con questo progetto. Ed già si vede come apprendista presso la bottega di un rude artigiano della pietra. «*Santa Madonna, molto lavoro*» esclamano invariabilmente i muratori. «*Molto. Troppo.*» Abbiamo saputo che il comune di Cortona ha adottato di recente una tabella di codici relativa a muri come il nostro, perché siamo in una zona sismica. Ed è obbligatorio sostenerlo con un rinforzo di cemento. Non siamo capaci di impastare il cemento; ci attendono cinque acri di rovi e di intricatissima vegetazione contro cui combattere, e gli alberi da potare... Per non parlare della casa. I preventivi per il muro raggiungono cifre astronomiche. E pochi se la sentono di assumere l'incarico.

Ecco in qual modo costruiamo in Toscana il Grande Muro di Polonia.

Il signor Martini ci manda un paio di amici. L'ho preavvertito che vogliamo finire il lavoro al più presto, e che ci aspettiamo un prezzo da *fratelli* e non da *stranieri.* Ci stiamo appena rimettendo dalle spese del nuovo pozzo, e da un momento all'altro arriveranno i permessi per cominciare il grosso degli interventi in casa. Il primo amico parla di sessanta giorni di lavoro; e con la cifra che chiede potremmo comprare una barca da diporto e farci il giro della Grecia. Il secondo amico, Alfiero, ci porta invece un preventivo molto ragionevole, e in più ha la spaventosa idea di alzare un altro muro lungo la fila di tigli sul terrazzamento adiacente. Se non parli bene una lingua, hai molti meno elementi per giudicare le persone. Ed e io pensiamo che sia un tipo un po' fantasioso – strana qualità, per un muratore – ma Martini dice invece che è *bravo*. Chiediamo che esegua il lavoro mentre ci siamo noi, e firmiamo il contratto. Il nostro geometra non lo conosce, e ci spiega che se è subito disponibile, allora forse non è bravo. Questo ragionamento non ci convince.

Secondo programma, i lavori dovrebbero cominciare il lunedì successivo. Passano lunedì, martedì, mercoledì. Poi arriva un camion di sabbia. Finalmente, nel fine settimana, compare Alfiero insieme a un ragazzo di quattordici anni e, con nostra grande sorpresa, tre robusti polacchi. Si mettono all'opera e, incredibilmente, prima del tramonto il muro è appianato. Li osserviamo per l'intera giornata. I polacchi portano a braccia pietre di cinquanta chili l'una come fossero angurie. Alfiero non parla una parola di polacco e loro giusto cinque di italiano; ma per fortuna il linguaggio dei lavori manuali è facile da mimare. «*Via, via*» dice Alfiero indicando le pietre, e quelli le tolgono. Il giorno successivo fanno lo scavo. Alfiero se ne va, chiamato da altri lavori, immagino. Il ragazzo, Alessandro, s'immusonisce. Alfiero è il suo patrigno, e sicuramente sta cercando di insegnargli il mestiere. Sembra un principino ombroso e annoiato, mentre si aggira calciando qualche pietra con la punta della scarpa da tennis. I polacchi lo ignorano; dalle sette a mezzogiorno non si fermano un istante, quindi montano sulla Fiat costruita in Polonia e tornano alle tre, per altre cinque ore di proficuo lavoro.

Gli italiani, pure essendo stati emigranti a più riprese e in molti paesi, sono preoccupati per le proporzioni del fenomeno inverso. In questa seconda estate a Bramasole leggiamo sui giornali dei continui sbarchi di albanesi sulle coste del meridione; le reazioni vanno dalla tolleranza all'indignazione. Vivendo a San Francisco, una città in cui gli emigranti arrivano ogni giorno, il problema ci tocca relativamente. Gli americani si sono da tempo resi conto che l'immigrazione è in aumento, che l'intero schema demografico sta mutando su vasta scala, soprattutto in quest'ultimo quarto del XX secolo. L'Europa se la cava peggio, nella gestione del problema. Abbiamo già i nostri poveri, ci dicono increduli. Certo, anche noi, rispondiamo. L'Italia è in tal senso un paese straordinariamente omogeneo: difficile vedere in Toscana facce nere o gialle. Solo di recente le popolazioni dell'Est europeo hanno cominciato a venire nelle ricche regioni del settentrione, dato che ormai la Germania è satura di gente della loro stessa razza. Adesso capiamo il perché del basso preventivo di Alfiero: paga i polacchi novemila lire l'ora, invece delle venticinquemila o trentamila che darebbe a un operaio italiano. Ci garantisce che hanno regolare permesso di soggiorno, e sono anche assicurati. Per parte loro, i polacchi sono felici del salario che percepiscono: in patria, prima che le fabbriche scomparissero, una simile cifra non la prendevano nemmeno in una giornata.

Ed è cresciuto in una comunità polacco-americana del Minnesota. I suoi genitori sono figli di immigranti polacchi e hanno sempre parlato polacco nella fattoria che avevano sul confine tra Minnesota e Wisconsin. Ed chiaramente non parla polacco: la volontà dei genitori era di crescere i figli come veri americani. Le tre parole che ha cercato di dire ai nostri operai non sono state capite. Ma questi uomini dalla lingua a lui ignota gli paiono per converso molto familiari. È abituato a nomi come Orzechowski, Cichosz o Borzyskowski. Attraversando il cortile accenniamo loro col capo e sorridiamo. Ma è grazie alla poesia che siamo infine riusciti a entrare in contatto. Un pomeriggio mi sono trovata a leggere una poesia di Czeslaw Milosz, da lungo tempo esiliato in America ma rimasto sostanzialmente un poeta polacco. Sapevo che era tornato in Polonia, qualche anno fa, accolto con tutti gli onori. Quando Stanislao mi è passato davanti con la carriola, gli ho detto: «Czeslaw Milosz?». Si è illuminato e ha gridato qualcosa agli altri due. Quindi, per un paio di giorni, se uno dei tre m'incontrava mi apostrofava con un «Czeslaw Milosz», quasi fosse un saluto; e io rispondevo: «*Sì*, Czeslaw Milosz». So che pronuncio il nome correttamente, perché una volta ho tenuto una conferenza su di lui. Prima lo chiamavo "Coleslaw", e temevo di sbagliarmi ancora dinanzi al pubblico.

Alfiero è diventato un problema: svolazza come una farfalla da un progetto a un altro, comincia qualcosa, lo fa poco e male e poi lascia perdere. Per alcuni giorni non si è proprio visto. Quando i discorsi ragionevoli non funzionano, di solito ricorro al vecchio sistema del Sud, quello di fare una scenata, il che mi riesce abbastanza bene. Per un po' Alfiero sta ad ascoltarmi, poi, come un bambino capriccioso, si distrae. Ha il suo fascino. Si lancia in buffe descrizioni di corse di rospi, di moto Guzzi, e di grandi bevute di vino. Battendosi sul ventre, parla nel dialetto locale, e nessuno di noi capisce molto di quanto racconta. È il momento di dimostrarmi severa: chiamo Martini, che sta al mio gioco. Annuisce, segretamente divertito; Alfiero appare confuso, i polacchi mi guardano inespressivi, Ed è mortificato. Dico che sono *scontenta*, faccio ampi gesti, scuoto la testa, batto il piede in terra. Nella costruzione del muro ha usato le pietre piccole sotto le grandi, e nella parete si vedono chiaramente delle linee verticali; ha trascurato le fondamenta, il cemento è quasi tutto sabbia. Martini comincia ad alzare la voce, e Alfiero gli risponde urlando a sua volta, poiché non osa farlo con me. Sento di nuovo la bestemmia *porca Madonna!*, una cosa pesante, e poi *porca miseria!*, una delle mie imprecazioni preferite. Dopo quella scenata mi aspetto che tenga il broncio, invece il giorno dopo se ne viene dimentico e radioso.

«*È tutto da buttar via!*» grida il signor Martini, prendendo a calci il lavoro di Alfiero. «Ma dove ti ha mandato a scuola, tua madre? Come hai imparato a impastare il cemento? Costruendo castelli di sabbia?» Si girano entrambi e urlano contro i polacchi. Allora il signor Martini si fionda in casa e chiama la madre di Alfiero, sua vecchia amica, e lo sentiamo gridare anche con lei, quindi cedere a toni più dolci.

Penseranno che siamo bravissimi, a sapere così tanto sulla

costruzione dei muri. Né il signor Martini né Alfiero hanno però capito che sono i polacchi a suggerirci via via ciò che non è ben fatto. «*Signora*» dice Krzysztof (lo chiamiamo Cristoforo, secondo il suo volere), «*cemento italiano*» e mi mostra come gli si sbriciola fra le dita il cemento impastato con troppa sabbia. «*Polonia cemento*» aggiunge, e dà un calcio a una parte del muro in solida pietra. «*Alfiero, poco cemento.*» E si mette il dito sulle labbra. Lo ringrazio. Alfiero mette troppo poco cemento nell'impasto; ma non dirglielo. Cominciano di tanto in tanto ad ammiccarmi, oppure, quando Alfiero se n'è andato (il che avviene a inizio giornata), a mostrarmi le cose che non vanno. In realtà sembra che Alfiero sbagli proprio tutto, ma abbiamo un contratto, e i polacchi lavorano per lui: non possiamo liberarcene. E comunque senza Alfiero non avremmo mai conosciuto i polacchi.

In cima al muro trovano un grosso ceppo tagliato al livello del terreno. Alfiero continua a ripetere i suoi «*Non importa*». Vediamo Riccardo che scuote la testa, così Ed s'impone e ordina che venga sradicato. Alfiero acconsente ma dice che vuole gettarci del gasolio per dargli fuoco. Gli indichiamo il nuovo pozzo, a meno di sei metri da lì. I polacchi cominciano a scavare e due ore dopo stanno ancora scavando. Al di sotto della parte in vista, una gigantesca radice a tre fittoni si è avviluppata attorno a una pietra grossa quanto una ruota di automobile. E centinaia di filamenti si diramano da ogni lato. Ecco perché un lungo pezzo del muro è caduto. Quando finalmente riescono a svellerla, insistono per ripulire i tre fittoni e la parte superiore, con la pietra ancora inglobata dentro. La portano via sulla carriola e la poggiano all'ombra del tiglio, dove rimane: il tavolo più brutto della Toscana.

Trasportando le pietre i polacchi cantano, e le loro voci sembrano quelle di tutti i lavoratori del mondo. Talvolta Cristoforo canta in falsetto una strana melodia commovente, specialmente se emessa da quel corpo robusto e abbronzato. Non si fermano un istante, anche se il loro capo non c'è. I giorni in cui finiscono il materiale e Alfiero si è dimenticato di riordinarlo, quest'ultimo dice loro semplicemente di non lavorare. Allora li ingaggiamo per estirpare le erbacce sui terrazzamenti, e poi dentro casa per sabbiare le imposte. Sono bravi in tutto e lavorano due volte più veloci di chiunque altro abbia mai conosciuto. A fine giornata si spogliano e si sciacquano con il tubo dell'acqua, vestono panni puliti e beviamo una birra insieme.

Don Fabio, un prete del posto, permette loro di vivere in una stanza dietro la chiesa. E per diecimila lire li fa mangiare tre volte al giorno. Lavorano sei giorni la settimana (il prete non vuole che lavorino anche di domenica), cambiando in dollari ciò che guadagnano e mettendoli da parte per mogli e figli lasciati in patria. Riccardo ha ventisette anni, Cristoforo trenta e Stanislao quaranta. Durante le settimane in cui stanno a Bramasole il nostro italiano peggiora. Stanislao ha lavorato in Spagna, così tra noi parliamo un orrendo miscuglio di quattro lingue. In compenso sappiamo adesso qualche parola di polacco: *jutro*, domani; *stopa*, piede; *brudny*, sporco; *jezioro*, lago. E poi qualcosa di simile a *grubbia*, con cui designano il ventre strabuzzante del signor Martini. Loro, invece, hanno imparato *beautiful* e *idiot* e poche parole d'italiano, qualche verbo all'infinito.

Nonostante Alfiero, il muro è solido e bello. Una rampa di scale collega i primi due terrazzamenti; ai lati, due bande piatte per posarci i vasi di fiori. Il pozzo e la cisterna sono protetti da un muretto in pietra. Visto da sotto, il muro sembra immenso. È difficile farci l'abitudine, ormai avevamo l'occhio a quell'aspetto semidiruto. Ma presto nelle crepe comincerà a crescere qualche piantina; avendo usato pietre vecchie, il muro s'inserisce naturalmente nel paesaggio, sebbene sia un tantino troppo alto. Ora dobbiamo pensare al camminamento che unirà il viale d'ingresso ai gradini di pietra, aggirando il pozzo: i fiori e le piante da sistemare ai lati, e gli alberi lungo il muro, che ingentiliscano l'insieme coi loro fiori e la loro ombra. Per prima cosa piantiamo un piccolo ibisco, che ci gratifica coprendosi subito di fiori.

Una domenica mattina i polacchi si affacciano da noi dopo essere stati in chiesa, i pantaloni e le camicie stirati di fresco. Fino ad ora li avevamo visti solo in calzoncini corti. Indossano sandali identici, comprati al locale supermercato. Quando arrivano, Ed e io stiamo tagliando l'erba; siamo sporchi, sudati, coi pantaloncini: un rovesciamento dei ruoli. Stanislao ha una vecchia macchina fotografica di marca sovietica, risalente agli anni Trenta, parrebbe. Beviamo insieme una Coca e i polacchi scattano molte foto. Ogni volta che riempiamo loro un bicchiere sospirano: «Ah, America!» Prima di cambiarsi per mettersi al lavoro, ci conducono al muro e scavano per qualche centimetro vicino alle fondamenta: vediamo scritto "POLONIA" nel cemento, a lettere cubitali.

La scala della casa, che sale per tre piani, ha un corrimano di ferro battuto a mano, le cui volute simmetriche danno ritmo all'ascesa. Di sicuro un fabbro avrà lavorato un inverno intero per fare la rosta, la ringhiera del balcone della stanza da letto, appena un po' arrugginita, e quella del terrazzo sopra la porta principale. Il cancello in fondo al viale doveva avere un'aria imponente, ma come la maggior parte delle cose, qui, è stato abbandonato troppo a lungo all'opera del tempo. Alla base c'è un rigonfiamento, dove i turisti vanno a sbattere facendo inversione con l'auto, dopo aver scoperto che non è quella la strada per la fortezza medicea. La serratura ha preso la ruggine, e un battente è uscito dai cardini in alto, così, aprendolo, striscia per terra.

Giuseppe ha portato con sé un amico, un artigiano del ferro, per vedere se il cancello è recuperabile. Giuseppe pensa di no. Secondo lui una *bella villa* come la nostra ha bisogno di qualcosa di più adatto. L'uomo che scende dalla *Cinquecento* di Giuseppe sembra uscito dritto dritto dal Medioevo. È alto e magro come Abramo Lincoln, veste una tuta nera e ha i capelli neri e opachi. Difficile descrivere la sua singolarità: come se in certi momenti apparisse fatto di una materia diversa dall'umana. Parla poco ma sorride timidamente. Mi piace subito. Sfiora il cancello palmo a palmo, in silenzio. Quanto ha da dire passa attraverso le sue dita. Si capisce bene che ha scelto il suo lavoro per passione. Sì, annuisce, il cancello si può restaurare. È solo questione di tempo. Giuseppe non nasconde la delusione: immaginava un'opera più maestosa. Traccia segni nell'aria, un arco finale con tante punte di freccia. Un cancello nuovo, più tecnologico, con le luci e un congegno elettronico per cui basta suonare e noi, da dentro casa, apriamo premendo un pulsante. Ci ha portato un simile artista e gli chiediamo di fare semplici riparazioni?

Andiamo al negozio per valutare le varie possibilità. Per strada Giuseppe ogni tanto accosta al bordo della carreggiata e ci fa scendere per ammirare altri cancelli forgiati dal maestro. Alcuni hanno decori a spade, altri dei complicati cerchi intersecati e fasci di spighe. Uno ha in cima le iniziali del proprietario, un altro una corona. A noi piacciono quelli che terminano in alto con volute, cerchi e anelli piuttosto che il genere a punta di freccia, che sembra appartenere all'epoca in cui Guelfi e Ghibellini si davano battaglia. Sono fatti per durare in eterno. L'artigiano strofina un poco il ferro, senza dir nulla, lasciando che la qualità dell'opera parli per lui. Comincio a immaginare, al centro del nostro, un piccolo sole stilizzato con raggi serpeggianti.

Quello del *ferro battuto* è un antico mestiere artigiano in Toscana. Ogni porta medioevale ha complicate serrature, lanterne arabescate, supporti per stendardi, cancelli di giardini; talvolta gli anelli per legare i cavalli al muro sono in forma di serpenti e di altri animali. Come accade alla maggioranza dei mestieri, anche questo sta scomparendo, ed è facile capire perché. La parola chiave nell'espressione inglese per "fabbro", *blacksmith*, è *black*, nero: la sua bottega è effettivamente nera, la fuliggine lo ricopre da capo a piedi, gli strumenti di lavoro sono antiquati, e la fornace non pare molto diversa dal tempo in cui Efesto accese il fuoco nella stufa di Afrodite. E ovunque aleggia sempre un pulviscolo fuligginoso. Tutti i vicini si sono serviti di lui per i loro cancelli. Dev'essere di grande soddisfazione vedere il proprio lavoro così diffuso. La sua stessa casa ha un balcone a disegni geometrici, un cedimento alla modernità riscattato da una serie di vasi fioriti. La bottega è giusto di fronte, e in mezzo c'è un'aia con galline, una decina di gabbie per conigli, un orto e un albero di susine con una scala appoggiata ai rami stracarichi. Probabilmente dopo cena va a prendersi lì il dessert. Davvero mi dà l'idea di appartenere a un'epoca remota: dov'è Afrodite? Certo si aggira di nascosto attorno alla sua fucina...

«Il tempo, è solo un problema di tempo» ripete. «Sono *solo*. Ho un figlio, ma...»

Non riesco a immaginare, alla fine del xx secolo, qualcuno che scelga questa buia fucina col traffico che sfreccia davanti, questa collezione di fasce per botti, di alari, di inferriate, di cancelli. Ma spero che suo figlio, o qualcun altro, voglia farlo. Ci mostra un bastone che termina con una testa stilizzata di lupo. Me lo porge, senza una parola. Mi ricorda i reggitorce a Siena e a Gubbio. Chiediamo i preventivi sia per la riparazione del cancello che per un cancello nuovo, abbastanza semplice ma con un disegno che riprenda quello della ringhiera interna; e forse un sole in cima, che alluda al nome della proprietà. Non stabiliamo nessuna data di consegna, abbiamo imparato a trattare con l'invidiabile senso latino d'un tempo sempre indefinito.

Abbiamo davvero bisogno di un cancello nuovo? Teniamo quello che c'è – cominciamo a dire – in fondo non è la nostra vera casa... Invece so che ne vogliamo uno fatto proprio da lui, anche se occorressero mesi e mesi. Stiamo andando via, ma il fabbro si è già dimenticato di noi: prende in mano dei pezzi di ferro e li soppesa, poi cerca qualcosa tra le incudini e le grate roventi. Sì, il cancello è in buone mani. Sento già il rumore metallico del battente che mi si chiude alle spalle...

Il pozzo e il muro sono stati realizzazioni importanti. Ma non abbiamo ancora messo mano alla casa. Finché non finiscono i lavori grossi c'è poco da fare; neppure imbiancare le pareti, visto che dovranno romperle per inserirvi i tubi del riscaldamento. I polacchi hanno tolto le finestre e hanno cominciato a scartavetrarle prima di ridipingerle. Ed e io lavoriamo sui terrazzamenti o andiamo in giro per negozi, a scegliere le piastrelle e i componenti del bagno, gli accessori in metallo, le tinte per i muri; cerchiamo anche del cotto vecchio per il pavimento della nuova cucina. Un giorno compriamo due poltrone da un mobiliere del posto, ma quando ce le consegna ci rendiamo conto che sono sgraziate, e che il tessuto scuro a disegni geometrici è piuttosto bizzarro: in compenso le troviamo confortevolissime, se raffrontate alle rigide sedie da giardino che abbiamo usato per settimane. Nelle sere di pioggia ci sediamo uno di fronte all'altra, con una cassetta da imballaggio per tavola: ceniamo a lume di candela, con un mazzo di fiori di campo in un barattolo da marmellata; la pasta con melanzane, pomodoro e basilico ci fa impazzire. E se è freddo accendiamo anche un fuoco di sterpi, appena qualche minuto per togliere l'umidità alla stanza.

A differenza della scorsa estate, abbiamo un luglio piovoso. I temporali scoppiano frequenti. Di giorno sono elettrizzata, mi ricordo la mia infanzia nel Sud, dove gli uragani sono davvero fortissimi. A San Francisco, invece, capitano di rado, e ne sento la mancanza. «È troppo caldo» diceva mia madre: «non può durare.» E infatti schianti e saette invadevano il cielo, che s'infiammava con milioni di kilowatt. Spesso la bufera arriva di notte, mentre magari sto seduta nel letto a disegnare piantine del bagno o della cucina su carta millimetrata; Ed legge cose insospettate: invece dei poeti romani, stanotte, ad esempio, è immerso in *Come intonacare*. Sul comodino tiene *Le riserve d'acqua per uso abitativo*. La pioggia comincia a battere sulle palme. Vado alla finestra, mi affaccio e subito mi ritraggo: i lampi penetrano nel terreno, seghettati come quelli dei cartoni animati: quattro, cinque, sei insieme, circondano la casa. I nembi si addensano sulla collina, e il lieve rollio si trasforma nello schianto di un tuono così vicino alla casa che è come se mi si spezzasse la spina dorsale. La casa è scossa dalle fondamenta, manca l'elettricità. Chiudiamo le finestre, ma il vento spinge dentro sbuffi di pioggia da chissà quali fessure. Una forte corrente d'aria entra ed esce dal camino. Notte di tregenda. La pioggia sferza la casa e le due palme si contorcono al vento. Sento odore di ozono. Sono sicura che il temporale ha scelto la nostra casa e non la mollerà; già mi sembra di scivolare lungo il fianco della collina fino al lago Trasimeno... «Che cosa preferiresti» chiedo a Ed: «uno smottamento del terreno o essere colpiti da un fulmine?» Ci ficchiamo sotto le coperte come bambini, gridando «Basta!», «No!» ogni volta che una saetta illumina il cielo. I tuoni trapassano le mura, dando nuovo ordine ai blocchi di pietra.

Spostandosi verso nord, il temporale si lascia alle spalle un cielo limpido e pieno di stelle. Ed apre i vetri e il vento ci porta il profumo dei pini: molti rami sono caduti, gli aghi svolazzano ovunque. Manca sempre la corrente elettrica. Ci sediamo sul letto, cercando di calmare i battiti precipitosi del cuore, quando udiamo qualcosa alla finestra: una piccola civetta è atterrata sul davanzale. Ruota il capino da una parte e dall'altra. Forse il suo ramo si è spezzato e lei è disorientata dalla tempesta. La luna esce dalle nubi e vediamo meglio la civetta, che ci fissa. Rimaniamo immobili. Ti prego, bisbiglio, non entrare. Sono terrorizzata dagli uccelli, una fobia che ho avuto fin dalla prima infanzia; eppure il piccolo animale mi ipnotizza. Le civette, peraltro, sono sempre state qualcosa di più che semplici uccelli: animali totemici, simbolici in America, mitologici qui. Penso alla civetta di Atena. Ma questa è solo una piccola creatura venuta dalla collina. La sera abbiamo visto molte volte i suoi parenti più grandi. Non parliamo, e lei non accenna a volar via. Alla fine ci addormentiamo, e la mattina dopo è sparita. Sono le sei; una luce dorata inonda la valle, impregna l'aria prima che il sole sfiori le colline e s'innalzi sul giorno dilavato e nuovo.

L'ORCHIDEA SELVAGGIA

L'ora dell'anguria: una gradevole pausa a metà pomeriggio. L'anguria ha forse il sapore più buono al mondo, e devo ammettere che le angurie di qui stanno a pari con quelle *Sugar Babies* che da bambina, in Georgia, raccoglievo calde nel campo. Non ho mai imparato come farle risuonare per sapere se sono mature o meno: per me il rumore è sempre lo stesso. Comunque tutte quelle che apro mi sembrano il massimo: dolcissime, crocchianti sotto i denti. Quando la offro agli operai, vedo che loro mangiano anche la parte bianca; alla fine restano nel piatto tante piccole mezzelune verdi. Mi siedo sul muretto, al sole, con una gigantesca fetta di anguria, che mangio a cucchiaiate, poi gioco a sparare lontano i semi con le dita: mi sembra d'essere tornata ai miei sette anni.

D'un tratto noto che nei cinque pini lungo il viale d'accesso si svolge una vita frenetica. Sembra che gli scoiattoli strappino del velcro, o che mangino panini con la crosta dura. Un uomo esce rapido dall'auto, raccoglie tre pigne e fila via. Arriva il signor Martini, che deve darmi informazioni su qualcuno che possa arare i terrazzamenti. Raccoglie una pigna e la batte contro il muro. Escono dei semi neri. Ne rompe uno con un sasso e tira fuori un piccolo frutto ovale ricoperto di una pellicola marrone. «*Pinolo*» annuncia, poi indica i grani fuligginosi sparpagliati sul vialetto. «*Torta della nonna*» specifica, in caso non avessi capito bene. Per me sono meglio usati per fare il pesto, insieme all'ottimo basilico colto dalle sei piante che ho messo nel terreno. I pinoli mi piacciono anche nell'insalata. Santo cielo, avevo i pinoli e ci camminavo sopra!

Ovviamente ho sempre saputo che i pinoli vengono dal pino; in California controllavo le pigne cadute in cortile per scovarne qualcuno. Ma non ho mai pensato ai pini di Bramasole come fruttiferi, mi sembravano alberi indegni di attenzione. Hanno un aspetto molto oleografico; appartengono al genere che di solito attecchisce sulla costa, spesso rachitici a causa dei forti venti. Se ne vedono di simili in molte città mediterranee, e certo tra di essi passeggiò Dante quando era in esilio a Ravenna. I miei sono alti e svettanti. È il semplice *pino domestico* (l'ho visto nel mio libro degli alberi) a produrre questi pinoli così teneri, deliziosi se tostati. Una delle *nonne* che hanno inventato la torta omonima, decorata con pinoli appunto, deve aver vissuto qui. Probabilmente avrà sfornato pure i ravioli dolci con ripieno di nocciole, gli amaretti e altri tipi di torte, visto che sulla proprietà ci sono anche venti mandorli e un folto nocciolo, i cui rami si piegano per l'abbondanza dei frutti. La nocciola sulla pianta ha un collare verde pallido, quasi fosse pronta per adornare l'occhiello di una giacca. Le mandorle sono invece celate in un astuccio di velluto verde. Persino l'albero crollato sul terrazzamento – e che non sopravviverà – è carico di frutti.

Forse il signor Martini dovrebbe essere in ufficio, a cercare di vendere agli stranieri case senza tetto o senz'acqua: invece si trattiene qui, e mi aiuta a raccogliere i pinoli. Come molti italiani che ho conosciuto, sembra avere tempo a iosa. Mi piace il suo modo di lasciarsi trascinare dal momento. La polverina sui gusci ci annerisce le mani. «Come fa a sapere tante cose?» gli domando. «È nato in campagna? Questo è l'unico giorno in cui cadono le pigne?» Prima mi ha spiegato che le nocciole raggiungono la perfetta maturazione il 22 di agosto, San Filiberto.

Mi racconta d'essere cresciuto a Teverina, un po' più in giù rispetto a Bramasole, e di averci abitato fino alla guerra. Sarei curiosa di sapere se ha combattuto come partigiano o con Mussolini, ma mi limito a chiedere in che misura la guerra ha coinvolto Cortona. Lui mi indica la fortezza medicea: «I tedeschi la occuparono con una stazione radio. Alcuni degli ufficiali acquartierati nelle fattorie qui intorno sono tornati dopo la guerra e le hanno comprate». Ride: «Non ho mai capito perché i contadini ce l'avessero con loro». Intanto abbiamo raccolto più di venti pigne.

Non gli domando se Bramasole fu occupata dai nazisti. «E i partigiani?»

«Dappertutto» dice, facendo un ampio gesto. «Persino ragazzi di tredici anni, morti mentre raccoglievano le fragole o badavano alle pecore. C'erano mine ovunque.» Tace. Poi di colpo mi racconta della madre, morta a novantatré anni, non molto tempo fa. «Niente più *torta della nonna*.» È un po' malinconico, oggi. Cerco di aprire qualche guscio, ma riesco solo a schiacciare completamente il pinolo; allora mi spiega dove battere per farlo uscire intero. Gli dico che anche mio padre è morto, e che mia madre è immobilizzata a causa di un grave infarto. Aggiunge che adesso è solo, né io oso chiedergli di eventuali mogli o figli. Lo conosco da due anni, e questa è l'unica conversazione a carattere privato che abbiamo avuto. Mettiamo le pigne in una busta di carta e andandosene lui mi saluta con un «*Ciao*». Contrariamente a quanto ho studiato a scuola, l'uso del *ciao* non è molto diffuso tra gli adulti, nella Toscana rurale; i quali si avvalgono piuttosto di *arrivederla* o del più familiare *arrivederci*. Dunque è avvenuta una lieve mutazione.

Dopo mezz'ora a sgusciare pinoli, ne ottengo circa quattro cucchiai. Ho le mani appiccicose e nere. Ora capisco perché quei sacchettini da sessanta grammi che compro in America costano così cari! Ho intenzione di fare una di queste famose torte della nonna, che parrebbero la quintessenza dei dolci italiani. Quelli americani o francesi, del resto, non entrano nella cucina locale. Sono convinta che per poter davvero apprezzare i dolci italiani occorra esserci abituati. Di solito sono troppo secchi per i miei gusti. Si tratta soprattutto di torta della nonna, torte alla frutta, *tiramisù* (un dolce che trovo disgustoso). Solo nei ristoranti molto cari ne servono anche altri tipi. Quasi tutte le pasticcerie e molti bar propongono la torta della nonna. Che può essere buona ma anche un po' gessosa. Il gelato stesso, che una volta era ottimo ovunque, in Italia, non è più sempre all'altezza della sua fama. Parecchi vantano il proprio gelato artigianale, e magari lo fanno con le polverine. Ma se hai la fortuna di trovare quello con la vera fragola o la vera pesca, non lo dimentichi più! La frutta gelata, comunque, è uno straordinario fine pasto, soprattutto se unita al *pecorino* locale, al *gorgonzola* o a un pezzo di *parmigiano*.

Traducendo alla bell'e meglio i grammi in tazze, ho copiato una ricetta da un libro di cucina. Esistono centinaia di versioni della torta della nonna: a me piace il tipo con farina di mais e un ripieno non troppo abbondante. Non metto in conto l'ora in più per sgusciare i pinoli, che a casa prendo semplicemente dal freezer. Per prima cosa faccio una crema densa con due tuorli, 1/3 di tazza di farina, 2 tazze di latte e 1/2 tazza di zucchero. È troppo per me, così ne metto da parte due porzioni da mangiare dopo. Mentre la crema si raffredda, faccio l'impasto: 1 tazza e 1/2 di farina di mais, 1 tazza e 1/2 di farina, 1/3 di tazza di zucchero, lievito in polvere, 120 grammi di burro, un uovo intero e un altro tuorlo. Prendo metà dell'impasto e lo stendo in una tortiera, ci metto la crema e con l'altra metà ricopro il tutto, facendo ben aderire i due bordi. Ci spargo sopra una manciata di pinoli e inforno a 350° per venticinque minuti. Subito il profumo invade la cucina. Quando la torta è cotta la metto sul davanzale e chiamo al telefono il signor Martini: «La torta della nonna è pronta» gli dico.

Al suo arrivo gli faccio trovare anche un caffè, poi taglio una gran fetta di torta. Appena gustata mi guarda sognante: «*Perfetto*» sentenzia.

A parte i pinoli, la nonna d'un tempo ha fatto in modo da trasformare questo posto in un vero e proprio giardino dell'Eden. Ecco cosa ne rimane: tre tipi di susini (le susine Santa Rosa, dette anche *cosce di monaca*), fichi, meli, albicocchi, un ciliegio (mezzo secco) e vari tipi di peri. Le pere che maturano adesso sono piccole e di colorazione dal verde al ruggine, dolci ma non troppo. I meli contorti (mi piacerebbe conoscerne la specie) credo non siano recuperabili; ora stanno facendo dei piccoli frutti che somigliano a quelli usati nelle vecchie pubblicità del DDT. Molti alberi devono essere cresciuti spontaneamente; sono troppo giovani rispetto al periodo in cui la casa era abitata, e spesso spuntano in luoghi impensati. Quattro susini, ad esempio, proprio sotto una fila di altri dieci, chiaramente sono nati da qualche frutto caduto.

Sono sicura che la vecchia nonna raccoglieva il finocchio selvatico, usava collezionare fiori secchi, e gettava nel fuoco dei rametti verdi per aromatizzare le carni che cuoceva. Scopriamo delle viti nascoste tra la sterpaglia ai bordi dei terrazzamenti. Qualcuna più caparbia allunga i suoi tralci arruffati. Si stanno già formando minuscoli grappoli. Sui terrazzamenti sono ancora in piedi i vecchi cippi che segnano l'inizio del filare: ad altezza di ginocchio, sembrano le lapidi di un cimitero, tranne che per il buco che serve a far passare le verghe di sostegno. Le verghe sporgono oltre l'orlo del terrazzamento per offrire più spazio alla coltura. Ed lega del fil di ferro tra verga e verga e vi avvolge i tralci, perché continuino a crescere su di essi. Comprendiamo con stupore che tutto il declivio era coltivato a vigna.

Nella grande *enoteca* di Siena, un luogo di degustazione di vini provenienti da tutt'Italia, il cameriere ci spiega che la maggior parte delle vigne italiane non raggiunge i cinque acri, circa quanto le nostre. Molti piccoli viticoltori locali si uniscono in cooperative per produrre vari tipi di vino, compreso il *vino da tavola*. Sarchiando attorno alle viti cominciamo a pensare al Chianti Bramasole dell'anno 2000. La quantità di viti spiega i mucchi di bottiglie che abbiamo ereditato. Probabilmente potremo produrre il semplice vinello che servono sfuso nei ristoranti della zona. O forse il più corposo Grechetto, un vino bianco aromatico. Ah, sì, questa terra ci aspettava! O noi lei...

Il prodotto fondamentale usato dalla *nonna* era certo l'olio d'oliva. Accesa la stufa a legna con un fascio di rami potati, lo usava sulle fette di pane abbrustolito, o ci innaffiava le minestre e la pasta. I sacchi di iuta pieni di olive pendevano sotto la cappa del camino, perché durante l'inverno il fumo le rendesse più sode e saporite. Persino il sapone veniva fatto con l'olio e la cenere del caminetto. Il marito, o il suo lavorante, passava settimane a curare gli alberi di olive. Vuole la regola che si debbano potare in modo tale che un uccellino possa volare tra i rami senza sfiorare le foglie con le ali. Lui sapeva esattamente quando raccogliere. Gli alberi non devono essere bagnati, altrimenti le olive ammuffiscono prima di raggiungere il frantoio. In quanto alle olive da mangiare, per togliere loro l'amaro basta metterle sotto sale, sotto la cenere o in acqua salata. Oltre che sulla propria esperienza, i contadini si basano su una miriade di superstizioni, per scegliere quando esattamente raccogliere o piantare; il ciclo lunare ha giorni buoni e cattivi. Già molto tempo fa Virgilio studiò le credenze contadine: per piantare aspetta il diciassettesimo giorno dalla luna piena, evita sempre il quinto. Il poeta consiglia anche di falciare la notte, quando la rugiada ammorbidisce gli steli. Temo che Ed tirerebbe giù tutto un terrazzamento, se ci provasse.

Alcuni dei nostri olivi sono esemplari nel loro genere: antichi, nodosi, contorti. Altri hanno una serie di nuovi germogli attorno al tronco disseccato. Tra queste dolci colline è difficile immaginare che la temperatura possa scendere a sei gradi sotto zero, com'è avvenuto nel 1985. Eppure i monconi disseminati tra un olivo e un altro ci parlano della morte di numerose piante. L'oliveto deve risorgere dal lungo abbandono. Ogni albero dev'essere liberato alla base dall'intrico di ailanto, saggina ed erbacce; quindi potato e nutrito con fertilizzante. Bisogna arare e ripulire i terrazzamenti. È un grosso lavoro, ma può attendere. Gli olivi sono pressocché immortali, un altro anno non può nuocere.

"E porta una foglia di olivo, simbolo di pace" scrive Milton nel suo *Paradiso perduto*. La colomba che fece ritorno all'arca di Noè con un rametto di olivo nel becco non ha poi sbagliato: gli olivi trasmettono un senso di pace. Dev'essere per il loro modo di partecipare al tempo: questi alberi sono qui, qui erano e qui resteranno. Con o senza di noi, si desteranno ogni mattino, volgendo lentamente le foglie verso il sole.

Qualche estate fa, a Majorca, ho fatto un'escursione sul Soller insieme a un amico. Camminavamo tra olivi giganteschi, cresciuti su ampi terrazzamenti. E sulla cima abbiamo trovato le casupole in pietra dei guardaboschi. Anche se a un certo punto ci siamo persi, finendo sul pascolo di un pacifico toro, un profondo senso di pace ci ha accompagnato per l'intera giornata, trascorsa tra quegli alberi che sicuramente avranno avuto un migliaio d'anni. Ecco, passeggiare su questi pochi acri di terrazzamenti a Bramasole mi dà la stessa sensazione di allora. In fondo la struttura a terrazze non è poi così innaturale come può sembrare. Una delle primissime scritture, la scrittura bustrofedica, è leggibile da destra a sinistra, poi da sinistra a destra e così via. A pensarci bene, un metodo di lettura piuttosto razionale, se solo vi fossimo abituati. L'etimologia della parola è greca e significa: "voltando alla maniera dei buoi (quando arano)". E quella scrittura è come i nostri terrazzamenti: si sale di livello in livello con un percorso zigzagante; da una parte e dall'altra c'è appunto lo spazio sufficiente perché un bue con l'aratro possa compiere la sua svolta a U.

I cinque alberi di tiglio non hanno frutti. Servono a ombreggiare la grande terrazza accanto alla casa nei giorni in cui su quella davanti batte troppo sole. Pranziamo quasi sempre sotto i tigli; i loro fiori somigliano a orecchini di perle, e quando si aprono (tutti nel medesimo istante, parrebbe) il profumo invade la collina. Al culmine della fioritura ci sediamo sul balcone, proprio accanto agli alberi, e cerchiamo di capire di che tipo di profumo si tratta. Secondo me è come il banco delle essenze di un negozio di second'ordine. A Ed ricorda invece la brillantina di suo zio Syl. Fatto sta che attira tutte le possibili api del luogo. Persino la sera, mentre prendiamo il caffè, si adoperano instancabili sopra ogni fiore. Il ronzio sembra quello di un gigantesco sciame in avvicinamento. Concilia il sonno e al contempo allarma. Ed inizialmente resta sulla soglia perché è allergico alle punture delle api, ma loro non sono affatto interessate a noi: devono riempire la sacca del miele, impiastricciarsi le zampe di polline.

Allergico o no, Ed desidera ardentemente delle arnie. Cerca di coinvolgere anche me nel progetto di diventare apicoltore. Secondo lui sono immune dalle punture delle api, visto che non è mai accaduto. Gli faccio notare che una volta mi ha attaccato un intero nido di vespe, ma non conta, dice. Immagina una fila di arnie oltre i tigli. «Guardare dentro le arnie ti affascinerà» dice. «Quando è caldo dozzine di operaie stanno sulla soglia e fanno vento alla regina.» Ho notato che ha comprato diversi tipi di miele locale. E spesso mette un vasetto di miele a bagnomaria sul fornello, perché si ammorbidisca. Il miele di acacia è chiaro e profumato di limone; quello scuro di castagno è così denso che un cucchiaio può starci ritto dentro. Ha anche un vasetto di miele di *timo* e, naturalmente, uno di *tiglio*. Il miele al profumo di *macchia* è il più forte, viene dagli arbusti lungo le coste della Toscana. «La funzione dell'ape regina è assolutamente sopravvalutata. L'unica cosa che fa è deporre uova. Compie un solo volo nuziale, e ne torna a tal punto feconda da rimanere nell'alveare per il resto della vita. Le operaie (api femmine non sviluppate sessualmente) conducono la vita migliore. Scorrazzano per i campi fioriti. Immàginati a girare e a rigirare dentro una rosa.» Il suo entusiasmo è contagioso.

«Ma cosa mangiano nell'alveare tutto l'inverno?»

«Miscela di polline e miele.»

«Davvero?»

«Certo. E le operaie secernono dal ventre cera bionda per il favo. Hai presente quegli esagoni precisissimi?»

Cerco di figurarmi la misura dell'apparato digerente di un'ape operaia, quanti andirivieni dovrà compiere dal favo al tiglio per ottenere un cucchiaio di miele. Un migliaio? Un vasetto significa milioni di voli con carico di miele. Nelle *Georgi-*

che, sorta di *vademecum* per il contadino, Virgilio scrive che le api si zavorrano con piccole pietre per non farsi portar via dagli impetuosi venti dell'est. Sa molto sulle api, ma non sempre è veritiero: crede ad esempio che nascano per generazione spontanea dalle carcasse delle mucche. Mi piace l'immagine di un'ape che si carica d'una pietruzza, come un calciatore che tenga il pallone in equilibrio sul petto mentre si sposta velocemente per il campo. «Sì, vedo già quattro arnie verdi. Mi diverte la bardatura dell'apicultore, la celata da cavaliere medioevale, e lui che toglie i favi scuri... Con la cera potremmo fabbricarci da soli le candele.» Adesso l'idea mi ha presa.

Ed si sporge a inalare tutto quel profumo. Il senso pratico lo ha abbandonato: «Le vespe sono anarchiche» dice, «le api, invece...».

Porto via le tazze del caffè: «Forse dovremmo aspettare che la casa sia finita».

Gli alberi di fico indicano dov'è l'acqua. Sui terrazzamenti crescono accanto alle pietre inclinate che abbiamo scoperto. E radici sottilissime di fico si sono insinuate nel pozzo naturale. Sulla dolce e succosa consistenza del frutto si gioca in Italia il doppio senso tra la parola *fico* e *fica*, vulva. Se si pensa alla famosa foglia di fico che copriva Adamo ed Eva al tempo della cacciata dall'Eden, questo è forse il più antico dei frutti. La cosa strana è che il fiore del fico è dentro il frutto. E aprirne uno significa gettare l'occhio in un ciclo vitale complesso, primitivo e straordinariamente sofisticato. L'impollinazione avviene a opera di un particolare tipo di vespa, lunga circa trenta millimetri. La femmina fa un foro nel fiore che sta crescendo dentro il fico. Una volta penetrata, scava a fondo con il suo ovopositore, un'appendice del calibro di un ago, nell'ovaio del fiore femmina, deponendovi le proprie uova. Se l'ovopositore non riesce a raggiungere l'ovaio, allora fertilizza il fiore con il polline raccolto nei suoi voli. Comunque vada, il sistema simbiotico funziona almeno per una delle due parti – la larva della vespa si sviluppa se le uova sono state deposte, altrimenti il fiore impollinato produce il fico. Se esiste la reincarnazione, non mi fate rinascere vespa: infatti laddove la femmina non trovi un nido confortevole per le uova, di solito muore per sfinimento dentro il fico. Se invece lo trova, le uova si schiudono dentro il fico, e tutti i maschi nascono privi di ali. La loro unica, breve funzione è il sesso. Crescono e fecondano le femmine, poi le aiutano a uscire dal frutto. Infine muoiono. Le femmine prendono il volo, portando in sé abbastanza sperma da fecondare tutte le loro uova. Non è inquietante pensare che, per gustoso che sia, ogni fico è di fatto un piccolo cimitero di maschi di vespa senza ali? O forse la sensualità del frutto deriva proprio da questo: da un qualche sapore lasciato dalle loro dolci, brevissime esistenze.

Le donne della mia famiglia hanno sempre fatto in casa il pane, i sottaceti, le gelatine di frutta, le scorze di anguria sottaceto, le pesche sciroppate o le conserve di prugne. E a me piace l'idea del paiolo in ebollizione, con il succo di lamponi che all'improvviso fuoriesce e si spande sul piano della cucina; o delle ciotole di pesche sciroppate e aromatizzate coi chiodi di garofano, pronte per essere passate in un bagno di aceto; o ancora dei cetrioli, della grossezza di un dito. In California mi sono disperata quando le guarnizioni dei barattoli di conserva diventavano una colla appiccicosa, o se la marmellata non aggrumava, o se un pentolone di *guajaba* mi si trasformava in ventiquattro vasetti di gelatina grigiastra invece che di quel bel colore topazio. Non ho il talento di mia madre per una dispensa piena di conserve di frutta, vasetti rossi o smeraldini, o i piccoli *sottaceti* che si usano qui. Osservando l'esito di un lungo pomeriggio di lavoro, la sola cosa che mi è venuta in mente è stata: botulismo?

Sono sicura che l'antica padrona di Bramasole – la stessa che ha piantato gli alberi su un terrazzamento, in modo da far cadere i frutti lungo un passaggio erboso – teneva le marmellate in un ripostiglio sotto le scale, e certo a gennaio aveva i vasetti di susine pronti per essere consumati. Qui imparerò facilmente quest'arte, che mia madre mi deve aver trasmesso insieme al gusto per le porcellane dipinte a mano e le scarpe di prezzo.

Vado al mercato il sabato mattina e compro una cassetta di pesche che mi trascino fino alla macchina. Sono così belle che in realtà vorrei sistemarle in un cesto e godermi i loro colori. In uno dei miei libri di cucina ho trovato una ricetta di Elisabeth David per la marmellata di pesche. Niente di più semplice: tagli a metà le pesche e le fai bollire in acqua e zucchero, le fai raffreddare, poi le metti a bollire di nuovo il giorno dopo, finché non vedi che versandola in un piattino la conserva si addensa subito. Elisabeth David scrive: "È un metodo un po' insolito ma il risultato è ottimo. Sfortunatamente tende a formarsi una pellicola di muffa dopo poco tempo, ma ciò non nuoce al resto della marmellata: alcuni vasetti li ho tenuti per circa un anno, persino in una casa umida". Questo particolare mi sembra alquanto sgradevole; e poi la David non spiega bene come sterilizzare i vasetti, né allude al sibilo del coperchio che sentivo io quando mia madre metteva a raffreddare i vasetti di pomodori verdi sottaceto. La ricordo battere sui coperchi per accertarsi che si fosse formato il vuoto d'aria. Invece Elisabeth David si limita a versare la marmellata nei vasetti, e prima di consumarla toglie lo strato di muffa. Meno male che dice "insolito ma ottimo"; e se lo dice lei ci credo. Avendo tutte queste pesche decido di usarne un paio di chili per la marmellata e di mangiare il resto. La finiremo durante l'estate, prima che si formi il velo di muffa in questa casa così umida. Ne regalerò qualche vasetto ai nostri nuovi amici, che si meraviglieranno di vedermi rimestare nel paiolo invece di dipingere le imposte.

Metto le pesche un istante nell'acqua bollente, osservando come il loro colore diviene più intenso; con un cucchiaio le tiro fuori una ad una e le pelo: la buccia viene via facilmente, come uno slip di seta. Questa ricetta è semplice, non occorre nemmeno una goccia di limone o una grattatina di noce moscata, e neppure chiodi di garofano. Mi ricordo mia madre che ci buttava un seme preso da dentro il nocciolo, un grano segreto dal profumo di mandorla. Presto un odore dolcissimo invade la cucina, attirando le mosche. Il giorno dopo faccio bollire i vasetti, per precauzione, mentre la frutta cuoce di nuovo a fuoco lento; infine ce la verso dentro. Ho ottenuto cinque vasetti di marmellata, dolce ma non troppo.

Il *forno* di Cortona vende un pane croccante, cotto a legna, perfetto per i toast. L'ora di colazione è una delle mie preferite, perché di mattina non fa ancora così caldo. Mi alzo presto e prendo toast e caffè fuori in terrazza per un'ora buona, leggendo un libro e godendomi la linea verde scuro dei cipressi contro il cielo limpido, le colline coi terrazzamenti di olivi, immutate dalle raffigurazioni delle stagioni nei salteri medioevali. Talvolta la nebbia si addensa nella valle. Vedo i fichi verdi e sodi su due piante, e le pere su un albero proprio sotto di me. Avremo un buon raccolto. Dimentico il libro. Penso al sidro di pere, alla salsa *chutney* alle pere, al gelato di pere, ai fichi verdi (ma le vespe ci saranno già entrate?) mangiati col prosciutto, alle frittelle di fichi, alla torta di fichi e *nocciole.* Se l'estate durasse un centinaio d'anni!

IL RONZIO DEL SOLE

La casa, a pochi chilometri dalla città, in realtà sembra immersa in piena campagna. Non vediamo nessun vicino, ma solo, ogni tanto, si sente un uomo sulla strada sotto di noi che chiama il suo cane, «*Vieni qua*». Il sole estivo picchia forte. Riesco a capire che ore sono dal punto in cui i raggi colpiscono la casa, quasi fosse una gigantesca meridiana. Alle cinque e mezzo il primo sole raggiunge la porta della veranda, buttandoci giù dal letto e dandoci il piacere di vedere l'alba. Alle nove un fascio di raggi penetra nel mio studio dalla finestra laterale, quella che preferisco nella casa perché mi offre una splendida vista sui cipressi, le macchie di verde giù nella valle e, in fondo, il profilo degli Appennini. Vorrei dipingere qualche acquerello di questo paesaggio, ma i miei acquerelli sono orrendi, buoni solo a occupare il ripiano di un armadio. Intorno alle dieci il sole gira alto sulla facciata della casa e ci resta fino alle quattro, quando un'ombra sul prato indica che si sta spostando sull'altro versante della montagna. Andando a piedi in città nel tardo pomeriggio, godiamo dello spettacolo d'un lungo, magnifico tramonto sulla Val di Chiana, che trascolora nelle varie tonalità del giallo e dell'oro fino alle nove e mezzo, per poi lasciar luogo alle sfumature dell'indaco.

Nelle notti senza luna è buio come l'interno d'un uovo. Ed è andato nel Minnesota per il cinquantesimo anniversario di nozze dei suoi genitori. Una persiana sbatte, e per il resto il silenzio è così profondo che potrei sentire il sangue scorrermi nelle vene. Già mi vedo a letto sveglia, a figurarmi un malvivente armato e fatto marcio di droga che sale le scale nel buio. Invece, seduta sul letto tra le lenzuola a fiori, mi circondo di libri, cartoline e blocchi di appunti, e mi abbandono al raro piacere di scrivere agli amici lontani. Un altro cedimento mi riporta dritta agli anni di liceo: mi metto infatti a mangiare un piatto di *brownies* e a bere Coca Cola, mentre copio sul quaderno frasi e versi che mi sono piaciuti. Se solo avessi Sister, la mia gattina nera a pelo lungo: lei sì che è un'ottima compagna, nei momenti di solitudine! È troppo caldo perché mi possa dormire sui piedi come ama fare: dovrebbe stare su un cuscino in fondo al letto. Dormo come un neonato e la mattina prendo il caffè in veranda, poi vado in città a far la spesa, lavoro in giardino, rientro a bere, e sono solo le dieci. Le ore trascorrono e non senti il bisogno di parlare con nessuno.

Dopo pochi giorni la mia vita ha già assunto il proprio ritmo. Mi sveglio alle tre di notte e leggo per un'ora; mangiucchio qualcosa – magari un pomodoro maturo, a morsi, come una mela – alle undici e alle tre, e salto il pasto dell'una. La mattina mi alzo alle sei, ma verso l'ora della siesta, la più calda del giorno, sono pronta per un paio d'ore di sonnellino. Questo tipo di sopore è più greve del sonno vero e proprio, e con il ronzio della ventola in sottofondo non è difficile caderci. La sera ho ancora il tempo di stendere un copriletto sul prato e sdraiarmi a guardare le stelle. Con l'Orsa Maggiore a perpendicolo sulla casa, riesco finalmente a individuare Polluce nella costellazione dei Gemelli e Procione nel *Canis Minor*. Mi ero dimenticata delle stelle, ed eccole sopra di me, vive, pulsanti.

Una francese e il marito inglese vengono su per il vialetto e si presentano quali nostri vicini. Hanno saputo dei due americani che hanno comprato Bramasole, e sono curiosi di conoscere quei pazzi capaci di affrontare il cimento di un simile restauro. Mi invitano a pranzo per il giorno successivo. Sono entrambi scrittori, e stanno a loro volta restaurando la piccola casa colonica dove abitano: perciò stringiamo subito un legame cameratesco. Dove mettere la scala, qui o là? A quale uso destinare questa stanza piccolissima? E una camera da letto nella vecchia stalla al pianterreno risulterà troppo buia? Il *comune* non dà il permesso di aprire altre finestre, anche nelle case coloniche davvero buie: gli esterni, facenti parte del patrimonio storico e artistico, devono rimanere intatti. Mi invitano a cena la sera dopo e mi presentano altri due scrittori stranieri, un francese e un cinese d'America. Questi ultimi ci invitano dopo il ritorno di Ed, di lì a una settimana.

La tavola è apparecchiata all'ombra di una pergola. Insalate, vino fresco, frutta, un gran soufflé di formaggio cotto a vapore sul fornello. La calura forma un alone attorno alle chiome degli olivi, in lontananza. Sotto il pergolato fa abbastanza fresco. Ci presentano gli altri ospiti: scrittori, giornalisti, traduttori, un saggista – tutte persone che abitano qui da tempo, che hanno comprato e restaurato case. Scegliere di vivere definitivamente in un altro paese è un'idea che mi affascina. Sono curiosa di sapere in che modo il viaggio in Italia o l'incarico di lavoro si siano poi trasformati per ciascuno di loro in soggiorno stabile; l'ho chiesto a Fenella, una giornalista internazionale alla mia destra. «Non immagini come fosse Roma negli anni Cinquanta. Magica. Me ne sono innamorata, come ti capita di innamorarti di una persona, e ho studiato la maniera per viverci. Non è stato facile. Sono diventata corrispondente per la Reuters. Guarda qualche vecchio film: non ci sono macchine; non era passato molto dalla fine della guerra, l'Italia era devastata... Ma la vita! Incredibilmente economica, oltretutto. Pur non disponendo di molto denaro, potevamo permetterci di vivere in sontuosi *palazzi*. Ogni tanto tornavo in America, e non vedevo l'ora di ripartire. Non era un rifiuto... o forse sì, lo era. Comunque non ho mai desiderato di essere altrove.»

«È così anche per noi» dico, e subito mi rendo conto che non è del tutto vero. Sono completamente soggiogata dalla magia di questo posto, ma il suo fascino per me sta soprattutto nel fatto che rappresenta una compensazione rispetto alla mia vita in America. E l'America non la lascerei mai, anche se potessi. Così cerco di correggere quanto ho detto: «Faccio un lavoro difficile, ma mi piace molto, mi coinvolge. E non è che abbia le mie radici a San Francisco: è solo un bellissimo posto in cui vivere, compresi i terremoti e tutto il resto. Abitare qui mi permette di sfuggire alla follia, alla violenza, a quegli aspetti decisamente surreali del nostro paese; e alla mia stessa esistenza superprogrammata. Dopo tre settimane trascorse qui, mi rendo conto di aver abbassato la guardia: un modo di essere talmente connaturato in me, cittadina americana, da non accorgermene neppure». Mi guarda con simpatia. Il problema della violenza in America è difficile da capire per chiunque, ormai. «Mi rallentano i battiti del cuore, letteralmente» continuo. «Eppure sento di poter meglio sviluppare il mio pensiero soltanto lì: è la mia cultura, le mie radici, il mio passato.» Non sono sicura di essermi spiegata bene. Lei alza il bicchiere alla mia salute.

«*Esatto*, anche mia figlia prova le stesse cose. Tu non l'hai vista, Roma com'era. Adesso è terribile, ma allora non si poteva resisterle.» Di colpo mi accorgo che queste persone sono in un duplice esilio, dagli Stati Uniti e da Roma.

Max ci raggiunge. È dovuto andare a Roma, la scorsa settimana, e ci racconta del traffico, degli zingari che lo assediavano come se fosse un turista, premendogli addosso i loro cartelli per distrarlo e rubargli il portafoglio. «Tanto tempo fa avevo imparato a gettar loro il malocchio» spiega a Ed e a me. «La cosa li faceva fuggire.» Comunque sono tutti concordi nell'affermare che l'Italia non è più come una volta. E allora? Da sempre mi sono sentita dire che una volta la Silicon Valley era piena di orchidee, che Atlanta era una città elegantissima, che l'editoria era in mano a dei veri gentiluomini e che le case costavano in passato quanto una macchina ora. Verità sacrosante, ma cosa si può fare se non vivere nel presente? Dei nostri amici, che hanno acquistato di recente una casa a Roma, ci si trovano malissimo. Noi l'adoriamo. Forse l'abitudine al traffico del Bay Bridge e ai prezzi di San Francisco ci rende pronti ad affrontare qualsiasi situazione.

Tra gli ospiti c'è una scrittrice che ammiro da sempre. Si è trasferita qui circa vent'anni fa, dopo aver abitato per anni nel Sud Italia del dopoguerra e poi a Roma. Sapevo che era qui, un comune amico della Georgia (dove lei trascorre parte dell'anno) mi aveva anche dato il suo numero di telefono. Ma ho sempre avuto difficoltà nel fare le telefonate "a freddo"; inoltre provavo una sorta di soggezione di fronte alla persona che ha raccontato, in una prosa chiara e austera, le esistenze oscure, contorte delle donne nella Basilicata stravolta dalla guerra.

Elisabeth è seduta dall'altra parte del tavolo, lontana da me. La vedo coprire il bicchiere con la mano per evitare che Max le versi del vino. «Non bevo mai vino a pranzo.» Ah, che morigeratezza! Indossa una gonna di cotone azzurro e porta al collo un medaglione di soggetto vagamente religioso. Ha occhi azzurri e freddi, pelle delicata; mi sembra di percepire nella sua voce il mio stesso accento.

Mi sporgo in avanti e azzardo: «Ha un lieve accento del Sud, o mi sbaglio?»

«Spero proprio di no» risponde secca (le passa forse sul volto un accenno di sorriso?), quindi torna a conversare col famoso traduttore accanto a lei. Abbasso lo sguardo all'insalata che ho nel piatto.

Prima che Richard serva il gelato di limone e mascarpone, la compagnia è brilla. Sul tavolo, di lato, stanno parecchie bottiglie di vino vuote. Il torrido sole è adesso impigliato tra i rami di un castagno. Ed e io partecipiamo alla conversazione come possiamo, ma loro sono un brillante gruppo di vecchi amici, con anni di esperienze in comune. Fenella parla del suo viaggio di ricerca in Bulgaria e in Russia; il marito, Peter, racconta di aver portato con sé, di ritorno da un incarico in Africa, un pappagallo grigio nascosto nella tasca del cappotto. Cynthia descrive una lite in famiglia a proposito del famoso diario di sua madre. Max ci fa ridere raccontando della sua incredibile fortuna: una volta che andava in aereo a New York è capitato vicino a un produttore cinematografico; si è allora lanciato in una lunga esposizione della propria sceneggiatura, che il disgraziato non poteva non ascoltare. Finché gli ha detto di mandargliela. Adesso il produttore sta venendo a trovarlo e ha già comprato l'opzione. Elisabeth ha l'aria stupefatta.

Alla fine del pranzo Elisabeth si avvicina e mi dice: «Credevo che mi avresti telefonato. Ho cercato il tuo numero ma non è sull'elenco. Irby [un amico di mia sorella] mi ha detto che hai comprato una casa qui. Ho conosciuto tua sorella a una cena a Roma... Georgia, vero?». Le chiedo d'impulso di cenare da noi domenica sera, scusandomi per le condizioni della casa. Ho detto d'impulso perché non abbiamo mobili, né piatti, né tovaglia, ma solo una cucina arrangiata con qualche pentola e stoviglia.

Compro al mercato una tovaglia di lino con cui coprire il tavolo traballante che qualcuno ha lasciato dietro la casa, metto dei fiori in un vaso di conserva e poi il tutto in un *cache-pot*; decido per un menù abbastanza semplice: ravioli a burro e salvia, pollo arrosto e involtini di *prosciutto*, verdure fresche e frutta. Quando Elisabeth arriva, Ed sta spostando il tavolo fuori in veranda: il piano scivola via e una gamba si stacca di netto. Lei ci aiuta a rimetterlo insieme; Ed lo fissa con alcuni chiodi. Aggiustato e coperto, sembra quasi carino. Facciamo il giro della casa vuota e cominciamo a parlare di tubi di scarico, pozzi, canne fumarie, intonaco. Per trasferirsi qui, Elisabeth ha restaurato da cima a fondo una *casa colonica*. Il primo giorno è crollato un muro, e dietro ha trovato una scrofa inferocita lasciata lì dal contadino. Ci è subito chiaro che conosce tutto dell'Italia. Ed e io cominciamo a tempestarla di domande. Dove hai fatto esaminare l'acqua? Quanto è lungo un miglio romano? Quale macellaio vende la carne migliore? Si trova da comprare il cotto vecchio? È meglio fare richiesta di residenza? Si è interessata profondamente all'Italia fin dal 1954, e sa un'infinità di cose sulla storia, la lingua, la politica; ma anche quale idraulico chiamare, o il nome della donna che prepara gli gnocchi migliori a nord di Roma. La nostra cena sotto la luna dura a lungo, con noi in continua apprensione che la tavola si ribalti di nuovo. Ecco, d'un tratto abbiamo un'amica.

Ogni mattina Elisabeth va in città a comprare il giornale e a prendere il caffè, sempre nello stesso bar. Anche a me piace alzarmi presto e vedere la città che si desta. Cammino con la grammatica italiana in mano, cercando di memorizzare le coniugazioni dei verbi. Qualche volta prendo un libro di poesia perché meglio si confà all'azione del passeggiare. Leggo uno o due versi, mi abbandono al loro ritmo oppure li analizzo, ne leggo altri, magari ripeto alcune parole ad alta voce; un simile vagabondaggio contemplativo sembra liberare le parole. Regolo il passo sulla cadenza dei versi. Ed lo ritiene eccentrico, pensa che acquisterò fama di americana un po' stramba; così, avvicinandomi al centro, ripongo il libro e mi concentro nell'osservare Maria Rita che dispone le verdure in vetrina, il negoziante che spazza la strada con una scopa come quella delle streghe, fatta di ramoscelli; o il barbiere allungato in poltrona che si accende la prima sigaretta, un gatto tigrato in grembo. Incontro spesso Elisabeth. Senza darci appuntamento, ci vediamo una mattina o due la settimana.

Anche in città Ed e io cominciamo a sentirci più a casa. Cerchiamo di comprare tutto solo nei negozi del posto: attrezzi, trasformatori di corrente, liquido per pulire le lenti a contatto, candele antizanzare, rullini. Non frequentiamo il supermercato di Camucia, ma preferiamo girare dal fornaio al negozio di frutta e verdura, al macellaio, caricando oltre ogni dire le grandi sporte di tela azzurra. Maria Rita si allontana nel retrobottega e ci porta la lattuga appena colta, la frutta migliore. «Oh, mi pagherete domani» dice, se non abbiamo soldi spiccioli. Nell'ufficio postale, la direttrice affranca personalmente le nostre lettere e annulla ogni singolo francobollo timbrandolo con forza. *Toc, toc!* «*Buon giorno, signori.*» Nel piccolo negozio di alimentari superaffollato conto trentasette tipi di pasta e, sul bancone, *gnocchi* freschi, *pici* (simili agli spaghetti fatti a mano), fettuccine e due tipi di ravioli. Il negoziante ormai sa che pane vogliamo, e che ci piace la mozzarella di *bufala* invece di quella normale di mucca.

Compriamo un altro letto in previsione dell'arrivo di mia figlia. Le reti pieghevoli qui non esistono, ma solo letti con le doghe di legno su cui adagiare il materasso. Mi ricordo di quando, bambina, saltavo su e giù sul letto, provocando un crollo generale. Ma questo letto è certo costruito in maniera più solida e confortevole. Il sabato, giorno di mercato, vedo una donna coi lunghi riccioli neri e scompigliati e gli occhi scuri che vende vecchia biancheria da casa. Per il letto di Ashley scelgo un lenzuolo pesante di lino con il bordo ricamato a foglie e due federe quadrate di merletto. Certo avranno fatto parte del corredo di una sposa, ma sono così nuove che mi chiedo se le abbia mai tirate fuori dal baule. Mostrano solo una linea più scura in corrispondenza delle piegature; le metto a bagno nella vasca in acqua saponata e poi le stendo fuori in pieno sole: un candeggio naturale che le fa tornare bianche come prima.

Elisabeth ha deciso di vendere la casa e di prendere in affitto la vecchia canonica adiacente alla pieve del XIII secolo detta Santa Maria del Bagno. Anche se non traslocherà fino all'inverno, comincia a scegliere la roba da portare. Ricordandosi forse della nostra prima cena, ci regala un tavolo di ferro da giardino e quattro sedie con le spalliere a volute. Anni fa si era trovata a intervistare Moravia per una trasmissione televisiva, e lo scrittore aveva chiesto un posto per riposare tra una ripresa e l'altra. In quell'occasione aveva comprato il tavolo e le sedie. Ridipingo dunque il "tavolo di Moravia" dello stesso smalto verde scuro che usano a Parigi per le panchine. Riceviamo in eredità anche parecchi scaffali e un paio di sacchi di libri. Gli eremiti che nel XIV secolo vivevano tra queste colline approverebbero certo il nostro modo spartano di vivere: letti, libri, scaffali, qualche sedia, un rudimentale tavolino. E i vestiti in grossi cesti di vimini.

Il terzo sabato di ogni mese, nell'antico borgo fortificato di Castiglion del Lago, si tiene una specie di mercatino dell'antiquariato. Troviamo la foto color seppia di un gruppo di fornai e una coppia di attaccapanni di castagno. Ma per lo più vagabondiamo, sempre più sbalorditi dai prezzi altissimi a cui si vende un pessimo e sporco mobilio da garage. Sulla strada di casa superiamo un punto in cui è appena avvenuto un incidente: qualcuno con una utilitaria ha cercato di superare in curva (il diritto innato di ogni italiano) e si è scontrato con un'Alfa Romeo. La Fiat è rovesciata sul fianco, con la ruota che ancora gira; dalle lamiere contorte tirano fuori due persone. Si sente arrivare un'ambulanza a sirene spiegate. L'Alfa Romeo ha le portiere spalancate e nessun passeggero sui sedili anteriori. Mentre ci avviciniamo a passo d'uomo, vedo sul sedile posteriore un ragazzo morto: è ancora seduto ritto, con la cintura di sicurezza allacciata, ma è chiaramente morto; avrà circa diciott'anni. Il traffico si ferma e noi ci troviamo a mezzo metro dal suo sguardo azzurro, fisso e lontano, dalla piccola goccia di sangue all'angolo della bocca. Ed guida fino a casa con molta cautela. Il giorno dopo torniamo a Castiglione per fare il bagno nel lago e chiediamo al cameriere del bar se il ragazzo morto nell'incidente stradale era del posto. «No» ci risponde lui, «era di Terontola.» Terontola è a pochi chilometri da lì.

Stiamo aspettando i permessi. Nel frattempo il lavoro più importante, e che speriamo di finire prima di andar via a fine agosto, è la sabbiatura delle travi. Ogni stanza ha due o tre travi grandi e venticinque o trenta travetti. Il daffare non è poco.

Il giorno di *ferragosto*, e cioè il 15 agosto, non è solo una festa religiosa: tutta l'Italia sospende il lavoro, dal giorno prima a quello dopo. Avevamo sottovalutato l'effetto complessivo di una simile festività: finito il muro, cominciamo a informarci per la *sabbiatrice*, e troviamo soltanto una persona disposta ad assumersi l'incarico nel mese di agosto. Promette di venire il primo del mese e che il lavoro durerà tre giorni. Il secondo giorno ancora non lo vediamo, allora cominciamo a telefonargli: una donna che dalla voce sembra molto anziana ci grida che è partito per le *vacanze al mare*. Passeggia sulla spiaggia invece di occuparsi delle nostre travi. Aspettiamo, speranzosi che riappaia.

Visto che non possiamo tinteggiare prima dell'istallazione del riscaldamento, cominciamo a preparare le pareti grattando via il vecchio intonaco. Il sabato e qualche altro giorno che non lavorano altrove ci aiutano anche i polacchi. L'intonaco reso friabile dall'umidità ci sporca i vestiti se solo lo sfioriamo passando. Ripulendo le pareti con spugne e vecchi stracci, riaffiorano i precedenti strati di pittura, in particolare un celestino certo ispirato alla veste della Madonna. I pittori rinascimentali ottenevano quello straordinario colore con i lapislazzuli che facevano venire dalle miniere situate nell'attuale Afghanistan. A poco a poco scorgiamo nella parte alta del muro una cornice di foglie di acanto. La camera della *contadina* era dipinta d'azzurro a strisce bianche. Due stanze da letto al primo piano, invece, d'un giallo chiaro, simile al *giallorino* usato dai pittori del Quattrocento: fatto di vetro giallo affumicato, piombo rosso e sabbia del letto dell'Arno.

Dal terzo piano sento Cristoforo che chiama Ed, poi me. Ha un tono impaziente, eccitato. Lui e Riccardo parlano tutti e due insieme, in polacco, indicando il centro della parete del salotto. Vediamo un arco; Cristoforo ci passa un cencio bagnato e cominciamo a distinguere un azzurro sfumato, una fattoria, un albero verdolino dal fogliame reso con pennellate leggere. Hanno scoperto un affresco! Muniti di secchi e spugne ripuliamo con delicatezza le pareti. Ogni passata rivela un particolare in più: due figure sulla riva d'un lago, e in lontananza le colline. Per l'acqua è stato usato lo stesso blu delle pareti, un azzurro più tenue per il cielo e le nubi d'un pallido corallo. Le case dai colori pastello hanno davvero le stesse sfumature di quelle che ci circondano: un po' sbiadite, ma più vivaci se bagnate. Un filo elettrico sottotraccia sciupa un classico *trompe-l'œil* con paesaggio di rovine, in un riquadro sopra la porta. Strofiniamo i muri per tutto il pomeriggio. L'acqua ci scorre lungo le braccia, forma pozze sul pavimento. Mi sento le braccia molli come fossero di gomma. Il paesaggio lacustre continua sulla parete accanto, e mi sembra vagamente familiare, mi ricorda i dintorni del Trasimeno. Dato lo stile, non si tratta certo di un novello Giotto, ma comunque è gradevole. Qualcuno non l'ha pensata alla stessa maniera, e ci ha passato sopra la tinta bianca: non troppo resistente, per fortuna. Ci piacerà essere circondati da queste scene delicate, quando ceneremo al chiuso.

Cento anni non basterebbero a restaurare la casa e a sistemare la terra. Al piano superiore ho pulito le finestre con l'aceto: adesso la linea frastagliata dei colli all'orizzonte è nitida e luminosa contro il cielo. Sul terzo terrazzamento vedo Ed che armeggia con una lama rotante. Indossa pantaloncini dai colori brillanti come quelli delle bandiere, stivali neri per proteggersi da spine e punture di insetti, e una maschera trasparente contro le pietre che potrebbero schizzargli in faccia. Potrebbe essere una sorta di potente angelo, giunto per un'annuciazione postmoderna: invece è solo l'ultimo anello di un'infinita catena di esseri umani che si sono adoperati per far riemergere Bramasole dal ripido pendio sul quale forse si trovava una volta, ben prima degli etruschi, quando la Toscana era una fitta foresta.

Il rumore del decespugliatore sovrasta i nitriti dei due cavalli bianchi oltre la strada, e il cinguettio della miriade di uccellini che ci desta ogni mattina. Ma l'erba secca si deve tagliare subito, per scongiurare eventuali incendi: perciò Ed lavora sodo, a torso nudo sotto il sole cocente. La pelle gli si abbronza ogni giorno di più. Abbiamo imparato a tener conto dello scoscendimento della collina, dei torrenti che tirano giù all'improvviso mucchi di terra; a considerare che i muri di pietra subiscono una continua spinta in avanti, che va bilanciata con una controspinta più forte di quella causata dall'inclinazione del terreno. Ed ripiega i rami potati dagli olivi e ne fa un gran mucchio: serviranno ad accendere il fuoco nelle serate più fredde. Quanto lavoro porta questo posto! L'olivo brucia bene, e la cenere viene usata per poi fertilizzare la pianta stessa. Come per il maiale, anche dell'olivo non si butta via nulla.

I vecchi vetri alle finestre sono irregolari (strano che un vetro dall'aspetto tanto solido abbia bolle d'aria); la visione del paesaggio appare così distorta, quasi fosse un quadro impressionista. Lucidando l'argenteria, stirando o passando l'aspirapolvere ho sempre avuto la sensazione di "perdere tempo": mi dico che potrei fare qualcosa di più importante, scrivere appunti, preparare le lezioni. L'impegno universitario mi assorbe completamente; e i lavori domestici per me sono solo una seccatura. Le mie piante da appartamento conoscono alternativamente momenti di abbondanza e di totale carestia. Perché qui, invece, mi scopro a canticchiare lavando i vetri, una delle dieci faccende domestiche verso cui nutro una particolare avversione? Adesso sto progettando un vasto giardino. E nella lista delle cose da fare sono inclusi lavori di cucito! Vorrei una bella tenda di lino per oscurare la porta a vetri del bagno. Questa casa, ogni serratura e ogni mattone, mi sarà nota quanto il mio corpo, o quello d'una persona amata.

Restauro. La parola mi piace. La casa, il terreno, forse noi stessi. Ma restaurarsi in che senso? Abbiamo una vita piena. È l'entusiasmo con cui affrontiamo la mole di lavoro a stupirmi. Forse che, una volta coinvolti nel progetto, si perde di vista il suo senso generale? O forse lo zelo, il fervore rifiutano qualsiasi domanda? Ci siamo addossati un simile compito e lo portiamo semplicemente avanti? So che la nostra avventura ha radici profonde, enormi come quella che ha inglobato la pietra.

Riflettevo sulla *Poetica dello spazio* di Bachelard, libro che non ho portato con me, ma di cui ho copiato su un taccuino alcune frasi. Chiama la casa uno "strumento di analisi" dell'animo umano. Passando in rassegna le varie stanze nelle case in cui abbiamo vissuto, impariamo a dimorare (bella parola) in noi stessi. Mi sento vicina al suo modo di intendere la casa. Scrive dello strano ronzio che fa il sole quando entra nella stanza in cui ci troviamo da soli. Soprattutto mi ricordo di aver condiviso l'idea che la casa protegge chi sogna; le case importanti per noi sono quelle che ci permettono di sognare in pace. Le persone che abbiamo ospitato per una notte o due sono scese giù, al mattino, ansiose di raccontarci i loro sogni. Spesso si tratta di sogni relativi al passato, ai genitori. «Ero in macchina e guidava mio padre, solo che avevo l'età di adesso, mentre mio padre è morto quando avevo dodici anni. Guidava a forte velocità...» I nostri ospiti dormono tanto, proprio come succede a noi ogni volta che arriviamo dall'America. È l'unico posto al mondo in cui mi sia capitato di schiacciare un pisolino alle nove del mattino. Potrebbe essere ciò che Bachelard chiama il "riposo derivante da tutte le esperienze oniriche profonde"? Dopo circa una settimana, mi invade l'energia di una dodicenne. Per me la casa, e il paesaggio che la circonda, sono sempre stati un'immagine ancestrale. Bachelard mi insegna che le case che sentiamo profondamente ci riportano alla nostra prima casa. Per me non è tanto la prima casa, quanto la prima idea di sé. La gente del Sud ha un gene – sia pure non leggibile nel DNA – che li porta a credere che un luogo rappresenti il destino. Dove sei corrisponde a chi sei. Più il posto ti entra dentro, più la tua identità s'intreccia ad esso. Per nulla casuale, la scelta d'un luogo equivale a scegliere qualcosa di cui si ha bisogno.

Un antico ricordo: la mia cameretta con sei finestre, tutte aperte sulla notte estiva. Avrò tre o quattro anni, e sono l'unica sveglia nella casa. Mi sporgo sul davanzale per vedere le ortensie blu, grosse come palloni da spiaggia. La ventola sul soffitto attira da fuori il profumo degli olivi e muove le tende leggere. Sto giocando con la chiusura del saliscendi, che all'improvviso si apre. Rammento lo scatto metallico del gancio e l'occhiello, grande abbastanza da infilarci un dito dentro. Poi mi arrampico sul davanzale e salto dalla finestra. Sono nel cortile buio. Comincio a correre, sentendo un impeto, una febbre che ora so chiamarsi libertà. Erba bagnata, le camelie bianche che occhieggiano tra il verde scuro delle foglie, il pino piantato da poco, alto quanto me. Vado all'altalena appesa all'albero di pecan. Ho appena imparato a darmi la spinta. A che altezza potrò arrivare? Corro attorno alla casa, alle camere in cui dormono i miei familiari; poi mi fermo in mezzo alla strada che non mi è permesso attraversare. Scivolo dentro dalla porta posteriore, che non viene mai chiusa a chiave, e me ne torno in camera.

La pura ondata di piacere, il fiotto improvviso di gioia che dà il fatto di trovare un luogo esterno corrispondente al proprio spazio interno: ecco tutto.

A San Francisco esco sul terrazzino fiorito del mio appartamento e guardo il suolo, tre piani più in giù: c'è una terrazza enorme circondata da fiori innaffiati regolarmente con il sistema a goccia, e un giardiniere che li cura. Ma non mi alletta. Sono felice che il gelsomino sia arrivato fino da me, al terzo piano, e fiorisca attorno alla ringhiera delle scale. La sera, dopo il lavoro, esco a bagnare i fiori e guardo le stelle; la vite rampicante diffonde un profumo intenso. Questi fiori – gelsomino, caprifoglio, gardenia – per la mia psiche simboleggiano il Sud, la mia casa viscerale. Un pensiero *a latere*: i miei piedi stanno a tre piani dal suolo. E quando esco, il cemento li separa dalla terra. Gli inquilini del primo e secondo piano sono amici; ci incontriamo per discutere su quando aggiustare i gradini o ridipingere la facciata. Guardo tra o oltre le cime degli alberi, alberi magnifici. Il retro della casa si affaccia su giardini privati, insospettabili dietro la fila di facciate vittoriane una adiacente all'altra. Al centro un'oasi di verde. Se ciascuno di noi eliminasse muri e steccati di confine, potremmo passeggiare in un verde terreno fiorito. Il mio appartamento mi è sempre piaciuto molto: perciò non capivo cosa mi mancasse.

A Bramasole esiste davvero una *nonna*, uno spirito protettore della dimora? Questa casa a tre piani, che affonda solidamente nel terreno, mi permette di recuperare parti di me, sia nello stato di veglia sia nel sonno. Un indizio: una scelta è restaurativa quando provoca un istintivo riconoscimento del nostro io più remoto. Così come Dante scriveva, all'inizio dell'*Inferno*: Cosa dobbiamo fare per crescere?

In America sognavo sempre le case in cui avevo vissuto, immaginando di trovarvi stanze che in realtà non c'erano. Molti amici mi hanno raccontato che anche loro fanno sogni simili. Salgo le scale della soffitta nel palazzo del XVIII secolo dove ho abitato felicemente per alcuni anni a Somers, New York, e ci sono tre nuove stanze. In una trovo un geranio abbandonato, che porto giù e annaffio. Di botto, tipo cartone animato, la pianticella mette foglie e fiori. In ogni casa conosciuta (quella della mia migliore amica al liceo, la casa della mia infanzia o quella dell'infanzia di mio padre) apro una porta e trovo molto di più di quanto effettivamente vi fosse. Nella casa di New York ci sono tutte le luci accese, e io cammino lungo il muro esterno, guardando dentro ogni finestra. Non ho mai sognato il monolocale in cui vivevo a Princeton. Né l'appartamento di San Francisco, di cui sono letteralmente innamorata; ma forse è perché dal mio letto, prima di addormentarmi, odo il suono delle sirene antinebbia nella baia. Queste voci profonde bandiscono i sogni, sono richiami a una voce segreta che tutti abbiamo senza saper come usarla.

Una casa a Vicchio, presa in affitto qualche estate fa, ha trasformato il sogno ricorrente in realtà: era un grande palazzo, e il custode abitava in un'ala laterale. Un giorno mi è capitato di aprire la porta di ciò che credevo uno stipo a muro, in una camera da letto in disuso; e invece ho scoperto un lungo corridoio lastricato in pietra, con stanze vuote da ambo i lati. Colombe bianche svolazzavano qua e là. Mi trovavo al secondo piano dell'ala occupata dal custode, e non mi ero resa conto che era disabitato. Da allora mi è tornata spesso l'immagine di me che apro la porta di quel corridoio, e intravedo bagliori di sole sul pavimento, un frullo di bianche ali.

Qui sto recuperando il piacere fondamentale della relazione tra esterno e interno. Dalle finestre entrano farfalle, tafani, api, e qualsiasi altra cosa abbia voglia di entrare da una parte e uscire dall'altra. Mangiamo quasi sempre fuori. Sto recuperando il senso, che mia madre aveva, di rispettare le stagioni; e il tempo, il piacere di avere il tempo per pulire un vetro fino a farlo brillare. Una casa giusta per sognare. Una parte della costruzione poggia sul pendio: un presagio di ricongiungimento. Qui non sogno case; sono libera di sognare fiumi.

Anche se le giornate sono lunghe, l'estate è troppo breve. Arriva mia figlia Ashley e giriamo come pazzi sotto la calura per visitare i dintorni. Vedendo la casa per la prima volta, si ferma, resta in silenzio un istante, poi mi dice: «Strano, sembra che faccia già parte di tutti i nostri ricordi». Riconosco quella sorta di sesto senso che talvolta abbiamo trasferendoci in un posto nuovo: e Bramasole è proprio adatto a me.

Naturalmente voglio che le piaccia, ma non devo faticare a convincerla. Comincia a parlare del Natale qui. Sceglie la sua stanza. «Ce l'hai una macchina per tirare la sfoglia?», «Possiamo mangiare l'anguria a ogni pasto?», «Sul secondo terrazzamento starebbe bene una piscina.», «Dov'è l'orario dei treni per Firenze? Mi servono delle scarpe...»

Appena laureatasi al college, è fuggita a New York. E, dopo una vita da *bohémienne*, lavori occasionali, l'afa estiva e problemi di salute, eccola pronta per la piscina riempita di fresca acqua di montagna che un prete tiene giù a valle; o per le gite sulla costa tirrenica, dove prendiamo delle sdraio in affitto e stiamo a rosolarci tutto il giorno; o ancora per le gite serali nei paesini arroccati sulle colline, dopo un'ottima cena in una *trattoria* locale.

I giorni passano veloci e presto è tempo per entrambe di partire. Devo riprendere il lavoro, mentre Ed resta un'altra decina di giorni, in attesa della sabbiatrice.

FESTINA TARDE, AFFRÉTTATI LENTAMENTE

Uscendo dall'aeroporto di San Francisco mi investe una folata d'aria fredda e nebbiosa, un forte odore di salmastro e di scarichi di aerei. Un tassista attraversa la strada per aiutarmi coi bagagli. Dopo qualche battuta scherzosa finalmente tace, e gli sono grata per questo. Ho viaggiato ventiquattro ore. L'ultimo tratto, dal JFK (dove ci siamo salutate con Ashley) a San Francisco mi è parso più lungo e duro, soprattutto per l'ora di ritardo a causa dei forti venti. Le case sulle colline formano collane di luce; sulla destra la baia quasi lambisce l'autostrada. Aspetto una certa curva, dietro la quale la città appare all'improvviso, con la linea bianca dell'orizzonte. Mentre saliamo assaporo l'immersione mozzafiato tra le colline e sbircio tra un palazzo e l'altro per cogliere uno spicchio di mare azzurro e increspato.

Ho ancora negli occhi le cittadine di pietra, i campi dove sono state raccolte le messi, e le vaste colline coperte di vigneti, olivi, girasoli. Questo paesaggio, invece, mi sembra strano. Comincio a cercare la chiave di casa, che pensavo fosse nella tasca interna della borsa. L'ho persa? Un vicino e due amici ne hanno delle copie: immagino di chiamarli e sentire la loro segreteria telefonica che mi comunica: «Sono fuori città fino a venerdì...». Superiamo gli edifici vittoriani dalle finestre con tende e persiane discretamente socchiuse, verande illuminate e balaustre in legno, vasi di piante ornamentali. Per strada non c'è un'anima, nessuno che porti a spasso il cane o che corra al negozio per comprare il latte. Sento un'acuta nostalgia per le cittadine piene di gente, per le chiavi lasciate tranquillamente nelle serrature, per la *passeggiata* serale in cui tutti girano per negozi, magari fermandosi a prendere un caffè veloce. Ho lasciato là Ed perché i suoi corsi cominciano dopo i miei, e il progetto di sabbiare le travi è stato il sogno dell'estate: ora deve trasformarsi in realtà. Il taxi mi lascia e fila via. La mia casa sembra identica; la rosa rampicante è cresciuta ancora e tenta di avvolgersi alla colonna. Finalmente trovo la chiave, confusa tra le monete italiane. Sister mi viene incontro con un *miao* lamentoso e mi struscia i fianchi contro le caviglie. La prendo in braccio per odorarne il pelo: sa di terra e di erba bagnata. In Italia mi è capitato spesso di svegliarmi all'improvviso con la sensazione di lei che salta sul letto. Sale sulla mia borsa da viaggio e ci si accomoda per un sonnellino. Questo per aver tanto patito in mia assenza.

Lampade, tappeti, cassettoni, trapunte, quadri, tavoli: come mi sembra straordinariamente confortevole e piena questa casa, rispetto a quella che ho lasciato a dodicimila chilometri di distanza! Scaffali zeppi di libri, le vetrinette in cucina con piatti colorati, brocche, vassoi: l'abbondanza di ogni cosa. Il lungo tappeto nel corridoio, così soffice! Potrei mai uscire di qui e non guardarmi più indietro? Virginia Wolf viveva in campagna, durante la guerra. Tornata a Londra, nel suo quartiere, dopo un bombardamento, trovò la sua casa distrutta. Si aspettava di rimanerne sconvolta, e invece sentì dentro di sé una strana euforia. Certo per me non è così. Dopo una scossa di terremoto, sono rimasta agitata giorni e giorni per il camino caduto, i vasi e i bicchieri da vino rotti. È solo che i miei piedi sono abituati al fresco dei pavimenti di *cotto*, e gli occhi ai muri bianchi. In parte sono ancora lì.

La segreteria telefonica contiene undici messaggi. «Sei tornata?», «Mi occorre la sua firma sul diploma di laurea», «La chiamo per confermarle l'appuntamento...» La persona a cui ho affidato la casa mi ha lasciato scritto su un bloc-notes un ulteriore elenco di telefonate, e ha ammonticchiato la posta nel mio studio: tre pile ad altezza di ginocchio, per lo più robaccia, che comincio a esaminare freneticamente.

Essendo tornata all'ultimo momento, devo riprendere subito l'università. Tra quattro giorni cominciano le lezioni: sono titolare di cattedra e, nonostante lo scambio di fax con l'Italia e l'ottimo lavoro di un'eccellente segretaria, devo essere fisicamente presente. Alle nove mi presento in facoltà, vestita con pantaloni di gabardine e camicetta di seta fantasia. «Hai passato una buona estate?» ci domandiamo l'un l'altro. L'inizio dell'anno scolastico mette sempre di buon umore. Tutti percepiscono l'entusiasmo che è nell'aria. Se la libreria non fosse zeppa di studenti che comprano i libri di testo, potrei forse andare a rifornirmi di pennarelli a punta fine, un quaderno per appunti suddiviso in cinque sezioni e una serie di bloc-notes. Invece firmo moduli, promemoria, telefono a mille persone. Rientro rapidamente nell'ingranaggio, incurante del *jet lag*.

Dopo il lavoro mi fermo al negozio di alimentari: alla normale vendita hanno aggiunto i servizi di una massaggiatrice. Così entro nella piccola cabina e mi regalo sette minuti di massaggio per rilassarmi prima di scegliere le patate. Vengo immediatamente sopraffatta dalla quantità di prodotti, dai reparti e reparti di merci lucide e attraenti, dai dolci e dal nuovo forno proprio di fronte al negozio. Mostarda, maionese, cibi confezionati, cioccolato per torte: compro cose che non ho visto per tutta l'estate. Il rosticciere vende torte alla polpa di granchio e patate al forno ripiene di erba cipollina, insalata di mais e *tabouli*. Mi porto a casa le "delizie del gourmet" per almeno due giorni: sono troppo occupata per cucinare.

A Bramasole sono le otto del mattino. Ed starà forse tagliando le erbacce sotto le piante di olivo, oppure passeggia in su e in giù aspettando la sabbiatrice. Svoltando per entrare in garage vedo Evit, il barbone con un dente solo, che rovista nel contenitore per il riciclaggio di bottiglie e lattine. Il mio vicino ha attaccato un grosso cartello sulla porta del suo garage: "SEGNALATE SE SIETE RIMORCHIATI".

L'ultimo messaggio in segreteria comincia con un ronzio, poi sento la voce di Ed, che risuona un po' stridula: «Speravo di beccarti, cara; sei ancora al lavoro? Tornando dall'aeroporto ho trovato qui l'uomo della sabbiatrice». Lunga pausa. «Difficile descrivere il rumore assordante. Ha portato un grande generatore, e la sabbia viene letteralmente sparata contro le travi. Penetra dappertutto, in ogni crepa. È come una tempesta nel Sahara. Ieri ha fatto tre stanze. Non immagini quanta sabbia c'è sui pavimenti. Ho trasferito i mobili fuori in veranda e mi sono accampato in una sola camera, ma la sabbia è davvero ovunque. Le travi sono bellissime: tutte di castagno, tranne una di olmo. Non so come riuscirò a liberarmi di questa sabbia. Ce l'ho nelle orecchie, e non ero neppure nella stanza con lui. Di spazzare non se ne parla. Vorrei che fossi qui.» Di solito non ha un tono così concitato.

Mi ha richiamato dall'*autostrada*, mentre viaggiava verso Nizza, per poi prendere l'aereo e tornare. Ha la voce sfinita e al tempo stesso eccitata: sono arrivati i permessi! La sabbiatura è finita. Però Primo Bianchi non potrà occuparsene perché dev'essere operato allo stomaco. Ed ha incontrato di nuovo Benito, quello che somiglia a Mussolini, e ha stipulato un contratto con lui. Il lavoro comincerà subito e terminerà ai primi di novembre, con largo anticipo rispetto al Natale. La pulizia della casa, invece, lascia a desiderare: l'uomo che ha sabbiato le travi ha detto che la sabbia continuerà a scendere per cinque anni!

Ian, che ci ha aiutato nell'acquisto, sovrintenderà ai lavori. Abbiamo lasciato vari schemi: dove vogliamo le prese di corrente, gli interruttori, i radiatori; come dev'essere sistemato il bagno, la cucina (persino l'altezza del lavandino e la distanza tra lavandino e rubinetto); dove prendere i sanitari e le piastrelle da noi scelte... Insomma, tutto quello che ci veniva in mente. Siamo ansiosi di sapere se i lavori sono iniziati.

Il primo fax arriva il 15 di settembre: Benito si è rotto una gamba il primo giorno e i lavori devono essere sospesi finché non potrà camminare di nuovo.

Festina tarde è un concetto che risale al Quattrocento: "Af-fréttati lentamente". Spesso il motto è accompagnato dall'im-magine di un serpente che si morde la coda, o da un delfino attorno a un'ancora, o da una figura femminile seduta che ha due ali in una mano e una testuggine nell'altra: il grande mu-ro di Bramasole in una mano, il riscaldamento centrale, la cu-cina, la veranda e il bagno nell'altra. Il secondo fax, del 12 ot-tobre, dice che "ci sono ancora ritardi" e che "bisogna cam-biare qualcosa negli impianti". Ma dobbiamo stare tranquilli, aggiunge, e non preoccuparci di nulla.

Spediamo a nostra volta un fax di incoraggiamento e li pre-ghiamo di coprire ogni cosa con plastica e nastro adesivo.

Un altro fax ci avverte che hanno cominciato a sfondare il muro di un metro di spessore tra la cucina e il salotto. Due gior-ni dopo Ian ci racconta il seguente episodio: dopo aver tolto dal muro una grossa pietra, la casa ha emesso un forte scricchiolio e tutti gli operai sono scappati fuori per paura di un crollo.

Abbiamo telefonato: non hanno rinforzato le stanze? Beni-to ha usato l'acciaio? Perché non sapevano cosa fare? Come è potuto accadere? Ian ha detto che le vecchie case in pietra so-no sempre un'incognita: non ci si può aspettare che rispon-dano alla stessa stregua di una casa americana. E poi ha ag-giunto che hanno messo la porta, bellissima, anche se non lar-ga quanto volevamo per paura che la parete non reggesse. Ero indecisa tra il ritenere incompetenti gli operai e il timore che avessero davvero a che fare con un edificio poco stabile.

A metà novembre Benito ha terminato il terrazzo del primo piano e l'apertura della nefasta porta; inoltre hanno aperto le due porte al primo piano che immettono nell'appartamento della *contadina*. Decidiamo invece di eliminare la terza porta, quella di comunicazione tra il salotto e la cucina dei contadini. La scena dei manovali di Benito che si danno alla fuga non mi ispira troppa fiducia. Il ritardo successivo riguarda il nuovo ba-gno e il riscaldamento centrale. «Quasi sicuramente» annuncia Ian, «a Natale non ci sarà il riscaldamento. E poi la casa non sarà abitabile perché i tubi devono passare all'interno, e non sul retro come era stato detto.» Benito lo prega di riferirci che i lavori costeranno più del previsto. I vari capitoli del contratto, che riguardano elettricisti e idraulici, appaiono incomprensibilmente gonfiati, in quanto a cifre. Da dove siamo non possiamo sapere di chi sia la colpa; e Ian è confuso come noi. I soldi spediti per via telegrafica ci mettono troppo, e Benito è infuriato. Una cosa è certa: non siamo sul posto, e il restauro della nostra casa viene eseguito nel tempo lasciato libero da altri lavori.

Sperando nel miracolo, torniamo in Italia per Natale. Elisabeth ci ha offerto la sua casa di Cortona, stracolma di scatoloni pronti per il trasloco. Vuole anche regalarci gran parte del mobilio, visto che la nuova casa è molto più piccola. Usciti in macchina dall'aeroporto di Roma, la pioggia sferza il parabrezza come se qualcuno ci volgesse contro il pieno getto d'un tubo di gomma. Spostandoci verso nord, il tempo è sempre più nebbioso. Appena giunti a Camucia, e prima di andare a casa di Elisabeth, ci fermiamo al bar per prendere una cioccolata calda. Decidiamo di disfare i bagagli, pranzare e occuparci di Bramasole più tardi.

La casa è un disastro. Nelle pareti di ogni stanza sono state scavate le tracce per far passare i tubi del riscaldamento. Gli operai hanno lasciato sassi e calcinacci su tutti i pavimenti, ovviamente senza alcuna plastica di protezione. In realtà hanno coperto alla bell'e meglio soltanto i mobili, così ogni singolo libro, sedia, piatto, letto, asciugamano è coperto di polvere. Gli squarci nei muri, profondi e lunghi dal pavimento al soffitto, sembrano ferite aperte. Stanno iniziando il bagno nuovo, hanno appena fatto la gettata di cemento. L'intonaco nella nuova cucina si sta già crepando. Il grande lavandino è stato sistemato e fa un bellissimo effetto. Un operaio ha scarabocchiato in pennarello nero un numero di telefono sull'affresco nel tinello. Ed prende subito un panno bagnato e cerca di toglierlo, ma il numero dell'idraulico rimane indelebile. Allora getta lo straccio sul mucchio di calcinacci. Hanno lasciato tutte le finestre aperte, e dalla pioggia di stamani sono rimaste alcune pozze sul pavimento. Regna ovunque un senso di sciatteria; il telefono, ad esempio, è seppellito sotto i detriti. Sono così arrabbiata che devo uscir fuori per prendere una boccata d'aria fresca e calmarmi. Benito è via per un altro lavoro. Uno dei manovali ci vede turbati e cerca di assicurarci che tutto sarà eseguito presto e bene. Sta lavorando al passaggio tra la cucina nuova e la cantina. È timido, ma sembra preoccupato davvero. Splendida casa, splendida posizione. Sarà tutto a posto. I suoi occhi, di un azzurro acquoso, ci guardano un po' tristi. Compare Benito, infuriato: non c'è stato tempo di pulire prima del nostro arrivo, ed è tutta colpa dell'idraulico; lui stesso ha dovuto ritardare perché l'idraulico non è venuto il giorno stabilito. «Ma tutto è *perfetto, signori.*» Sistemerà l'intonaco crepato; forse non si è asciugato per via delle piogge. Non rispondiamo quasi. Alle spalle di Benito, un operaio mi guarda e fa uno strano gesto: accenna a Benito e con un dito si abbassa la palpebra inferiore.

Il terrazzo al primo piano sembra perfetto. Hanno messo dei mattoni d'un colore rosato e hanno riattaccato la ringhiera di ferro: adesso è sicuro, e al contempo ha mantenuto il suo aspetto antico. Almeno qualcosa è andata a buon fine.

Alle quattro comincia a far buio; alle cinque è già notte. I negozi riaprono dopo lo stacco pomeridiano: mattina di lavoro, chiusura, riapertura nel tardo pomeriggio per quattro ore. Il ritmo invernale non è mutato dai caldissimi giorni dell'estate. Ci fermiamo per strada a salutare il signor Martini: ci fa piacere vederlo, risentire le sue frasi generiche: «*Boh!*» e «*Anche troppo!*» Gli spieghiamo nel nostro pessimo italiano a che punto siamo. Prima di andarcene, mi ricordo dello strano gesto dell'operaio, e gliene chiedo il significato.

«*Furbo*» mi risponde, cioè: "Stai in guardia". «E chi sarebbe, questo *furbo*?»

«A quanto pare il nostro imprenditore.»

Troviamo la casa riscaldata. Grazie, Elisabeth. Compriamo delle candele rosse, tagliamo dei rami di pino e li sistemiamo dentro, per una parvenza di Natale. Non ci sentiamo in vena di cucinare, anche se i prodotti invernali nei negozi ci allettano. I mobili ricevuti in regalo da Elisabeth ci piacciono molto: oltre a due letti gemelli, un tavolinetto, due scrivanie e varie lampade, c'è anche una vecchia *madia*, il cui ripiano serviva per impastare il pane e lasciarlo a lievitare, e cassettoni e armadietti per diversi usi. Passo la mano sul caldo legno di castagno. Nell'elenco lasciato per noi è compreso anche un gigantesco *armadio*, grande abbastanza da contenere tutta la biancheria della casa; un tavolo da pranzo, cassapanche antiche, un *cassone* (più alto di una cassapanca), due sedie impagliate e dei bellissimi vassoi e piatti da portata. Come per incanto ci ritroveremo a vivere in una casa ammobiliata. Inoltre, disponendo di molte stanze, avremo ancora modo di comprare mobili nostri. Tra le atroci fatiche della ristrutturazione, un simile atto di generosità ci comunica un calore immenso. Per il momento questi mobili appartengono ancora alla sua casa ordinata, ma prima di partire dobbiamo per forza trasferirli nella nostra, piena di calcinacci.

Nei giorni immediatamente precedenti il Natale, il lavoro rallenta e poi si arresta. Non ci avevano detto che avrebbero preso così tante vacanze. Le feste si prolungano da Natale a Capodanno: ad esempio non avevamo notizia di Santo Stefano, un altro giorno perso. Francesco Falco, che ha lavorato per Elisabeth nel corso di vent'anni, viene con il figlio Giorgio e il genero, in un camion. Smontano l'*armadio*, caricano sul camion ogni cosa tranne la scrivania, troppo grande per uscire dallo studio. Elisabeth ha scritto su di essa tutti i suoi libri, e sembra che non voglia abbandonare la casa. Mentre trascino in macchina uno scatolone di piatti, mi accorgo che hanno deciso di calare la scrivania dalla finestra del secondo piano con l'aiuto di una corda. Quando si adagia delicatamente sul suolo tutti applaudono.

Una volta a casa, stipiamo l'intero mobilio in due stanze, preventivamente sgombrate dai detriti e spazzate. Lo ricopriamo con fogli di plastica e serriamo le porte.

Non possiamo far nulla: Benito non risponde al telefono, io ho la gola infiammata; non abbiamo comprato regali, e Ed è diventato silenzioso. Mia figlia è a New York con l'influenza; passerà il primo Natale da sola, perché i ritardi nel restauro di Bramasole l'hanno costretta a un cambiamento di programma, rispetto all'idea originaria di venire in Italia. Rimango a lungo a fissare una pubblicità delle Bahamas, su una rivista, con la trita immagine di una mezzaluna di sabbia finissima, davanti al mare limpido e azzurro. Qualcuno, da qualche parte, si lascerà trascinare dalla corrente su un materassino giallo a strisce, sognando sotto il sole, le dita nell'acqua calda.

La vigilia di Natale mangiamo pasta coi funghi e vitella, accompagnate da un ottimo Chianti. Nel ristorante c'è solo un'altra persona, perché il *Natale* è soprattutto una festa da trascorrere in famiglia. L'uomo indossa un completo marrone e sta seduto diritto, un po' rigido. Lo vedo bere lentamente il vino, versarsene mezzo bicchiere, quindi annusarlo a lungo, quasi fosse un vino pregiato invece che quello sfuso. Passa da un piatto all'altro con estrema calma. Noi, invece, abbiamo finito, e sono solo le nove e mezzo. Torneremo a casa di Elisabeth, accenderemo il fuoco e mangeremo il dolce con il *moscato* che ho comprato nel pomeriggio. Mentre Ed aspetta il caffè, il nostro compagno di cena si fa portare un piatto di formaggio e una ciotola di noci. Il ristorante è silenzioso. Schiaccia una noce, taglia un pezzo di formaggio, lo assapora, mangia la noce; poi ne schiaccia un'altra. Vorrei poggiare la testa sulla tovaglia bianca e piangere.

Secondo Ian la ristrutturazione terminerà a fine febbraio. Abbiamo pagato la cifra preventivata, ma non la somma in più richiestaci da Benito. Ha aggiunto qualcosa come mille dollari per mettere una porta. Dovremo esserci, per renderci conto di quali lavori sono stati effettivamente compiuti. Ma come stabiliremo la cifra finale resta un mistero.

A fine aprile Ed torna in Italia, approfittando del fatto che ha il trimestre primaverile libero. Vuole ripulire il terreno e trattare le travi con turapori e cera, prima del mio arrivo a giugno. Poi faremo pulizia, ridipingeremo pareti e finestre, e riporteremo i pavimenti alle condizioni precedenti l'avvento di Benito. La cucina nuova ha solo il lavandino, la lavastoviglie, i fornelli e il frigorifero. Invece degli armadietti, pensiamo di costruire delle colonnine di mattoni con larghi ripiani in legno, e poi prenderemo due lastre di marmo da mettere sui banconi. Siamo spronati a far presto da un'ulteriore circostanza: la mia amica Susan ha deciso di sposarsi a Cortona, alla fine di giugno. Quando le ho domandato perché avesse scelto un matrimonio italiano mi ha risposto cripticamente: «Voglio sposarmi in una lingua che non capisco». Gli ospiti staranno da noi, e la cerimonia avrà luogo nel municipio del XII secolo.

Ed mi dice che è confinato nella stanza al secondo piano, quella col terrazzo, il suo piccolo rifugio tra i calcinacci. Ha pulito un bagno, tirato fuori qualche pentola e qualche piatto e conduce un rudimentale ménage. Benito ha liberato parzialmente la casa dai detriti, ma solo per accumularli sul viale d'accesso, diventato una vera discarica. Sulla veranda ha lasciato una montagnola di pietre, che provengono dalla parete aperta. I mattoni del terrazzo e delle stanze da letto formano un altro mucchio. Persino così Ed è felice: se ne sono andati! Il nuovo bagno – mattonelle di trenta centimetri, lavandino a colonna stile *belle époque* e vasca da bagno in muratura – appare grande e lussuoso, in forte contrasto con il precedente e il suo sistema di sciacquone manuale. La primavera è straordinariamente verdeggiante, migliaia di giunchiglie e di iris selvatici sono fioriti su tutto il terreno. Ha trovato anche un torrente che scorre tra rocce muscose, dove due tartarughe si scaldavano al sole. I mandorli e gli alberi da frutto sono talmente belli che deve faticare per costringersi a non lavorare fuori.

Cerchiamo di non telefonarci troppo: di solito chiacchieriamo a lungo, e alla fine ci accorgiamo che avremmo potuto fare questa e quest'altra miglioria alla casa, con i soldi della telefonata. Ma quando si lavora al restauro di una casa, si ha un gran bisogno di farne partecipe l'altro. E qualcuno, magari, vuole sentirsi dire che le travi sono magnifiche, dopo la lucidatura finale; o che il collo ti fa un male da morire, dopo tutto quel lavoro a naso in su; o che sei alla quarta stanza. Ed mi riferisce che per ogni stanza ci vogliono quaranta ore di lavoro; travi, soffitto, pareti. I pavimenti saranno l'ultima cosa. È così sette giorni la settimana, dodici ore al giorno.

A giugno, finalmente, posso partire. Con le descrizioni di Ed mi aspetto che la casa sia uno specchio. Invece, com'è ovvio, Ed si è affannato a raccontarmi solo i lati positivi.

Appena arrivo non mi è facile rendermi conto dei progressi: le travi sono bellissime, è vero, ma il terreno è pieno di sporco, pezzi di intonaco, la vecchia cisterna. Gli elettricisti non sono ancora venuti; sei stanze non sono state toccate. I mobili sono affastellati in tre camere. Mi sembra una zona di guerra. Cerco di non mostrarmi troppo affranta.

Sono pronta per il divertimento e il riposo; ma purtroppo non c'è null'altro da fare se non buttarsi a capofitto nel lavoro. Abbiamo tre settimane di tempo per prepararci alla prima, vera invasione di ospiti. Il matrimonio! Che qualcuno possa mai abitare qui, ora come ora mi sembra una barzelletta.

Ed è alto circa un metro e ottanta, io un metro e sessanta: lui si occuperà del soffitto, io del pavimento. La biologia è un destino: ma chi sta meglio? Lui è felice di rifinire le travi. Dipingere le parti in mattoni è meno divertente ma comunque dà soddisfazione. D'un tratto le travi tornano a essere scure, il soffitto bianco, come in origine. La camera è finita. E tinteggiare è facile, coi grossi pennelli di setole di cinghiale. Le pareti vengono bianchissime: la tempera bianca sull'intonaco rende un colore immacolato. Terminata ogni stanza, il mio compito è tracciare il *battiscopa*, una striscia grigia alla base della parete, alta circa dieci centimetri: una specie di finta modanatura tipica delle case di queste parti. Di solito è marrone, ma preferiamo farla più chiara. Il colore diverso serve perché usando lo straccio da pavimenti o la scopa non si sporchino i muri. Quasi a testa in giù, misuro dieci centimetri in più punti, metto il nastro adesivo su pavimento e muro, quindi dipingo e subito dopo tolgo tutto. L'adesivo, però, si porta dietro un po' di tinta bianca, che poi dovrà essere ritoccata. Dodici stanze, quattro pareti per stanza, più le scale, i pianerottoli e l'ingresso. La cantina la lasciamo com'è. In seguito mi occupo dei pavimenti: in primo luogo li spazzo per bene togliendo la terra e i calcinacci, poi passo l'aspirapolvere. Con l'aiuto di un detergente speciale levo i residui di sporco, di intonaco, le sgocciolature di tempera. Dopo di che passo tre volte lo straccio, la seconda volta aggiungo anche un po' di sapone. Lavoro in ginocchio. Ancora una passata con acqua e acido muriatico. Sciacquo, spennello l'intera superficie con olio di lino, lasciandogli il tempo di "tirarlo". Dopo due giorni (il pavimento è completamente asciutto) dò la cera. Eccomi di nuovo carponi, tipo serva. Le mie ginocchia, non abituate a un simile esercizio, si ribellano, e quando mi alzo reprimo un gemito. Ultima fase: lucidare con un pannolana. Il pavimento torna come prima, scuro, lucente. Ogni stanza riacquista l'antico splendore, uguale a quando abbiamo comprato la casa: solo che adesso le travi sono restaurate e abbiamo anche i radiatori. «*Brutti*» dico all'idraulico. «Sì» mi fa lui, «ma bellissimi in inverno.»

Proprio come aveva detto Ed: sette giorni su sette. Allarghiamo i calcinacci sulla strada d'accesso, così, ogni volta che passa un camion li schiaccia. Un po' sotto la terra mettiamo anche le grosse pietre e i mattoni, e li mascheriamo meglio gettandoci dell'erba tagliata. A poco a poco il viottolo si assesterà. Paghiamo qualcuno perché porti via un'altra camionata di detriti, eredità di Benito. Durante una passeggiata, pochi giorni dopo, vediamo un mucchio di calcinacci buttati di lato su una strada a un paio di chilometri da Bramasole, e riconosciamo con orrore alcuni pezzi del nostro vecchio intonaco azzurro.

Durante il liceo e l'università, Ed ha lavorato come traslocatore, aiutocameriere, ebanista, e ragazzo delle consegne per un venditore di frigoriferi. Un suo amico lo chiama "il poeta nerboruto". Così è abituato a questo tipo di fatiche, anche se arriva alla sera spossato. Io non ho mai fatto un lavoro manuale, tranne nei rari momenti di entusiasmo per rifinire i mobili, potare, tinteggiare e incollare la carta da parati. Ma questo è un genere di fatica che mi scuote il sistema nervoso. Mi fa male dappertutto. E se mi si è formato del liquido nel ginocchio? La sera cado pressocché morta. E la mattina abbiamo entrambi fiotti di nuove energie venuteci da chissà dove. Ritorniamo a sfacchinare. Siamo esausti. Mi stupisce il senso di inesorabilità che abbiamo sviluppato. Non sarò più la stessa, nei confronti degli operai: dovrebbero guadagnare milioni.

Quando passo l'olio di lino sul cotto del terrazzo il sole picchia senza pietà. Sono decisa a finire e continuo a lavorare finché non mi viene il capogiro per le esalazioni del prodotto e la calura. Allora mi alzo e respiro a pieni polmoni il profumo del caprifoglio che abbiamo piantato in un enorme vaso, guardo un po' il panorama, poi intingo di nuovo il pennello nel barattolo. Pagando una grossa cifra per un nuovo balcone, non si pensa a chiedere se comprende il trattamento finale. Comunque non avevamo previsto di dover passare sul cotto della cucina e del terrazzo parecchie mani di questa robaccia.

Dopo esserci ripuliti a fine giornata, ci guardiamo in giro per valutare i risultati e ciò che resta da fare. Non avremo figli insieme, Ed e io, ma riteniamo che Bramasole equivalga a tre gemelli. Via via che una stanza è terminata, ci portiamo i mobili. A poco a poco le camere sono sistemate, dotate di arredo spartano ma funzionale. Ho comprato dei copriletti bianchi per i letti gemelli. Una mattina, ad Arezzo, acquistiamo alcune lampade che hanno per base i tradizionali vasi di maiolica, tipici della zona. Una sensazione magnifica: le cose stanno prendendo forma, è pulito, d'inverno avremo il riscaldamento... Ce l'abbiamo fatta! Un senso di vertigine, un'ebbrezza che ci sprona.

Una settimana prima del matrimonio arrivano dalla California i nostri amici Shera e Kevin. Li aspettiamo al treno. Kevin si trascina dietro un enorme pacco, che sembra contenga una bara per due. La bicicletta! Continuiamo a lavorare mentre loro se ne vanno a Firenze, ad Assisi o sulle tracce di Piero della Francesca. La sera facciamo insieme grandi cene: loro ci raccontano delle meraviglie che hanno visto, noi del rubinetto nuovo da mettere alla vasca da bagno. Si sono subito innamorati della Toscana e paiono ansiosi di ascoltare la nostra saga quotidiana relativa alla pulitura del cotto in cucina. Se non sono in gita turistica, Kevin compie lunghi giri con la bici. Shera, che fa l'artista, è invece prigioniera qui. Sopra le finestre di una camera da letto sta dipingendo dei semicerchi azzurri, che poi riempie di stelle d'oro: abbiamo copiato una stella da un dipinto di Giotto, e lei ne ha fatto la mascherina. Alcune stelle "cadono" sulle pareti bianche. Prepariamo la camera nuziale. Da un antiquario vicino Perugia compro due stampe colorate delle costellazioni, con animali mitologici e figure. Al mercato di Cortona trovo delle lenzuola azzurre di lino e cotone con ricami in bianco, molto carine. Ci prepariamo anche per la nostra prima festa in casa. Compriamo venti bicchieri da vino, tovaglie di lino, teglie per cuocere la torta di nozze, una cassa di vino.

Non c'è possibilità che tutto sia perfetto per il matrimonio (ma lo sarà mai?), però riusciamo a sistemare molte cose. Il giorno precedente l'arrivo degli ospiti, Kevin scende dal piano superiore e mi domanda: «Perché dalla tazza del water esce del vapore? I gabinetti italiani hanno qualcosa di speciale?». Ed porta su la scala, monta fino al serbatoio a muro e ci immerge la mano: acqua calda. Controlliamo gli altri bagni: quello nuovo è a posto, mentre l'altro ha lo stesso problema. Non li avevamo quasi usati, né avevamo fatto scorrere l'acqua abbastanza a lungo da renderci conto che quella fredda manca in entrambi. Ma appena gli ospiti hanno cominciato a servirsene la magagna è saltata fuori. Shera ha sì pensato che l'acqua della doccia dopo un po' venisse troppo calda, ma non ha voluto lamentarsi. L'idraulico non potrà venire prima di qualche giorno, così per il matrimonio ci dovremo arrangiare con docce velocissime e gabinetti fumanti!

La terrazza centrale non è finita, ma metteremo dei vasi di gerani lungo il muro per distrarre l'attenzione dal pavimento smantellato. Almeno abbiamo tolto i calcinacci. In quattro stanze ci sono i letti. Arriveranno dall'Inghilterra i due cugini di Susan, il fratello e la cognata di Cole. Shera e Kevin si sposteranno per un paio di giorni in un albergo in città. Dal Vermont verranno altri amici.

Per il momento in casa siamo dodici. Abbiamo un grande aiuto nel preparare da mangiare. La torta non sarà proprio come dovrebbe perché il forno è piccolo. Avevo previsto un dolce di pan di spagna a tre piani con una glassa di nocciola, da servire con panna montata e ciliege bagnate in vino e zucchero: ma non abbiamo trovato una teglia abbastanza grande e alla fine abbiamo dovuto comprare una bassa ciotola di metallo, di quelle per cani. La torta, comunque, è deliziosa, anche se un tantino sbilenca. La decoriamo intorno con dei fiori. Tutti corrono da una parte e dall'altra, chi in visita turistica, chi a far compere.

La sera precedente le nozze, una sera calda e limpida, ceniamo qui. Tutti indossano abiti chiari di lino o di cotone. Scattiamo tante foto di noi a braccetto sui gradini o affacciati al balcone. Il cugino di Susan stappa lo champagne che ha portato dalla Francia. Dopo vino, *bruschetta* e olive, cominciamo con la minestra fredda di finocchio. Ho fatto il pollo in fricassea, fagioli bianchi, salsicce, pomodori e cipolle. E poi fagiolini verdi, cesti di pane, insalata di rucola, radicchio e cicoria. Girano storie di matrimoni. Mark doveva sposare una ragazza del Colorado che è scappata il giorno delle nozze, per sposare qualcun altro la settimana dopo. Karen ha fatto la damigella d'onore a un matrimonio su una barca, e la madre della sposa, in abito di chiffon, è caduta in mezzo alle bevande. Quando è toccato a me, a ventidue anni, volevo sposarmi a mezzanotte, con gli invitati in abito da sera e una candela in mano. Ma il pastore si è opposto decisamente, dicendo che mezzanotte è "l'ora dei ladri". Il massimo che poteva fare erano le nove. Così, invece dell'abito da sera, indossavo il vestito da sposa di mia sorella, portando con me in chiesa un volume delle poesie di Keats rilegato in pelle. Mia madre mi ha tirato un lembo della veste, e io mi sono avvicinata per ascoltare le sue parole di saggezza. Mi ha bisbigliato: «Non durerà sei mesi». Ma si sbagliava.

Avremmo voluto una fisarmonica, alla Fellini, e forse un cavallo bianco per la sposa, ma ci dobbiamo arrangiare con un CD. Qualcuno, nella sala da pranzo, balla persino. La cena dovrebbe terminare con la torta di pesca e pinoli, ma Ed descrive così bene i *gelati alla crema* e alla nocciola giù in città, che tutti si dirigono alle auto. Si stupiscono che una cittadina del genere sia ancora vivace alle undici di sera, con la gente nei caffè, a bere un *amaro* o a mangiare il gelato. I bambini nei passeggini sono vispi quanto i genitori, alcuni ragazzi siedono a chiacchierare sui gradini del municipio. L'unico che dorme è un gatto, su una macchina della polizia.

La mattina del matrimonio Susan, Shera e io prendiamo un mazzolino di lavanda e dei fiori di campo rosa e gialli per il bouquet di Susan. Vestiti di tutto punto, le donne in abiti di seta, gli uomini in giacca e cravatta, ci avviamo in città passando dalla strada romana. Ed ha messo in una borsa le nostre scarpe eleganti. Susan ha portato degli ombrellini cinesi di carta dipinta, uno per ciascuno, in previsione del sole cocente. Attraversiamo la città e saliamo i gradini del municipio del XII secolo. La stanza è buia e ha soffitti altissimi, con arazzi e affreschi, e sedie da magistrati dall'alto schienale: un luogo severo, adatto per firmare un trattato, piuttosto. Il comune di Cortona ha mandato un mazzo di rose rosse e Ed si è accordato con il Bar Sport perché portino del *prosecco* gelato subito dopo la cerimonia. Il cugino di Susan, Brian, si dà da fare con la telecamera, filmando ogni singolo particolare. Dopo la cerimonia, molto breve, raggiungiamo La Loggetta, dall'altra parte della piazza: cominciamo il pranzo con i tipici *antipasti* toscani, *crostini* di olive, peperoni, funghi e fegatini; *prosciutto e melone*, olive fritte farcite con *pancetta* e mollica di pane speziata; e la *finocchiona*, un salame insaporito con semi di finocchio. Seguono gli assaggi dei *primi*: ravioli a burro e salvia, *gnocchi di patate* al pesto. Si giunge quindi al vassoio di arrosti: agnello, vitella, e la famosa fiorentina della Val di Chiana alla brace. Karen vede il pianoforte in un angolo, sotto un imponente vaso di fiori, e insiste perché Cole, che è pianista, ci suoni qualcosa. Ed siede all'altro capo del tavolo, ma i nostri sguardi s'incrociano sentendo le prime note di Scarlatti. Solo tre settimane fa tutto questo era un sogno, una prospettiva che comportava terribili fatiche. «Alla salute!» esclamano i cugini inglesi.

Torniamo a casa storditi dal cibo e dall'afa; decidiamo di mangiare la torta di nozze nel tardo pomeriggio. Sento qualcuno che già russa.

Anche se manca del tocco professionale, la torta è forse la migliore che abbia mai assaggiato. Devo ringraziare i nostri alberi per le nocciole. Shera e Kevin ballano ancora, in sala da pranzo. Altri si spingono a passeggiare ai confini della proprietà, da dove si gode il panorama del lago e della valle. Non sappiamo se cenare o no. Alla fine decidiamo per una pizza a Camucia. I nostri posti preferiti sono chiusi, così ci accontentiamo di un locale di second'ordine, assolutamente privo di atmosfera. La pizza è ottima, comunque, e nessuno sembra notare il velo di polvere sui mobili, o il gatto che è saltato sulla tavola accanto e lecca gli avanzi lasciati da qualcuno. A capotavola lo sposo e la sposa, mano nella mano, sono come avvolti in un loro personale incantesimo.

Susan e Cole sono partiti per la Francia, passando da Lucca. Anche i loro familiari se ne sono andati.

Shera e Kevin si trattengono invece qualche altro giorno. Ed e io passiamo dal *marmista* e scegliamo del marmo abbastanza spesso per i banconi di cucina. Il giorno dopo l'artigiano taglia i pezzi e li mola; Ed e Kevin li trasportano nel bagagliaio dell'auto. Di colpo la cucina ha l'aspetto che ho sempre pensato: pavimento in cotto, elettrodomestici bianchi, il lungo lavandino, scaffali in legno, banconi di marmo. Ho cucito una tendina in tessuto azzurro scozzese da mettere sotto il lavandino; ho appeso agli scaffali una treccia d'aglio e mazzi di erbe aromatiche. In città troviamo una vecchia piattaia: il legno di castagno fa un bellissimo effetto, contro la parete bianca. Finalmente sappiamo dove mettere tutte le ciotole e le tazze che via via compriamo dai vari artigiani della ceramica.

Se ne sono andati tutti. Mangiamo ciò che resta della torta di nozze. Ed comincia una delle sue liste (potremmo tappezzarci una stanza, per quante sono!), coi progetti che vorrebbe condurre a termine prima della partenza. La cucina è davvero splendida, e stiamo entrando nella piena stagione per ciò che riguarda frutta e verdura. È il 4 luglio: l'estate è appena all'inizio. Sta per arrivare mia figlia. Alcuni amici in vacanza passeranno a trovarci, e si fermeranno a pranzo o per una notte. Siamo pronti a riceverli.

UNA TAVOLATA
SOTTO GLI ALBERI

A Camucia, la vivace cittadina ai piedi della collina di Cortona, il giovedì è giorno di mercato. Ci vado presto, prima che faccia troppo caldo. I turisti di solito non si fermano a Camucia, che è la moderna appendice dell'antica città in cima al colle. Moderna per modo di dire: tra i negozi di *frutta e verdura*, i ferramenta e i civaioli, ti trovi davanti due tombe etrusche. Vicino al macellaio ci sono i resti di una villa, un immenso cancello in ferro battuto e pezzi del muro di cinta. Camucia, bombardata durante la Seconda Guerra Mondiale, ha i suoi castagni, bei portali e case dalle persiane serrate.

Il giorno del mercato chiudono al traffico un paio di strade. Gli ambulanti arrivano presto, e tirano fuori da speciali furgoni interi negozi o reparti di supermercato. Uno vende il *pecorino* locale, sia quello fresco, soffice, quasi cremoso, sia quello stagionato dal forte odore di stallatico, insieme a parecchie forme di *parmigiano*. Il formaggio stagionato è friabile e saporito, ottimo da sbocconcellare curiosando per il mercato.

Voglio comprare qualcosa per una cena con dei nuovi amici. I miei banchi preferiti sono quelli che vendono la *porchetta*. Sul tagliere tengono il maiale arrostito intero, con un ciuffo di prezzemolo intrecciato alla coda e una mela (o un grosso fungo) in bocca. Qualche volta mettono in bella vista la testa mozzata, che guarda il proprio corpo farcito di erbe aromatiche, un tritato delle orecchie e di altre rigaglie (meglio non indagare troppo). Ti puoi comprare un *panino* da portare a casa, e puoi scegliere tra le fette più magre o la pelle abbrustolita, grassa e croccante. Il proprietario di uno dei due banchi assomiglia molto a ciò che vende: occhietti porcini, pelle lucida e braccia tondeggianti. Ha dita grasse e unghie smangiucchiate. Sorride, vantando la bontà della sua merce. Ho sempre comprato da lui: la sua porchetta è davvero squisita. Ma questa volta vado dall'uomo del banco accanto. Per Ed chiedo del *sale* in più – così chiamano la mistura con cui la condiscono. Mi piace, ma non posso fare a meno di osservarla minuziosamente, cercando di capire se ha qualcosa di speciale. Anche se il maiale è utilizzabile e buono in tutti i modi, credo che la porchetta arrosto sia il suo massimo. Prima di passare alle verdure, vedo un paio di espadrillas gialle da allacciare alla caviglia; tentando di non farmi sbilanciare dalla borsa della spesa, ne provo una: perfetta. E a meno di dieci dollari. Le ficco insieme alla porchetta e al parmigiano.

Dai tendoni pendono foulard (finti Chanel o Hermès) e tovaglie di lino; sui banchi sono in mostra detergenti per bagno, cassette di musica e T-shirt. Oltre a rifornirsi di cibo, ci si può vestire, comprare piante e attrezzi da giardinaggio, organizzare una casa, insomma. C'è anche qualche oggetto di artigianato locale, ma devi proprio cercarli. I mercati toscani non sono come quelli del Messico, con meravigliosi giocattoli, tessuti, vasellame. E stupisce che simili mercati possano sopravvivere, vista la raffinatezza italiana e lo standard di vita in questa zona. Ovunque emerge la tradizione del ferro battuto: mi capita di vedere alari o graticole per arrostire le carni sul fuoco. L'utensile che preferisco è una specie di morsa in ferro montata su un ripiano in legno, che serve per affettare il prosciutto più facilmente. Forse un giorno scoprirò di aver bisogno di un prosciutto intero e ne comprerò uno. Un giovedì acquisto dei cesti intrecciati a mano fatti con rametti di salice: uno grande da tenere in cucina con varie provviste, l'altro per le pesche e le ciliege appena colte. Una donna vende biancheria vecchia, tovaglie e lenzuoli con le cifre ricamate a mano, certo provenienti dalle ville e dalle case coloniche dei dintorni. Ha sul banco tre mucchi di pizzi ingialliti. Forse qualcuno sarà stato fatto sull'Isola Maggiore, nel lago Trasimeno, dove ho visto le donne sedere, il pomeriggio, sulla soglia di casa e lavorare all'uncinetto. Prendo due enormi federe di lino quadrate, con nastri e inserti di merletto; diecimila lire, come i sandali: una specie di numero magico, oggi. Chiaramente dovrò farmi fare i cuscini su misura. Mentre compro degli asciughini a strisce adocchio delle pelli di capra appese a un gancio. Già le vedo sul pavimento di cotto di casa mia: un effetto eccezionale. Le quattro disponibili sono troppo piccole, ma l'uomo mi dice di tornare la prossima settimana. Tenta di convincermi che le pelli di pecora vanno comunque bene, ma senza risultato.

Spostandomi verso i banchi di frutta e verdura, mi fermo a bere un caffè. In realtà lo faccio per avere un punto d'osservazione. La gente del contado viene al mercato non solo per comprare, ma per incontrare gli amici o per affari. Il brusio delle loro voci (parlano per lo più nel dialetto della Val di Chiana) è molto gradevole. Non capisco molto di quello che dicono, ma riconosco un loro modo peculiare: quando pronunciano la parola *cento*, la "c" iniziale è quasi una "sc" (*scento*). Qualcuno dice *cappuscino* per *cappuccino*, anche se usano abbreviare in *cappuccio*. E il nome della cittadina, Camucia, risulta *Camuscia*. Strano che la "c" sia sovente una lettera così leziosa, in italiano. A Siena è addirittura sostituita da una "h" aspirata: dicono *hasa* invece di *casa*, e *Hoca Hola*. Con la "c" o meno, chiacchierano tutti: fuori dei bar stazionano uomini venuti dalla campagna, forse un centinaio di persone. Alcuni giocano a carte. Le mogli sono al mercato, con le sporte cariche di fragoline di bosco, piante di basilico con le radici, funghi secchi, forse del pesce comprato all'unico banco che vende pesce dell'Adriatico. A differenza degli italiani, che lo bevono d'un fiato, a me piace sorseggiare con calma il mio espresso.

Un'amica dice sprezzante che l'Italia sta diventando come qualsiasi altro posto: standardizzata e conforme al modello americano. Vorrei trascinarla qui, su questa soglia. Dai volti delle persone affiora la loro maniera di vivere, ma forse è così per ciascuno di noi. Facce e corpi rappresentano la prova d'un lavoro duro. E tutti sono magri, senza un etto di troppo, bruciati dal sole; ormai la loro pelle si è talmente scurita che restano così anche in pieno inverno. Indossano abiti semplici e funzionali: non si "vestono", semplicemente usano i vestiti. Si ammantano della propria dignità. Certo alcuni sono diffidenti, irascibili, crudeli, ma danno l'idea di essere così come si mostrano, senza maschera, e vivi. Chi ha perduto qualche dente sorride lo stesso, non prova imbarazzo. Guardo un uomo negli occhi: il sinistro è segnato da venuzze d'un azzurro lattiginoso, che rammentano le venature d'un marmo rotto. L'altro è nero come il centro di un girasole. Un ragazzo ritardato si aggira tra loro, e nessuno gli bada. È qui, e vive la sua vita come gli altri.

In America studio il menù a casa, anche se spesso, comprando gli ingredienti, mi capita di improvvisare. Qui comincio a pensarci solo dopo aver visto cosa c'è di maturo al momento. La tendenza è a esagerare, in quanto a provviste: mi dimentico che non ho da mettere a tavola un reggimento di dieci persone. Inizialmente mi indispettivo, quando i pomodori o i piselli mi si guastavano in pochi giorni, prima che potessi cucinarli. E poi ho capito che qui le cose si vendono mature, appena colte, e vanno consumate subito. Ciò spiega un altro enigma: non mi ero mai data ragione del fatto che i frigoriferi italiani fossero così piccoli, finché non mi sono resa conto che loro non hanno la nostra stessa abitudine all'accumulo. L'enorme freezer che ho in America comincia a sembrarmi piuttosto da struttura pubblica, se paragonato al frigo-giocattolo di qui.

Due settimane fa c'erano dei piccoli carciofi rossi dal lungo stelo che amo molto cotti a vapore e conditi con pomodoro, aglio, mollica di pane, prezzemolo, olio e aceto. Oggi non ce n'è nemmeno uno. I *fagiolini* sono squisiti, sia semplici, sia con vinaigrette allo scalogno: forse dovrei prepararli in entrambi i modi. Compro le pesche bianche da mangiare a colazione; per la cena di stasera vanno meglio le ciliege. Ne prendo un chilo, poi cerco sugli altri banchi uno snocciolatore. Poiché non ne conosco il nome in italiano, mi spiego a gesti. Conosco la parola *ciliegia*, che in tal senso può aiutarmi. Ho notato che, sia in Francia sia in Italia, nelle torte rustiche non si usano ciliege snocciolate; se servite nel piatto, io preferisco snocciolarle. Queste le immergerò in vino rosso zuccherato e succo di limone. Scelgo anche delle patate piccole e gialle, ancora coperte di terra. Le farò arrosto così come sono: una pulitina, un goccio d'olio e rosmarino.

Per oggi credo di aver finito. Passo accanto a delle gabbie di galline, anatre, polli e conigli. Mia figlia aveva un coniglio d'angora nero, una volta, perciò non riesco guardare freddamente i due coniglietti maculati che sgranocchiano carote in gabbie simili a quelle per il trasporto degli animali negli aerei; né potrei immaginarli tremanti nella bauliera della mia macchina. Penso di fermarmi dal macellaio per comprare un arrosto di vitella. La macelleria è un brutto posto. Capisco che è fuor da ogni logica: se mangi carne saprai pure da dove viene. Eppure le teste recline e gli occhi chiusi di quaglie e piccioni mi bloccano lì davanti, lo sguardo fisso. Teste di gallo, zampe di gallina (con le unghie gialle come quelle della signora Ricker, la compagna di mia nonna nelle partite a carte); il mucchio di pelli a riprova che il coniglio scuoiato non è un gatto; manzi interi appesi per le zampe, con un foglio di carta sull'impiantito per raccogliere le ultime gocce di sangue: una visione che mi dà la nausea. Sicuramente non mangeranno quei soffici pulcini. Da bambina stavo seduta sui gradini di casa, sul retro, e guardavo il nostro cuoco tirare il collo alle galline, staccarne la testa e buttarla lontano con gesto rapido. La gallina continuava un istante a girare su se stessa, emettendo un fiotto di sangue, e poi si rovesciava in un convulso. Adoro il pollo arrosto, ma potrei mai torcergli il collo?

Ormai sono carica. La prossima tappa sarà alla cantina sociale per comprare del vino locale. In fondo alla fila dei banchi, una donna vende i fiori del suo giardino. Mi avvolge nella carta di giornale un fascio di zinnie rosa e io lo incastro sotto i manici della sporta. Il sole picchia forte e la gente comincia a chiudere i negozi per la pausa pomeridiana. Una donna, che è riuscita a vendere solo pochi dei suoi asciughini a strisce, ha l'aria affaticata. Fa scendere il cane che dormiva sulla sdraio e ci si accomoda per riposare, prima di impacchettare la merce.

Sulla via di casa vedo un uomo con il maglione, nonostante il caldo. Il bagagliaio della sua minuscola Fiat è pieno d'uva che dev'essere stata tutta la mattina a scaldarsi al sole. Il forte profumo di mosto, di violetta e di muschio mi costringe a fermarmi. Me ne offre un acino: sento in bocca quella calda dolcezza e penso di non aver mai gustato un sapore così intenso in vita mia. Un sapore rosso e vivo. L'aroma, più antico degli etruschi, fresco e gradevole, mi lascia un po' stordita. Una simile pienezza, i grossi acini, il mucchio di grappoli polverosi che traboccano dai due cesti. Gli chiedo un *grappolo*, perché voglio che quel sapore mi accompagni tutta la mattina.

Poso le borse in cucina, subito invasa dal profumo della frutta matura e della verdura riscaldatasi in macchina. Chiunque torni dal mercato si sente in obbligo di sistemare i pomodori, le *melanzane* (la parola italiana sembra la più adatta a indicare questo prodotto; ma persino il francese *aubergine* è migliore del malinconico termine inglese *eggplant*), gli zucchini e i peperoni in un cesto, componendo una magnifica natura morta. Invece devo resistere alla tentazione di mettere tutta la frutta in una ciotola, ma solo quella che mangeremo oggi: è già matura, e ciò che non consumiamo subito deve andare in frigo.

Ancora mi stupisco che la cucina sia finita. Anche se sopra la porta, dalla parte esterna, è tuttora visibile la traccia di un qualche santo o crocefisso inquadrato probabilmente in una nicchia (in origine questa era la cappella della casa), non restano invece indizi relativi ai suoi ultimi abitanti, galline e buoi. Quando abbiamo tolto le mangiatoie, abbiamo trovato sui resti dell'intonaco elaborati ma brutti disegni a volute; e sotto ancora del finto marmo. Durante i lavori, ogni tanto ci chiedevamo: «Ti saresti mai aspettata di dover raschiare dai muri strati e strati di muffa causati dall'acido urico degli animali?». Oppure: «Ti rendi conto che stiamo cucinando in una cappella?».

Adesso, stranamente, sembra che la cucina sia stata sempre così. Come il resto della casa, anche questi pavimenti sono di cotto passato a cera, le pareti bianche e il soffitto (a spese del collo e della schiena di Ed!) con le travi scure. Non abbiamo voluto gli armadietti. È stato facile costruire, invece, delle colonnine di mattoni rivestite di intonaco tra cui mettere delle mensole in legno: abbiamo trascorso serate intere a disegnare su fogli di carta millimetrata come li volevamo. Ed e io li abbiamo poi dipinti di bianco. I cesti che ho comprato al mercato contengono utensili di vario genere. Sui banconi, i due ripiani di marmo di Carrara, di tre centimetri di spessore, sono levigati all'occhio e sempre freschi al tatto, quando li uso per impastare la pizza o i dolci. Su un'altra parete ho fissato delle mensole simili alle precedenti, per le ciotole e i bicchieri. Poiché i muri sono di pietra, Ed ha dovuto trapanarli e inserirvi delle viti a espansione: pezzetti di pietra schizzavano dappertutto, e il trapano girava stridendo alla massima velocità.

La *signora* che viveva qui un centinaio di anni fa potrebbe entrare in cucina, adesso, e mettersi a cucinare. Le piacerebbe il lavello in porcellana, così grande da farci il bagno a un bambino, col ripiano scolapiatti e il rubinetto cromato. Me la figuro con il mento aguzzo e gli occhi neri e brillanti, i capelli raccolti in una crocchia. Porta robuste scarpe coi lacci e un abito nero con le maniche tirate su, pronta a impastare i ravioli. Rimarrebbe di sasso, non v'è dubbio, nel vedere gli elettrodomestici, lavastoviglie, cucina, frigorifero; però si sentirebbe a casa comunque. Nella prossima vita farò l'architetto, e disegnerò sempre case con cucine che danno sull'esterno. Mi piace uscire e sedermi sul muretto a pulire i fagiolini. Metto le pentole sporche fuori a mollo in un catino, o gli stracci ad asciugare sul muretto; getto direttamente sulla rucola, il timo o il rosmarino al di là della soglia l'acqua pulita che mi avanza dalle varie operazioni di cucina. La doppia porta resta aperta giorno e notte, e la cucina si riempie di aria e di luce. Una vespa (sempre la stessa?) entra ogni giorno e va a bere al rubinetto, poi vola via.

L'unico particolare prettamente americano è l'illuminazione: il costo terribilmente alto dell'elettricità spiega perché in tante case si usino in prevalenza lampadine da quaranta watt. Io non tollero la semioscurità in cucina, così prendo due luci molto forti e un reostato, il che provoca in Lino, l'elettricista, una certa preoccupazione: non gli è mai capitato di installare un reostato, ma la cosa lo alletta. Ma le luci! «Ve ne basta una» insiste. «Non è una sala operatoria!» Ci avverte che la bolletta sarà salata: per dir questo non usa le parole, si limita ad agitare entrambe le mani davanti a sé, e al contempo scuote la testa. Siamo ben avviati verso la rovina.

Sul bordo di cotto dietro il lavandino ho cominciato ad accumulare piatti e ciotole in maiolica dipinta, artigianato locale. Ho pensato di far tornare Shera per dipingere tralci e grappoli nella parte alta delle pareti; ma per il momento la cucina è *finita*.

Abbiamo riversato così tante energie nel sistemare la cucina perché nella mia famiglia abbiamo sempre avuto il pallino del far da mangiare. Qualsiasi circostanza, qualsiasi momento di difficoltà le donne di casa mia dovessero affrontare, non smettevano di preparare delicati timballi, polli in gelatina, o fumanti calderoni di stufato. In estate mia madre e la nostra cuoca, Willie Bell, compivano veri e propri *tour de force* per preparare conserve di pomodoro o cetrioli sott'aceto; o rimestavano a lungo in giganteschi paioli per ottenere la gelatina di uva moscatella. Ai primi di dicembre avevano già fatto i dolci sottospirito e sgusciato montagne di noci pecan, pronte per essere passate in forno. La nostra cucina non era mai sprovvista di scatole di *brownies* o di dolci-gelato; o di un vassoio di biscotti avanzato dalla sera prima. Sento tuttora la mancanza dei biscotti caldi a colazione. Durante ogni pasto la conversazione verteva sul pasto successivo.

Mia figlia ha mostrato molto presto di voler rompere la tradizione iniziata da mia madre e Willie, le cui virtù culinarie hanno condannato le mie sorelle e me a interi scaffali di libri di cucina, a pensare continuamente alla prossima cena e – estrema prova – a cucinare anche se siamo sole. Per tutta la sua infanzia – tranne un occasionale tentativo (abortito) di preparare dei fondenti al cioccolato – Ashley si è rifiutata di cucinare. Subito dopo la laurea, invece, ha cominciato a farlo, e mi telefonava ogni minuto per avere le ricette del pollo con quaranta spicchi d'aglio, o di profiteroles, risotto, soufflé al cioccolato, patate alla Anna. E suo malgrado sembrava aver assimilato una certa scienza. Adesso, quando siamo insieme, ci abbandoniamo anche noi all'ossessione di cucinare e pianificare i pasti. Lei mi ha insegnato a preparare un ottimo filetto di maiale marinato e una torta al limone. Questi legami familiari mi trasmettono un senso di ineluttabilità: la cucina è per noi un destino.

Nonostante una simile eredità, lavorando molto come mi accade, cucinare ogni giorno è diventato un lavoro ingrato, in anni recenti. Confesso di cenare, di tanto in tanto, con del gelato confezionato, che mangio a forchettate in cucina, appoggiata al bancone. Le sere in cui torniamo a casa tardi mangiamo ciò che troviamo in frigo: sedano, uva, una mela avvizzita e latte. Non ci sono problemi: San Francisco è ben fornita di ristoranti. Nel fine settimana cuciniamo pollo arrosto, o minestrone, o una pentola di salsa di pomodoro per la pasta che ci dura fino a martedì. Il mercoledì ci fermiamo da Gordo a prendere *burritos* di carne con panna acida, *guacamole*, salsa piccante... e un chilo di grasso. Per guadagnare tempo, riempio dei contenitori in plastica con minestra o *chili* e li congelo.

Avere un luogo in cui passare l'estate, potersi procurare con facilità gli ingredienti di base, e l'atmosfera informale degli inviti a pranzo, mi convincono sempre più che questo è il vero concetto di cucina. Ripenso spesso ai menù estivi di mia madre. Inventava ogni volta, e con grande naturalezza. Comincio a credere che da parte mia non si tratti di semplice incapacità: allora era più facile, come qui del resto; tanta gente l'aiutava. Io mi sedevo sulla gelatiera mentre mia sorella girava la manovella. L'altra mia sorella sgusciava i piselli. Willie sapeva far tutto. Mia madre sovrintendeva, apparecchiava la tavola. Uso spesso le sue ricette, e ora apprezzo meglio la disinvoltura con cui metteva a tavola tanti ospiti... Ma niente pollo fritto, per carità! Qui dispongo dell'elemento fondamentale: il tempo. Gli ospiti si offrono di snocciolare le ciliege o di correre in città per comprare un altro pezzo di parmigiano. E per cucinare occorre meno tempo perché la qualità dei prodotti è così alta che rendono meglio nelle preparazioni più semplici. Gli zucchini sanno davvero di zucchini, la bietola saltata con uno spicchio d'aglio è straordinaria. La frutta non ha i bollini e le verdure non vengono lucidate fino a farle brillare: il sapore è davvero diverso.

La notte fa fresco (siamo a circa cinquecento metri di altitudine), e la cosa ci torna bene, perché così possiamo cucinare cibi più sostanziosi non adatti al pranzo. Mentre prosciutto e fichi, zuppa fredda di pomodoro, carciofi alla romana e pasta con asparagi e scorza di limone vanno benissimo all'una, il frescolino della sera stimola l'appetito. Allora facciamo spaghetti al *ragù* (finalmente ho capito che l'ingrediente segreto del ragù sono i fegatini), minestrone col pesto, ossobuco, polenta al forno, peperoni rossi ripieni di ricotta e erbe aromatiche, ciliege inzuppate nel Chianti e *pound cake*[2] alla nocciola.

Se ho dei pomodori maturi nulla è meglio della zuppa fredda con basilico e crostini di polenta. Anche la *panzanella* è ot-

---

[2] Il *pound cake* è una torta fatta con una libbra (pari a 0,373 kg) di ogni ingrediente principale (*N.d.T.*).

tima: un'insalata di olio, aceto, pomodori, basilico, cetrioli, cipolla tritata e pane raffermo bagnato in acqua e poi strizzato: un piatto della cucina povera, inventato per non buttar via nulla. In Toscana il pane si compra ogni giorno, e questo è un modo per utilizzare gli avanzi. Il pane rustico, la pagnotta, è perfetto per la torta di pane, e anche per friggerlo a fette nella pastella: i toast migliori che abbia mai provato! Andiamo avanti per giorni senza carne e non ne sentiamo neppure la mancanza; finché una *faraona* arrosto col rosmarino, o delle lombatine di maiale con la salvia ci ricordano come possono essere squisite le carni più semplici. Cavo dal terreno ciuffi di timo, di rosmarino, di salvia, sperando di riuscire a trapiantarle a San Francisco, dove ho un grande vaso in cui tengo le erbe aromatiche, a dire il vero assai stentate. Qui il sole le fa crescere il doppio del normale in poche settimane. L'origano vicino al muro è diventato una piccola macchia di circa un metro quadrato. Anche la mentuccia e la citronella che ho preso sulla collina hanno attecchito benissimo. La menta prospera. Virgilio scrive che i cervi feriti dai cacciatori la cercano per curarsi le ferite. In Toscana, dove i cacciatori hanno da tempo eliminato quasi ogni traccia di animali selvatici, la menta certo abbonda più dei cervi.

Nel negozio di *frutta e verdura*, Maria Rita mi dice di usare la citronella nelle insalate e nelle verdure, ma anche quando faccio il bagno nella vasca. Penso che mi piacerebbe raccogliere le erbe aromatiche anche se non dovessi cucinare. L'odore pungente delle erbe appena tagliate è motivo di gioia, per chi cucina, alla stessa stregua del loro sapore. Dopo aver preso il timo, ad esempio, non mi lavo le mani finché il profumo non svanisce da solo. Ho piantato una siepe di salvia, più di quanto potrà mai servirmi, e lascio gran parte dei fiori alle farfalle. I fiori di salvia e quelli di lavanda fanno un bellissimo effetto, nei mazzi. La uso secca o fresca, soprattutto nei fagioli bianchi all'olio, uno dei piatti preferiti dai toscani, noti come grandi mangiatori di fagioli.

Se facciamo qualcosa alla griglia, Ed butta sempre, sui carboni e sulla carne, dei rametti di rosmarino, le cui foglie non solo aggiungono sapore, ma scrocchiano anche gradevolmente in bocca. E se si tratta di gamberi, li infilza direttamente sul rametto di rosmarino.

Vicino alla porta della cucina ho messo dei vasi di basilico: dicono che tenga lontane le mosche. Qualcuno degli operai che costruivano il muro o scavavano il pozzo ha usato una volta le foglie schiacciate per curarsi la puntura di una vespa. Lenisce il dolore, mi hanno spiegato. Poco più in là ne è cresciuto un gran cespo, e più lo taglio più diventa rigoglioso. Nell'insalata metto le foglie, per il pesto interi mazzetti, e una gran quantità nelle zucche saltate e nei pomodori. Tra tutte le erbe aromatiche, il basilico rappresenta davvero il profumo dell'estate toscana.

Per il lungo periodo estivo abbiamo bisogno di una lunga *tavola*. Ora che la cucina è finita, ci serve un tavolo per l'esterno, il più lungo possibile, perché inevitabilmente l'abbondanza di prodotti al mercato mi spinge a comprare troppo. E poi perché capitano sempre degli ospiti: amici americani, amici di un lontano parente che, essendo in zona, si fanno obbligo di venire a salutarci; e nuovi amici, talvolta accompagnati da amici loro. Aggiungi un altro po' di pasta nell'acqua a bollore, aggiungi un piatto, un bicchiere, un'altra sedia. Tavola e cucina sono in grado di fare buona accoglienza.

Ho pensato al mio modo di intendere la tavola, i suoi ideali, le giuste dimensioni. Se fossi una bambina mi piacerebbe alzare la tovaglia e strisciare sotto la tavola, lunghissima, salda sotto il peso delle cibarie; e lì, rannicchiata nella luce opaca, udire le risate, il tintinnare dei bicchieri, il crescente chiacchiericcio e i vari «*Salute!*» e «*Cin cin!*», guardando le ginocchia e le scarpe della gente, le gonne a fiori tirate su per il caldo. Un simile tavolo potrebbe comodamente ospitare i vagabondaggi di un grosso cane. E da un capo devo poterci posare anche un grande vaso di fiori. Occorre una larghezza tale da permettere ai piatti da portata di passare senza difficoltà di mano in mano, di fermarsi in qualsiasi punto; e le molte bottiglie d'acqua e di vino accumulatesi durante il pranzo devono poter avere il loro spazio. Spazio anche per una ciotola di acqua fredda in cui immergere i grappoli d'uva o le pere, un piccolo piatto coperto perché gli insetti non si posino sul *gorgonzola* (sia il tipo *dolce*, sia quello *piccante*, buono anche per cucinare) e la *caciotta*, un formaggio morbido. I noccioli delle olive li sputiamo lontano e senza che nessuno si scandalizzi. L'ornamento migliore per una tavola così è il lino chiaro, o un tessuto a quadri sull'azzurro, o una stoffa scozzese rosa e verde; non certo un bianco smorto, che darebbe troppo riverbero. Se il tavolo è abbastanza lungo, si possono portare le pietanze tutte insieme, senza esser costretti a correre su e giù dalla cucina. La tavola dev'essere concepita per i piaceri primari: lunghi pranzi sotto gli alberi. L'aria aperta aumenta il benessere, il relax e il senso di libertà. È come se tu fossi ospite di te stesso: questo è il modo in cui deve intendersi l'estate.

Ecco: l'ultima pera è stata tagliata, il *gorgonzola* raccolto fino alle ultime briciole con i pezzetti avanzati del pane, e i bicchieri svuotati fino all'ultima goccia. Tutti si abbandonano a un gradevole torpore: qualcuno resta a meditare, se c'è portato, sulla sua partecipazione al grande inconscio collettivo. Si fa quello che qualsiasi altro italiano sta facendo, milioni di deretani incollati alle sedie di milioni di tavole. E su ogni tavola si raccoglie un piccolo sciame di moscerini. Esistono delle eccezioni, ovviamente: i parcheggiatori, i camerieri, i cuochi... e migliaia di turisti, molti dei quali commettono l'errore di mangiare alle undici due grossi pezzi di pizza alla salsiccia, e all'una non hanno fame. Invece vagano sotto il sole implacabile, sbirciando oltre le saracinesche chiuse dei negozi, spingendo i grevi portali di chiese serrate, sedendo sui gradini di qualche fontana per consultare frettolosamente la guida. Smettetela! Anch'io ho fatto lo stesso. E poi, più tardi, è difficile negarsi il piacere d'un gelato al *melone*: sono le sette, l'aria è ancora calda, e i sandali ti hanno sbucciato i talloni fino alla carne viva. I più deboli (*mea culpa*) cedono a un ulteriore pezzo di pizza, questa volta ai carciofi, mentre tornano in albergo: perciò, quando l'Italia si mette a tavola per cena, alle nove, lo stomaco del turista non borbotta neppure. Comincerà a farlo molto dopo, allorché tutti i buoni ristoranti saranno pieni.

Il ritmo del desinare toscano può risultare spiazzante, per noi; ma dopo un lungo pranzo all'aperto una cosa è chiara: la necessità della siesta. L'idea di uno stacco di tre ore a metà giornata è perfettamente sensata. Meglio prendere il libro su Piero della Francesca, salire al piano di sopra e arrendersi.

Voglio un tavolo di legno. Quando vivevo coi miei, ogni venerdì mio padre organizzava una grande cena per gli amici e qualche impiegato. La nostra cuoca Willie Bell e mia madre mettevano un lungo tavolo bianco sotto l'albero di pecan in giardino, e offrivano pollo fritto (fatto lì per lì sul barbecue in muratura), insalata di patate, biscotti, tè freddo, *pound cake* e gin; nonché la tipica accoglienza del Sud. Il pasto di mezzogiorno spesso durava buona parte della giornata, finendo talvolta con gli uomini che si prendevano a braccetto e si dondolavano cantando *Darktown Strutter's Ball* e *I'm a Ramblin' Wreck from Georgia Teck*; le loro voci si innalzavano lente, quasi provenissero da un nastro magnetico deformato dal sole.

Le prime settimane in cui abbiamo abitato qui usavamo quel vecchio tavolo da lavoro, il rozzo antenato del tavolo che immaginavo sotto gli alberi di tiglio. Al mercato ho comprato delle tovaglie, anche per evitare che le schegge di legno ci si conficcassero nelle ginocchia. Con i tovaglioli in tinta, un mazzo di papaveri e di fiori di campo, le pratoline azzurre, i piatti gialli comprati alla COOP, facevamo lauti pasti, spesso noi due soli.

La mia idea del paradiso è un pranzo di due ore con Ed. Credo che in un'altra vita sia stato italiano. Ha cominciato a gesticolare, quando parla, cosa che non gli avevo mai visto fare. Gli è sempre piaciuto cucinare, ma qui ci si getta a capofitto. Se il pranzo lo prepara lui, porta in tavola il *parmigiano*, la *mozzarella* fresca, il *pecorino* di montagna, i peperoni rossi, le lattughe appena colte, e poi *finocchiona*, *pane salato* (non proprio tipico di qui, dove si usa scondito), prosciutto, un cesto di pomodori. E per dessert pesche, susine, un'anguria locale che chiamano *zinna di monaca*. Dispone sul tagliere i formaggi, i salami, i peperoni, e poi prepara il primo piatto, la classica *caprese*: pomodori a fette, basilico, *mozzarella* e olio.

L'ombra dei *tigli* ci protegge dalla calura di mezzogiorno. Le cicale friniscono sugli alberi, nella loro voce c'è davvero il cuore dell'estate. I pomodori hanno un sapore così intenso che li gustiamo in silenzio. Per festeggiare, Ed apre una bottiglia di *prosecco* e ripercorriamo la lunga avventura del restauro di Bramasole. Adesso, però, tralasciamo le difficoltà, il panico; abbiamo cominciato il tipico procedimento selettivo che preserva la razza umana dall'estinzione: dimenticare la fatica. Ed butta giù un'idea per un forno da pane. E poi sogniamo insieme altri progetti da realizzare. Il sole che filtra tra il fogliame ci avvolge di luce d'oro. «È tutto così irreale...» dico. «Mi sembra di vivere in un film di Fellini.»

Ed scuote la testa: «Fellini non è altro che un buon regista di documentari: non credo più nel suo genio. Le scene che racconta Fellini le vediamo ovunque. Ti ricordi la motocicletta che compare e ricompare in *Amarcord*? Be', succede sempre. In qualsiasi remoto paesino ti trovi, spunta da qualche parte una rombante Moto Guzzi». Sta sbucciando una pesca, ricavandone una lunga spirale; in onore del semplice fatto che tutto ciò è un vero piacere, stappa una seconda bottiglia di *prosecco*. Trascorre così un'altra ora, finché ci trasciniamo dentro per riposare e recuperare le energie: prevediamo infatti una passeggiata in città, per vagliare i ristoranti, affacciarci al belvedere sulla valle e – assurda la sola idea – dedicarci al prossimo pasto.

Abbiamo chiamato i due timidi e silenziosi falegnami, Marco e Rodolfo. Sembra che si divertano a lavorare qui, di qualsiasi incarico si tratti. L'idea di un tavolo per dieci dipinto di giallo li sconcerta. Sono abituati al color castagno. Siete sicuri? Si lanciano occhiate l'un l'altro. Dopo due anni bisognerà ridipingerlo, non è pratico... Facciamo uno schizzo di ciò che vogliamo.

Quattro giorni dopo tornano col tavolo, montato e dipinto: un tempo record, soprattutto per due persone impegnate come loro. Ridono dicendo che il tavolo brillerà nel buio. Lo piazzano nel punto da cui si gode il più ampio panorama della vallata. E il giallo effettivamente riverbera nell'ombra, attirandoci fuori con brocche e zuppiere fumanti, cesti di frutta, formaggi freschi avvolti in foglie di vite.

Stasera abbiamo invitato a cena una coppia italiana, che verrà con la loro bambina, e i nostri compatrioti scrittori. La bimba ha sette mesi, mangia olive piccanti e osserva il cibo con avidità. I nostri amici si sono divertiti al racconto del rocambolesco restauro della casa; serenamente divertiti, soprattutto perché hanno ristrutturato le loro case prima che la manodopera scomparisse e il dollaro crollasse. Conoscono ogni segreto in fatto di pozzi, disinfestazione, grondaie, potatura degli alberi: una conoscenza tecnica e dettagliata acquisita nei lunghi anni trascorsi sotto il tetto di vecchie, improbabili case coloniche. Ammiriamo il loro italiano fluente, la loro inesauribile dimestichezza con le complicazioni delle bollette telefoniche. Invece di conversare amabilmente, come immaginavo, di correnti letterarie italiane, opera lirica e restauri controversi, ci troviamo a discutere appassionatamente di potatura degli olivi, pozzetti d'intercettazione dei grassi, prove di potabilità e riparazione d'infissi.

Il menù: per antipasto *bruschetta* con pomodoro e basilico, *crostini* con peperoni rossi. Per primo *gnocchi*, non di patate ma di semolino (porzioni piccole perché sono molto sostanziosi), seguiti da vitello arrosto con aglio, patate e salvia. E poi fagiolini, caldi e friabili, con finocchio e olive. Appena prima che arrivino colgo un gran cespo di lattuga. All'inizio dell'estate ho seminato due buste di lattuga su un ciglione, accanto a un'aiuola. In una settimana è cresciuta, in tre già strabordava.

Adesso la trovo ovunque; curioso strappare le erbacce tra i fiori e al tempo stesso procacciarsi la cena. Qualche pianta ha un aspetto strano: spero di non mangiare calendule o malvoni. Le ciliege, cotte a fuoco lento e lasciate raffreddare, hanno attirato le api per tutto il pomeriggio. Un uccellino minuscolo compie una rapida incursione in cucina, certo seguendo il profumo del denso sciroppo di vino.

Giungono al crepuscolo, uno dei dolci, lunghi crepuscoli toscani; dopo l'aperitivo la luce trascolora dall'oro al blu scuro, e si trasforma nel buio della notte al termine della prima portata. La notte cade rapida, come se d'un tratto qualcuno tirasse il sole al di là della collina. Accendiamo le candele schermate (perché il vento non le spenga) lungo il muro e sulla tavola. In sottofondo, un allegro coro di rane. *Molti anni fa...* cominciano i nostri amici. I loro racconti ci compongono dinanzi agli occhi un'immagine dell'Italia che conosciamo solo attraverso i libri e i film. *Negli anni Sessanta... negli anni Settanta... Un autentico paradiso.* Ecco perché sono venuti, e sono rimasti. La adorano, ma è molto peggiorata rispetto a un tempo. *Com'erano vivaci le vie di Roma... Ti ricordi il teatro col tetto che si apriva, e spesso ci pioveva sulla testa?* Passano a parlare di politica. Sanno tutto. Lo scoppio dell'autobomba in Sicilia ci sconvolge. Ma c'è la mafia, qui? Facciamo domande ingenue. La tendenza a un ritorno della destra nelle recenti elezioni non rende contento nessuno. Possibile che l'Italia debba regredire così? Racconto loro dell'antiquario a Monte San Savino, che espone una foto di Mussolini sulla porta del negozio. Mi fermo a guardarla e lui mi chiede, con un largo sorriso, se lo conosco. Non sapendo se si tratti di un'immagine venerata o di una semplice bizzarria, gli rivolgo il saluto fascista. Allora impazzisce, pensando che condivida le sue idee. Comincia a farneticare di quanto fosse coraggioso e *bravo* il Duce. Volevo solo andarmene, con gli oggetti inusitati che avevo acquistato – una croce dorata e lo sportellino di un reliquiario – ma i prezzi sono adesso notevolmente calati. Mi invita a tornare, vuole presentarmi la sua famiglia. Tutti mi consigliano di approfittare della congiuntura.

In questo luogo mi sento a mio agio; la mia "vera vita" sembra remota. Che strano essere tutti qui. Ci viene data una patria e ci ritroviamo in un'altra: loro in maniera molto più radicale di noi, avendo regolato l'esistenza, il lavoro su questo posto, e non sull'altro. Eppure ci sentiamo a casa, qui, nonostante il nostro essere dei pallidi americani. Forse potremmo restare, e diventare simili alla gente del posto. Potrei lasciarmi crescere i capelli, impiegarmi come istitutrice e insegnare l'inglese ai bambini, andare in Vespa a comprare il pane in città. Penso a Ed su uno di quei trattorini fatti per i pendii terrazzati; lo vedo piantare una nuova vigna. O potremmo produrre tisane di citronella. Lo guardo, ma lui bada a mescere il vino. Mi sembra quasi di sentire le nostre voci – inglese, francese, italiano – dilagare attorno alla casa, e poi nella valle. I suoni si espandono sulle colline. (Ci chiamano *stranieri*, parola più sgradevole dell'inglese *foreigners*, più vicina a *strangers* e al suo raggelante significato.) Spesso ci giungono i rumori d'una festa, dalla parte di invisibili vicini sopra di noi. Stabilendoci qui abbiamo mutato un antico ordine di cose: fino al giorno del nostro arrivo l'esattore delle tasse, il capitano di polizia e il giornalaio (quelli che abitano più vicini a noi, anche se non li vediamo mai) sentivano parlare italiano soltanto.

Il Grande Carro, chiaro come in uno di quei disegni ottenuti unendo vari punti, ha l'aria di voler riversare qualcosa sul tetto della casa. E la Via Lattea stende sulle nostre teste lo strascico nuziale trapunto di stelle. Le rane tacciono di colpo, come se qualcuno le avesse zittite. Ed porta fuori il *vin santo* e i *biscotti* che ha infornato stamattina. Ora la notte è vasta e quieta, senza luna. E noi parliamo e parliamo e parliamo. Nessuno ci interrompe, tranne le stelle cadenti.

RICETTE D'ESTATE

Quando studiavo arte culinaria con Simone Beck nella sua casa in Provenza, mi disse alcune cose che non ho mai dimenticato. Un'altra studentessa, insegnante a sua volta di cucina, continuava a interrogarla sulla tecnica con cui operare. Aveva un blocco di appunti dove scriveva furiosamente ogni parola di Simca. Noialtre quattro, invece, eravamo più interessate a mangiare ciò che preparavamo. Fece una domanda di troppo, e allora Simca sbottò: «Non esiste nessuna tecnica, ma solo un modo di procedere. E adesso vogliamo pesare gli ingredienti o vogliamo cucinare?».

Qui ho imparato quanto sia liberatoria una tale semplicità. La filosofia di Simca si applica perfettamente a questa cucina: basta passare all'atto pratico, senza bisogno di troppe misurazioni. Come sa qualsiasi cuoca, i prodotti di stagione sono la miglior guida. La maggior parte delle nostre preparazioni è troppo semplice per essere chiamata ricetta: è solo il modo di farle, ecco tutto. Alterno l'antipasto di *prosciutto e melone* con prosciutto e fichi. La minestra fredda di pomodoro è molto semplice: un trito di aromi – in particolare basilico – e pomodori maturi in un brodo di pollo, quindi in frigo a raffreddare. Faccio saltare in un tegame di terracotta le teste d'aglio intere, usando olio d'oliva; ottime le fette di pane su cui strofini gli spicchi d'aglio. Uno dei primi più buoni sono gli spaghetti con rucola tritata, panna, pancetta a dadini e *parmigiano*. I fagiolini con olive nere, finocchio crudo, cipolline fresche e una leggera vinaigrette o succo di limone è la miglior sorte che possa loro toccare. L'invenzione di Ed non potrebbe essere più semplice: taglia i fichi, ci versa sopra un po' di miele e li mette sotto la griglia, infine li decora con panna. Il dessert di pesche a fette con mascarpone dolce e *amaretti* sbriciolati è diventato un'abitudine. Alcuni dei miei piatti preferiti sono più elaborati, ma non tanto da indurmi a chiedermi quale pazzia mi abbia spinto a ciò.

Una simile abbondanza di erbe aromatiche è un invito a usarle molto. Tutte le pietanze sono decorate con quel che mi rimane nel cesto: una manciata di fiori di timo sulle verdure, il roastbeaf presentato su un letto di salvia, l'origano sulla pasta. Lavanda, foglie di fico e di vite o finocchietto servono bene da decorazioni. Con un mazzo di fiori di campo, e le erbe aromatiche in un vaso di terracotta, sembrano proprio al posto giusto, sulla tavola.

Qui di seguito troverete alcune facili ricette, che però hanno entusiasmato i miei ospiti, o hanno indotto noi stessi a mangiarne con gusto gli avanzi, il giorno dopo. Gli italiani non considerano pasta o risotto il piatto principale, mentre per noi spesso è così. Per olio deve intendersi sempre, ovviamente, olio d'oliva, salvo diversa indicazione. Tutti gli odori sono usati freschi.

ANTIPASTI

PEPERONI ROSSI (O CIPOLLE) ALL'ACETO BALSAMICO

I grandi e contorti peperoni rossi, verdi e gialli sono le mie verdure estive preferite, perché sanno ravvivare molti piatti. Un rapido soffritto dei tre tipi aggiunge vigore a ogni pietanza. E poi c'è la zuppa di peperoni rossi, la mousse di peperoni gialli, o quelli verdi ripieni alla vecchia maniera...

Prendi 4 peperoni, togli i semi e falli a fettine. Cuocili a fuoco lento per circa 1 ora, in un po' d'olio e 1/4 di tazza di aceto balsamico, finché non appassiscono. Rimesta

di tanto in tanto. Devi ottenere una specie di poltiglia.
Condisci con sale e pepe. Se si seccano troppo, aggiungi
olio e aceto balsamico. Abbrustolisci circa 25 rondelle di
pane unte d'olio, e strofinale con 1 spicchio d'aglio. Met-
ti i peperoni sui crostini e servili caldi. Usa lo stesso me-
todo con le cipolle tagliate a fette sottili, aggiungendo al-
l'aceto balsamico 1 cucchiaio di zucchero di canna e la-
sciando caramellare. Entrambe le versioni di questo piat-
to sono ottime come accompagnamento per il pollo arro-
sto. E gli avanzi sono squisiti sulla pasta o la polenta.
Inoltre si possono fare panini molto veloci con l'aggiun-
ta di formaggio o melanzane alla griglia.

PISELLI E SCALOGNO

Ecco che dai baccelli saltano fuori i pisellini freschi. Pensavo che sgusciarli fosse un lavoro semplice e rilassante, finché
non ho visto, in città, una donna seduta fuori della porta con
un gatto addormentato ai piedi. Stava sgusciando una montagna di piselli e ne aveva già riempita una grande zuppiera. Mi
ha guardata e ha mormorato qualcosa in italiano; ho sorriso.
Solo dopo ho capito che cosa aveva detto: «Non lo augurerei
al mio peggior nemico».

Sminuzza 4 scalogni. Sguscia i piselli da riempirne 1
tazza. Mescola e fai soffriggere nel burro finché i piselli
sono cotti e gli scalogni appassiti. Aggiungi foglie di
menta, sale e pepe. Trita grossolanamente (o usando il
tritatutto), quindi metti il composto su 25 crostini di pa-
ne, come nella ricetta precedente.

SORBETTO DI MENTA E BASILICO

Ho assaggiato la prima volta questo improbabile ma ottimo
sorbetto vicino Sinalunga, nella *fattoria* poi trasformata in ristorante chiamata Locanda dell'Amorosa. Il giorno dopo ho

tentato di rifarlo a casa. Nel ristorante ce l'hanno portato subito, tra un primo a base di pesce e il secondo. Ma può benissimo servire da antipasto, nelle calde sere d'estate.

Fa' uno sciroppo di zucchero con 1 tazza d'acqua e 1 tazza di zucchero. Lascia bollire a fuoco lento per 5 minuti, mescolando continuamente. Con 1/2 tazza di foglie di menta e 1/2 tazza di foglie di basilico in 1 tazza d'acqua, fai la purea. Aggiungi un'altra tazza d'acqua, 1 cucchiaio di succo di limone e raffredda. Unisci lo sciroppo di zucchero e la purea, quindi versa il tutto in una gelatiera; segui le istruzioni d'uso. Versa il composto in bicchieri da martini o bicchieri normali e decora con foglie di menta. È la dose per 8 persone.

PRIMI PIATTI

ZUPPA FREDDA ALL'AGLIO

Come nel pollo fatto con 40 spicchi d'aglio, la quantità di aglio presente anche in questa ricetta non deve spaventare. La cottura ne attenua la forza ma lascia l'aroma.

Sbuccia 2 intere teste d'aglio. Taglia 1 piccola cipolla, sbuccia e fa' a dadini 2 patate di grandezza media. Soffriggi la cipolla in 1 cucchiaio d'olio, e quando comincia a diventare trasparente aggiungi l'aglio. L'aglio deve risultare morbido ma non scuro; cuoci a fuoco lento. A parte, cuoci a vapore i dadi di patate e aggiungili alla cipolla e all'aglio, insieme a 1 tazza di brodo di pollo. Porta a bollore, poi abbassa la fiamma e lascia cuocere lentamente per 20 minuti. Fai la purea nel tritatutto, poi rimettila nella pentola con altre 4 tazze di brodo e 1 cucchiaio di timo. (Se non hai un tritatutto, sminuzza aglio e cipolla prima di cuocerli, e per le patate usa lo schiacciapatate.) Amalgama tutto con 1/2 tazza di panna. Condisci con sale e pepe e metti in frigo. Prima di servire, aggiungi timo ed erba cipollina. La dose è per 6 persone.

ZUPPA DI FINOCCHIO

Taglia a fette sottili 2 finocchi e 2 mazzi di cipolline fresche. Salta appena in un po' d'olio. Aggiungi 2 tazze di brodo di pollo e fai andare a fuoco lento, mescolando, finché il finocchio non è cotto. Devi ottenere una purea molto soffice. Unisci 2 tazze e 1/2 di brodo, condisci con sale e pepe e copri. Porta a ebollizione, quindi abbassa la fiamma e lascia cuocere per 10 minuti. Incorpora 1/2 tazza di mascarpone o panna. Togli subito dal fuoco e servi il piatto, freddo o caldo, guarnito con semi di finocchio. La dose è per 6.

PIZZA CON SALSICCIA E CIPOLLE

I tipi di pizza sono infiniti. Quella preferita da Ed è la Napoli, con capperi, acciughe e mozzarella. A me piace con *fontina*, olive e prosciutto; oppure con rucola e scaglie di *parmigiano*. Ma apprezziamo molto anche la pizza di patate o la semplice Margherita. Se cuciniamo fuori, ci capita spesso di preparare una maggior quantità di verdure alla griglia e salsicce, da usare il giorno dopo nelle insalate o sulla pizza. Un gran piatto vegetariano sono le melanzane alla griglia con pomodori seccati al sole, *mozzarella*, olive, origano e basilico.

Taglia finemente 3 cipolle e soffriggile in un tegame a fuoco basso, con poco olio e 3 cucchiai di aceto balsamico. Le cipolle devono imbiondire e diventare flosce. Condisci con maggiorana, sale e pepe. Arrostisci o friggi 2 salsicce piuttosto grandi. Qui si usano le salsicce di maiale insaporite coi semi di finocchio. Affettale e intanto prepara a parte 1 tazza di mozzarella sbriciolata o di parmigiano.

Per l'impasto: *sciogli una dose di lievito di birra in 1/4 di tazza di acqua calda. Mescola i seguenti ingredienti: 1/2 cucchiaino di sale, 1 cucchiaino di zucchero, 3 cucchiai di olio, 1 tazza di acqua fredda; poi unisci pian piano 3 tazze e 1/4 di farina. Lavora l'impasto su una superficie piatta finché non diventa soffice ed elastico. Se usi un'impastatrice, falla girare finché non si forma una palla, poi levala e continua a lavorarla a mano. Metti l'impasto in una ciotola imburrata e infarinata e lascia riposare per 30 minuti. Allargalo in 1 o 2 tondi su cui verserai olio abbondante. Cospargi con cipolle, formaggio e salsiccia e inforna a 150° per 15 minuti. Taglia in 8 pezzi.*

GNOCCHI DI SEMOLINO

Non si tratta qui degli gnocchi a forma di nodini, ma di un piatto molto più gustoso e ricco. Diversamente dagli gnocchi di patate, o da quelli, più leggeri, di ricotta e spinaci, gli gnocchi di semolino sono della misura di un biscotto. Di solito li compravo da una donna che abita nella valle, finché non ho imparato che sono facilissimi da fare in casa.

Porta quasi a ebollizione 6 tazze di latte, in una pentola piuttosto larga. Aggiungi 3 tazze di semolino, rimestando costantemente. Cuoci 15 minuti a fuoco lento, come per la polenta, senza smettere di girare. Togli dal fornello; sbatti a parte 3 tuorli d'uovo con 3 cucchiaini di burro e 1/2 tazza di parmigiano grattugiato. Condisci con sale, pepe e noce moscata. Incorpora il tutto e poi allarga il composto su un tavolo leggermente infarinato o su un tagliere di legno in modo che sia di 1 cm circa di spessore. Lascia raffreddare. Servendoti dell'orlo di un bicchiere o di una formina per biscotti, ricavane tanti tondini che metterai in una teglia da forno ben imburrata. Versa sopra 3 cucchiai di burro fuso e cospargi con 1/4 di tazza di parmigiano. Inforna a 150° per 15 minuti. La dose è per 6 persone.

Quando faccio le minestre, la ratatouille o questa insalata, cuocio al vapore ogni verdura separatamente: serve a tenere distinti i sapori e mi permette di portare ogni diversa verdura al punto giusto di cottura. Non ho mai visto in un menù italiano l'insalata di pasta, che è una meravigliosa invenzione americana. Questa è anche comoda per un picnic, da portare in un contenitore di plastica.

Vinaigrette: *3/4 di tazza di olio d'oliva, aceto di vino rosso (più o meno 3 cucchiai), 3 spicchi d'aglio schiacciati, 1 cucchiaio di timo, sale e pepe. Agita bene.*
Verdure fresche: *8 carote medie, 5 piccoli zucchini, 2 peperoni rossi grandi, 2 peperoncini, circa 2 etti di fagiolini e un mazzo di cipolline fresche. Taglia tutto a pezzettini, tranne i peperoncini, che vanno tritati. Cuoci a vapore una verdura per volta. Lascia raffreddare.*
Pollo: *metti 2 petti interi in una teglia con olio. Condisci con timo, sale e pepe, quindi passali in forno a 130° per circa 30 minuti. Fai raffreddare e taglia a striscioline.*
Pasta: *i* fusilli *sono forse la pasta migliore, per l'insalata. Cuocine circa 1 chilo, scolali e aggiungi subito 2 cucchiai di olio d'oliva. Condisci e lascia raffreddare. Mescola il tutto in una grande insalatiera e fai raffreddare. Dividi in due ciotole, con altro olio.*
Per i pomodori: *scegline 1 a persona (e qualche altro in più), taglialo dalla parte del picciolo e tira fuori i semi. Togli il fondo. Spolvera con sale e pepe; riempi ogni pomodoro con mollica di pane, basilico e pinoli tostati. Condisci con olio e inforna a 130° per circa 15 minuti.*
Al momento di servire, metti un pomodoro al centro del piatto, circondato dall'insalata di pasta. Guarnisci con olive nere e ciuffi di timo e/o foglie di basilico. Se ne ricavano 16/20 graziose porzioni.

Il risotto è diventato uno dei miei cibi preferiti. Come la pasta, la pizza o la polenta, è un altro piatto che si può preparare in mille modi. In estate una ricetta leggera prevede asparagi appena scottati, carotine e un po' di limone. Mi piace molto il risotto con fave e scalogno, fatte precedentemente saltare in un tegame coperto. Altre ottime possibilità: finocchio a pezzi, non troppo cotto, con gamberetti; soffritto di funghi freschi, o di *porcini* secchi fatti prima gonfiare nell'acqua tiepida; radicchio al forno e pancetta. In Italia si vendono anche i dadi di porcini, che vanno benissimo per il risotto se non hai il tempo di preparare il brodo. Molte ricette contengono troppo burro; se disponi di un buon brodo, il burro è quasi superfluo: ti basta solo un po' d'olio, all'inizio. Per riutilizzare gli avanzi il giorno dopo, scalda un cucchiaio d'olio in una padella antiaderente, schiaccia il riso fino a formare uno strato compatto e cucina a fuoco medio finché il fondo non si abbrustolisce: poi, con una larga spatola, capovolgi il tutto. Un pranzo gustoso.

Taglia e soffriggi 1 cipolla media in 1 cucchiaio d'olio per circa 2 minuti. Aggiungi 2 tazze di riso Arborio e lascia cuocere per un paio di minuti. Intanto, in un'altra pentola, porta a ebollizione 5 tazze e 1/2 di brodo (di pollo, di vitella o di verdure) e 1/2 tazza di vino bianco; quindi abbassa la fiamma e cuoci a fuoco lento. Incorpora a poco a poco, con un mestolo, il brodo e il vino nel riso, mescolando di continuo e aspettando che sia completamente assorbito prima di aggiungerne ancora. Il riso cotto al punto giusto dev'essere al dente *e non troppo asciutto. Aggiungi 1/2 tazza di parmigiano grattugiato. Intanto lava un mazzo di bietola, meglio se rossa. Falla a strisce e saltala rapidamente in padella con olio e aglio. Uniscila al risotto; servi con* parmigiano *grattugiato. La ricetta è per 6 persone.*

POLENTA ALLA PARMIGIANA

Questa è una polenta più californiana che italiana. Contiene troppo burro e formaggio! La polenta classica è cucinata con lo stesso metodo (non smettere mai di girare) con due o anche tre tazze d'acqua in più. Quindi si versa la polenta su un tagliere e si lascia rassodare. Spesso viene servita con un ragù o con *funghi porcini*. Questa l'ho fatta assaggiare a degli italiani e ne sono rimasti estasiati. Gli avanzi (sia della polenta semplice, sia del tipo arricchito) sono ottimi fritti e croccanti.

Metti a bagno 2 tazze di polenta in 3 tazze d'acqua fredda per 10 minuti. Quindi, in un paiolo, porta a ebollizione 3 tazze d'acqua e versaci la polenta. Riporta di nuovo a bollore, poi abbassa la fiamma e fai cuocere rimestando per 15 minuti. Il fuoco dev'essere però forte abbastanza da far salire in superficie grosse bolle. Aggiungi sale e pepe, 8 cucchiai di burro e 1 tazza di parmigiano grattugiato. Se risulta troppo densa aggiungi altra acqua. Mescola bene e versa in una larga terrina da forno ben imburrata. Inforna a 110° per circa 15 minuti. Ne vengono 6 porzioni.

SUGO AI PORCINI

Nel momento in cui si trovano, i porcini freschi sono davvero una festa. E la maniera migliore per cucinarli è alla griglia con un po' d'olio: un piatto sostanzioso come una bistecca, alla quale viene sovente accompagnato. Fuori stagione anche quelli secchi hanno molte virtù. Potranno sembrarvi cari, ma ne bastano pochi per aggiungere sapore a molti piatti. Questo sugo è ottimo sulla polenta, sul risotto, o sulla pasta.

Fai ammorbidire circa 60 grammi di porcini secchi in 1 tazza e 1/2 di acqua tiepida. Ci vuole circa 1/2 ora. Sbuccia e taglia quattro spicchi d'aglio, che soffriggerai in 2 cucchiai di olio. Aggiungi 1 cucchiaio di timo e 1 di rosmarino finemente tritati, 1 tazza di salsa di pomodoro,

sale e pepe. Filtra l'acqua dei funghi mediante un panno
e aggiungila alla salsa di pomodoro. Taglia i funghi e
uniscili al tutto; cuoci a fuoco lento per una ventina di
minuti, finché non si addensa. La dose è indicata per 6
persone, se si usa la polenta, per 4 nel caso della pasta.

SECONDI

POLLO CON CECI, AGLIO, POMODORI E TIMO

È una di quelle ricette le cui dosi sono aumentabili a volontà, a seconda delle persone da servire.

Fai bollire 2 tazze di ceci secchi con 2 spicchi d'aglio, sale e
pepe, per circa 2 ore. I ceci devono risultare teneri ma non
troppo. Rosola in olio 6 petti di pollo appena passati nella
farina. Quindi disponili in una teglia da forno. Asciuga
i ceci e mettili sul pollo. Soffriggi 1 cipolla tagliata a gros-
si tocchi con 3 spicchi d'aglio tritato; aggiungi 4 pomodo-
ri maturi, ugualmente in pezzi piuttosto grandi, 1 cuc-
chiaino di cinnamomo e 2 cucchiai di timo. A fuoco lento
per 10 minuti. Versa il tutto sul pollo e condisci con sale,
pepe, ciuffi di timo fresco e 1/2 tazza di olive nere. Cuoci
in forno, senza coprire, a 130° per circa 30 minuti, a se-
conda della grandezza dei petti di pollo. Fa un bell'effetto
in un vassoio di terracotta. La dose è per 6 persone.

POLLO A BASILICO E LIMONE

Un piatto rapido e buono, servito con la zucca o i pomodori, che allevia la calura delle notti di luglio.

Metti in una ciotola 1/2 tazza di cipolline fresche fatte
a tocchi e 1/2 tazza di foglie di basilico. Aggiungi il suc-
co di 1 limone, sale e pepe. Il tutto su 6 petti di pollo, pre-
cedentemente disposti in una teglia da forno ben oliata.
Olio anche sopra. Cuoci in forno, senza coprire, a 130°

per circa 30 minuti, secondo la grandezza dei petti di pollo. Guarnisci con foglie di basilico e fette di limone. Questa dose vale per 6 persone.

PETTO DI TACCHINO CON OLIVE VERDI E NERE

Il tacchino si usa molto, qui (ma intero in rare occasioni, soprattutto a Natale). In questa ricetta si presenta a fette, sul genere delle *scaloppine*. Può essere sostituito da petti di pollo ben battuti. Avverti gli ospiti se decidi di non snocciolare le olive. Di solito uso ciò che avanza per un *sauté* alla cinese coi peperoni.

In una larga padella fai saltare 6 scaloppine di tacchino fin quasi al punto di cottura e mettile da parte. Nella stessa padella metti altro olio e soffriggi 1 cipolla tagliata fine insieme a 2 spicchi d'aglio schiacciati. Aggiungi 1 tazza di vermouth e porta a bollore, quindi abbassa la fiamma. Copri per 2 o 3 minuti, poi unisci il tacchino, il succo di 1 limone e 1 tazza di olive verdi e nere. Fai cuocere per 5 minuti o più, finché il tacchino non è cotto. Condisci con sale e pepe e spargi sopra una manciata di prezzemolo tritato. La dose è per 6.

CONTORNI

FIORI DI ZUCCA FRITTI

Se questo piatto viene bene è straordinario, se invece i fiori si ammosciano è un disastro. A me sono capitate entrambe le cose. L'errore sta nell'olio, che dev'essere molto caldo. L'olio di arachidi o quello di semi di girasole sono forse i migliori per questi delicati fiori dell'estate.

Prendi un mazzo di fiori freschi, circa una dozzina. Se sono leggermente flosci non fa nulla. Non lavarli; se sono umidi, asciugali bene con un panno. Metti in ciascun fio-

re una strisciolina di mozzarella e passali nella pastella. Per la pastella: sbatti 2 uova con 1 cucchiaino di sale, 1 tazza d'acqua e 1 tazza e 1/4 di farina. Mescola bene, schiacciando con la forchetta tutti i grumi. Assicurati che l'olio sia ben caldo (130°), ma non fumante. Friggi finché non diventano dorati e croccanti. Disponili su un vassoio, sopra dei fogli di carta assorbente, e porta subito in tavola.

PEPERONI AL FORNO CON RICOTTA E BASILICO

Ho fatto grande consumo di peperoni ripieni durante gli anni del college. Questi con la ricotta sono diversissimi dai peperoni alla carne che trovavamo da Randolph-Macon. La ricotta fresca di pecora è straordinaria. Il cestino in cui la mettono a scolare lascia sulla forma il segno dell'intreccio. La compriamo spesso nelle fattorie intorno a Pienza, che è terra di greggi e patria del *pecorino*.

Abbrustolisci 3 peperoni grandi sulla fiamma del gas o sulla graticola. I peperoni devono bruciacchiarsi, ma non diventare flosci. Lascia raffreddare in un sacchetto di plastica, poi togli la pelle. Tagliali a metà e leva costole e semi. Condiscili con olio. In una ciotola mescola 2 tazze di ricotta, 1/2 di tazza di basilico sminuzzato, 1/2 tazza di cipolle fresche a fette sottili, 1/2 tazza di prezzemolo tritato, sale e pepe. Infine aggiungi 2 uova sbattute. Riempi i peperoni e metti in forno a 130° per 30 minuti. Guarnisci con foglie di basilico. La dose è per 6 persone.

SALVIA FRITTA

Troppo spesso la salvia è associata a quei barattoli pieni di polvere verde che fa starnutire. La salvia fresca, invece, ha un forte aroma che rende i cibi più gustosi.

Lava 20 o 30 rametti di salvia e asciugali bene con dei tovaglioli di carta. Metti sul fuoco 60 grammi di olio di

*semi di girasole o di arachidi; dev'essere molto caldo ma
non fumante. Passa i rametti nella pastella (vedi la ricetta per i fiori fritti che qui precede) e gettali nell'olio
bollente (130°) per circa 2 minuti, finché le foglie non
sono croccanti. Asciuga su carta assorbente. Un ottimo
contorno per agnello, maiale e qualsiasi altra carne.*

PESTO ALLA SALVIA

Ho trovato al mercato antiquario di Arezzo un pestello di legno d'olivo, che adesso uso con un vecchio mortaio di pietra recuperato da un'amica, che lo aveva destinato a gigantesco por-
tacenere. Questi grandi mortai, mi ha spiegato, servivano in
passato per pestare il sale grezzo. Fino a poco tempo fa il sale,
di monopolio statale e caricato di una forte tassazione, veniva
venduto soltanto dai tabaccai. Il sale grezzo era il più usato, in
quanto meno costoso. Mortai simili vanno benissimo per il pesto: il pestello a contrasto con la pietra ruvida fa che le varie erbe rilascino tutto il loro succo, e le essenze si fondano perfettamente. A parte il pesto di base, col basilico, ho fatto un pesto al
prezzemolo e limone per il pesce, uno alla rucola per la pasta e
i *crostini*, e un pesto alla menta per i gamberetti. Ho imparato
ad apprezzare maggiormente la consistenza granulosa di questo
tipo di pesto, rispetto a quelli cremosi a cui ero abituata. I tradizionali fagioli bianchi toscani con salvia e olio d'oliva hanno
un sapore ancora più intenso, se affiancati dal pesto alla salvia.
E mi piace anche sulla *bruschetta*. Messo in una ciotola a parte,
è un buon accompagnamento per le salsicce arrosto.

*Taglia un grosso mazzo di foglie di salvia, 2 spicchi
d'aglio e 4 cucchiai di pinoli. Pesta tutto insieme nel
mortaio (o nel tritatutto), aggiungendo l'olio a poco a
poco, finché non diventa un impasto denso. Mettilo
quindi in una ciotola, mischia ancora, aggiungi sale e
pepe e una presa di* parmigiano *grattugiato. Ne vengono circa 1 tazza e 1/2.*

DOLCI

GELATO ALLA NOCCIOLA

È un gelato ottimo, una delle cose per cui rinuncerei alla cittadinanza americana e mi trasferirei qui a vita. Anche la gente che dichiara di non amare il gelato va in deliquio provando questo.

Tosta 1 tazza e 1/2 di nocciole in forno non troppo caldo per 5 minuti. Controlla le nocciole di continuo, perché è facile che si brucino. Toglile dal forno, avvolgile in un panno e sfregale per levare la pellicola marrone. Frantumale grossolanamente. A parte sbatti 6 tuorli d'uovo e incorpora a poco a poco 1 tazza e 1/2 di zucchero. Scalda 1/4 di panna fin quasi a bollore, poi togli dal fuoco e unisci zucchero e tuorli. Fai cuocere il tutto a bagnomaria finché non si rassoda tanto da rimanere attaccato al mestolo di legno. Raffredda in frigo. Monta intanto 2 tazze di panna con 2 cucchiai di liquore alle nocciole (Fra' Beato Angelico) o di vaniglia. Aggiungi le nocciole e il succo e la scorza di un limone. Versa in una gelatiera e segui le istruzioni per l'uso. La ricetta rende circa 1/2 chilo di gelato.

CILIEGE AL VINO ROSSO

Per tutto il mese di giugno compriamo ciliege, un chilo alla volta, e cominciamo a mangiarle in macchina, sulla via di casa. Nessuna invenzione culinaria può stare alla pari con il sapore della ciliegia così com'è. Abbiamo piantato tre alberi di ciliegie e poi ne abbiamo scoperti altri tre tra l'edera e i rovi. C'è bisogno di almeno due alberi vicini, perché diano frutti.

Togli il picciolo e snocciola 400 grammi di ciliegie. Versaci sopra 1 tazza di vino rosso e la scorza di un limone. Cuoci a fuoco lento per 15 minuti, rimestando di tanto in tanto. Copri e lascia riposare per 2 o 3 ore. Servi nelle ciotole con molto succo e abbondante panna montata dolce o mascarpone. Il dessert può essere accompagnato anche da fettine di torta alle nocciole o biscotti. Le ciliegie possono essere sostituite da susine o pere. La dose è per 4 porzioni.

FAGOTTO DI PESCHE AL MASCARPONE

Ho imparato a fare la sfoglia per torte ripiene da un libro di cucina di Paula Wolfert. Stendi l'impasto su un foglio di carta stagnola, metti il ripieno nel mezzo, quindi ripiega i bordi verso il centro: risulterà una torta rustica dall'aspetto molto semplice. Le pesche qui – sia le gialle sia le bianche – sono così saporite che mangiarle dovrebbe essere considerato un atto voluttuoso, da compiersi in privato.

Stendi la pasta (in un formato un po' più largo rispetto a quello per una torta normale) su un foglio di carta antiaderente o in una teglia da forno. Affetta 4 o 5 pesche; amalgama a parte 1 tazza di mascarpone, 1/4 di tazza di zucchero e 1/4 di tazza di mandorle tostate sminuzzate. Unisci delicatamente la miscela alle pesche e versala al centro del tondo di pasta, ripiegane i bordi al di sopra, schiacciando un poco sulla frutta. Non chiudere del tutto, ma lascia nel centro un buco di 7-10 cm. In forno a 150° per circa 20 minuti. Le dosi sono per 6 persone.

PERE ALLA CREMA DI MASCARPONE

Si tratta della versione italiana dei dolci alla frutta che ho assaggiato la prima volta a sei anni, nel Sud, dove si facevano soprattutto con pesche o more.

Sbuccia e affetta 6 pere medie (o pesche, o mele) e disponile in una teglia da forno imburrata. Spolvera con 1 cucchiaino di zucchero. Mescola a parte 4 cucchiai di

*burro e 1/2 tazza di zucchero finché non montano. Uni-
sci 1 uovo e 2/3 di tazza di mascarpone, infine 2 cucchiai di farina e mescola bene. Versa sopra la frutta e
metti in forno a 130° per 20 minuti. Dose abbondante
per 6 persone.*

CORTONA, CITTÀ NOBILE

Gli italiani hanno sempre vissuto sopra ai negozi. Anche i *palazzi* delle famiglie più importanti hanno al pianterreno dei locali a volta con resti di banconi ad altezza di vita, per la vendita di pesce conservato sottosale in un barilotto, o maiale ripieno (commercio che al giorno d'oggi si svolge sui banchi di appositi camion aperti di lato, nei mercati o sui bordi delle strade). Mi piace, passando, far scorrere la mano su quelle pietre consumate. E il vino che il signorotto produceva veniva venduto nel suo stesso palazzo da speciali finestrini a livello stradale. I primi piani di alcuni grandi edifici erano adibiti a magazzini. Oggi la mia banca di Cortona è al pianterreno di palazzo Laparelli, che ha fondamenta etrusche. Dalle finestre spalancate, all'ultimo piano, si scorgono antichi candelabri illuminati. Spesso chi ci abita sta affacciato – magari tre persone sullo stesso davanzale – a veder trascorrere in questa piazza un altro giorno di storia. I negozi sulla strada principale – ferramenta, casalinghi, alimentari, abbigliamento – si aprono tutti alla base di antichi palazzi. E per molti edifici probabilmente è sempre stato così.

Sulle facciate si notano le tracce dei continui cambiamenti che i vari proprietari hanno apportato nel corso del tempo: la porta va meglio qui, no qui; l'arco potrebbe diventare una finestra; e non sarebbe opportuno unire questo edificio a quello accanto, oppure, adesso che siamo nel Rinascimento, aggiungere una nuova facciata che seguiti oltre le tre case medioevali? Il mercato del pesce di epoca medioevale è ora un ristorante, il teatro privato rinascimentale uno spazio espositivo;

e il lavatoio pubblico attende ancora il getto dell'acqua e le donne coi cesti della biancheria.

Ma l'orologiaio, nella sua stanzina di un metro e mezzo per due, sotto la scalinata dell'XI secolo, è stato sempre lì, anche se adesso si trova magari a cambiare la batteria dello Swatch di uno studente straniero. Soffiava il vetro, e raccoglieva a Populonia la sabbia per le sue clessidre. Conosce perfettamente il meccanismo degli orologi ad acqua. Non l'ho mai visto in piedi: la sua schiena dev'essere un arco, ormai, a forza di stare piegato per così tanti secoli sui minuscoli congegni. Dietro le lenti spesse la faccia non si vede quasi, ma gli occhi sembra stiano per balzare in avanti. Quando mi capita di fermarmi davanti al suo negozio, lo vedo lavorare alla luce che spiove direttamente sui microscopici ingranaggi; davanti a lui, talvolta, i numeri delle ore caduti dal quadrante, i quattro, i cinque, i nove sparpagliati sul tavolo.

Forse anche la mia attività di insegnante è immortale, e io non me ne rendo conto perché il luogo in cui la esercito non ha un lungo passato alle spalle. Di fatto l'edificio dell'università è a forte rischio, in caso di terremoto, ed è destinato a essere demolito. Dovremo spostarci in un nuovo edificio, il prossimo autunno, costruito su uno strato di sabbia, e con una struttura elastica adatta all'area sismica. L'attuale fabbricato che ospita la facoltà di materie umanistiche risale al periodo postbellico, ed è già diventato obsoleto: nel giro di soli cinquant'anni.

Il calzolaio sembra eterno, nella sua bottega che in origine dev'essere stata una cantina: così stretta da contenere il solo banco di lavoro e poi, a portata di mano, lo scaffale con gli utensili, le scarpe e forse, se si fa piccino piccino, un singolo cliente. Vedo uno stivale rosso uguale a quello indossato da un angelo al Museo Diocesano; dei mocassini Gucci, una fila di scarpe di vernice e degli scarponi logori, pesanti quanto un neonato, parrebbe. Una radio degli anni Trenta lo informa del tempo sul resto della penisola, mentre mi lucida i sandali appena riparati dicendomi che dureranno per anni.

Il negozio di frutta e verdura è sempre lo stesso, ci trovo le stesse pesche bianche ogni fine luglio. I fichi adesso sono maturi al punto giusto, e si guastano quasi nel tempo in cui me li porto a casa. Le albicocche, un cestino di piccoli soli; i cespi di lattuga ancora bagnati di rugiada. Forse la piccola Laparelli – una ragazzina che è stata fatta santa e giace incorrotta in una tomba molto venerata – si è fermata qui a prender l'uva, prima di rinunciare al cibo per meglio avvicinarsi alla sofferenza del Cristo. «L'ho colta stamattina nell'orto» le avranno detto, proprio come fa Maria Rita con me, alzando un melone: e io ne annuso il profumo, insieme a quello delle sue mani, pulite nonostante siano così spesso a contatto con la terra. Qualche volta mi conduce nel retrobottega, per farmi sentire come si sta freschi: la seguo in una sorta di stabbiolo per conigli. Molti edifici sono costruiti così, dietro le facciate in cui si aprono vetrine piene di videocamere, abiti di seta o oggettistica Alessi. Ora siamo sotto una scala di pietra, dove c'è il lavandino in cui sciacqua le verdure; scendiamo un altro gradino e ci troviamo in uno stretto locale in pietra che in fondo svolta nel buio. «*Fresco*» dice Maria Rita, sventagliandosi e mostrandomi la sedia tra le cassette di legno, dove si riposa tra un cliente e l'altro. In realtà non ha molto tempo per riposare: la gente compra da lei per le sue gioiose risate, oltre che per l'indubbia qualità dei suoi prodotti. Tiene aperto sei giorni e mezzo la settimana, e in più cura l'orto. Il marito è stato malato, quest'anno, così le cassette le scarica lei, ogni giorno. Sorride già alle otto del mattino, lavando la soglia o togliendo un granello di polvere dalla piramide imponente di peperoni rossi.

Compriamo qui tutti i giorni. Mi dice invariabilmente: «*Guardi, signora*» mostrandomi una carota deforme che le sembra oscena; o un sontuoso cesto di pomodori, o un grazioso mazzo di ravanelli. Nel suo negozio ogni testa d'aglio, limone o anguria sono trattati con estrema cura. Lava e sistema ogni prodotto. Garantisce ai clienti il massimo della qualità. Se prendo le susine (è vietato toccare le merci, nella sua bottega, ma io spesso me ne dimentico), Maria Rita le controlla una per una; e nel caso ne scopra una ammaccata borbotta, ne sceglie un'altra. A ciascun acquisto seguono consigli culinari: non si può fare il minestrone senza la *bietola*; mettici una crosta di *parmigiano* per aumentare il sapore. Tieni queste cipolle a lungo in olio d'oliva e aceto balsamico: sono buonissime sulla bruschetta.

Molti dei suoi clienti sono turisti, che si fermano per comprare un grappolo d'uva o delle pesche. Un uomo sceglie della frutta e poi fa il gesto di volersi lavare le mani. Indica la frutta. Lei capisce che le sta chiedendo dove può lavarla. Gli spiega che è già lavata, e nessuno l'ha toccata, ma il turista, ovviamente, non capisce; così lo porta per il gomito fino alla fontanella pubblica. Trova l'episodio divertente: «Dove crede di essere, se pensa che la frutta non sia pulita?».

Lungo l'intera strada le botteghe artigiane aprono sul davanti le loro porte. Gettando uno sguardo all'interno, ripenso alle corporazioni medioevali, e mi pare che siano attuali ancor oggi. Un giovane sta lavorando all'intarsio di un tavolo del XVII secolo, con figure di foglie e fiori. Taglia il legno di pero con la stessa attenzione di un chirurgo che debba riattaccare un pollice. In un'altra bottega, vicino a Porta Sant'Agostino, Antonio dagli occhi scuri e penetranti sta incorniciando delle stampe a soggetto botanico. Entro per dare un'occhiata e vedo un grazioso specchio poggiato su una mensola. «Posso?» dico, prima di toccarlo. Appena lo prendo, la cornice mi rimane in mano, e il fragile specchio macchiato dal tempo si frantuma al suolo. Vorrei sprofondare. Ma la sua maggior preoccupazione sono i sette anni di guai che mi toccheranno. Insisto per pagare lo specchio, nonostante le sue proteste. Ne farà una coppia di specchi gemelli, dice, riparerà la mia cornice e ci metterà un altro specchio. Esco lasciandolo a raccogliere con attenzione tutti i frammenti.

Mi piace moltissimo sbirciare nei posti in cui restaurano i dipinti. Dai locali emergono acri effluvi; qui due donne in camice bianco ripuliscono le tele dagli strati di sporco accumulatisi nel tempo. Ritoccano le parti danneggiate. I pittori rinascimentali usavano come colori base la polvere di marmo, il gesso, i gusci d'uovo. Qualche volta utilizzavano foglie d'oro con un mordente a base di aglio. Il nero veniva dal nerofumo, da rametti bruciati di olivo o gusci di noce; alcuni rossi da secrezioni di insetti, spesso importati dall'Asia. Altri colori ancora si ricavavano da certi sassi, bacche, noccioli di pesche e vetro. Per stenderli usavano pennelli di cinghiale o di ermellino, piume o aculei. Come si vede, la loro arte spirituale proveniva direttamente dalla natura. Chissà quali moderni processi chimici avvengono, in questo piccolo laboratorio, per ottenere il color gelso di certi abiti, o il lilla dei mantelli, o le vesti di azzurrite.

In minuscoli buchi sparpagliati per la città lavorano gli artigiani del legno. Molti costruiscono tavoli e cassoni servendosi di legno antico. Nessun imbroglio, nessun tentativo di farli passare per vecchi: sanno semplicemente che il legno antico non si crepa, prende meglio colore e cera, in una parola sembra antico, questo sì. Portiamo alcuni utensili ad arrotare in una stanzina fuligginosa in cui il *fabbro* ci chiede scusa perché non ce li può rendere prima dell'indomani. Quando riprendiamo i dieci attrezzi – tra zappa, falce, falcetti ecc. – le lame brillano. Pur tentata, evito di passare il dito sul taglio affilato.

Il sarto non usa occhiali eppure le sue cuciture sembrano miniature. Nel negozietto buio con la macchina per cucire sotto la finestra e i rocchetti allineati sul davanzale, scorgo una bicicletta bianca nuova, con tanto di borraccia per le lunghe gite e due odorose bisacce di pelle da una parte e dall'altra della ruota posteriore. In seguito, però, lo rivedo nel giardino pubblico, che dà da mangiare a tre gatti randagi. Estrae degli avanzi dalle bisacce, li scarta, mentre loro lo guardano speranzosi. Noi due siamo le uniche persone in giro la domenica mattina; la gente del posto è affaccendata altrove. Quando, la scorsa settimana, gli ho portato i pantaloni per farci l'orlo, mi ha mostrato una serie di fotografie attaccate al muro: la giovane moglie, con le labbra dischiuse e i capelli con la scriminatura. *Morta*. La madre come una bambola di biscuit, morta anche lei. La sorella. C'è anche una foto di lui da giovane, in divisa da Guardia Svizzera, coi capelli neri, le gambe divaricate e il petto in fuori. Aveva venticinque anni, a Roma, subito dopo la fine della guerra. Adesso che ne ha cinquanta di più, tutti gli altri se ne sono andati. Accarezza la bicicletta: «Non avrei mai pensato di rimanere l'ultimo» dice.

Cortona occupa quasi sette pagine sull'ottima *Blue Guide: Northern Italy*, grazie alla quale il turista viene condotto a ogni luogo d'interesse in ogni singola strada. Inoltre sono raccomandate varie escursioni oltre la cinta delle mura, nella campagna circostante. Ciascun altare del *duomo* viene descritto seguendo i punti cardinali, così, se dopo aver vagato per strade serpeggianti, sai per caso da che parte è l'est, ti orienti bene e sei in grado di localizzare i recessi più segreti. Il compilatore spiega persino tutti gli affreschi anneriti nell'area del coro. Leggendo la guida sono ancora una volta sopraffatta dall'arte, l'architettura, la storia di una cittadina pur così piccola. Posta in cima alla collina, era un luogo di avvistamento dei nemici come centinaia di altri; che adesso servono per godere straordinari panorami.

Ora che conosco un poco la città, leggo la guida con maggior consapevolezza. Seguo il viale di acacie lungo le mura, dalla parte interna, e subito mi aspetto di vedere le modeste case in pietra su un lato, e dall'altro la magnifica apertura sulla Val di Chiana. Vedo anche il cane a tre zampe che vive in una certa casa, alle cui finestre ci sono sempre mutande enormi stese ad asciugare. Vedo le sedie di bambù che gli abitanti della strada mettono fuori la sera, per guardare il tramonto e le prime stelle. Ieri, passeggiando qui, quasi pestavo un topo morto, non ancora rigido. Dentro una delle case aperte sul vicolo ho scorto una donna seduta al tavolo di cucina, la testa fra le mani. Non ho capito se piangeva o schiacciava un pisolino.

Qualsiasi cosa dicano le guide, un luogo ti resta impresso soprattutto per una questione di odori, di istinto. Di alcuni luoghi non serbo memoria. Li ho visitati seguendo scrupolosamente la guida, segnando a margine i vari itinerari che studiavo la sera per il giorno dopo. All'epoca del mio primo viaggio in Italia ero così eccitata che girai come un turbine per cinque città in due settimane. Mi ricordo ancora tutto: la scoperta del primo caffè espresso a Bologna, sotto i portici, e la sensazione di aspro in gola. Mi arrampicavo su ogni torre, e la sera immergevo nel bidet le mie povere estremità piagate. Rammento Firenze, il ristorante a lume di candela dove assaggiai per la prima volta i ravioli a burro e salvia; i dolci portati in albergo, incartati come un pacco dono; il forte odore di pellame nel negozio in cui comprai il mio primo paio di scarpe italiane (inizio della passione d'una vita); la scoperta del Bronzino in un cantuccio degli Uffizi; la stanza ai piedi della scalinata di piazza di Spagna in cui morì Keats, e io che immergo le mani nella fontana della Barcaccia, pensando che forse anche Keats lo aveva fatto. Di quel viaggio non conservo nulla di scritto; in seguito, invece, ho preso l'abitudine di tenere un diario, perché mi sono resa conto che troppe cose il tempo cancella. La memoria inganna. Mi ricordo pochissimo di tre giorni trascorsi a Innsbruck (i primi freddi autunnali, una bellissima donna dai capelli rossi seduta nel ristorante al tavolo accanto al mio), mentre mi sembra ancora di toccare le pietre di Cuzco. Poco mi resta di Puerto Vallarta, ma lo Yucatan è ancora vivo nella mia memoria. Ho amato le rovine maya viste tra le esalazioni della calura, come una sorta di allucinazione; la grossa iguana che dormiva sulla veranda della mia capanna di paglia; la caparbia solitudine della gente, gli stormi impazziti che facevano saltare l'illuminazione, i nugoli di zanzare che giravano attorno al mio letto e le candele che si consumavano con rapidità estrema.

Per quanto la gita di un fine settimana sia questo e basta, molti viaggi nascondono invece una segreta ricerca. Siamo sulle tracce di qualcosa: ma cosa? Divertimento, fuga, avventura: e poi, che altro? «Questo viaggio mi ha cambiato la vita» diceva mio nipote. Ma lo sapeva sin dall'inizio, e il venire in Italia serviva in qualche modo a suffragare un mutamento che stava avvenendo in lui? Penso di no: probabilmente se ne è reso conto viaggiando. Una delle mie ospiti continuava a fare confronti tra l'acqua, l'architettura, il paesaggio, il vino di qui con quello della sua patria, a sua detta infinitamente migliore. Mi ha infastidito al punto da rendermi sgarbata. Avrei voluto tapparle la bocca, mostrarle il monastero dell'XI secolo e dirle: «Guarda!». Mi è parso che tornasse a casa senza aver visto nulla. Dopo poco mi scrisse che stava divorziando (mentre era qui non vi aveva fatto cenno) dopo quattordici anni di matrimonio con un uomo scoptosi gay. E ripensando al suo atteggiamento, ho capito che derivava da un tentativo disperato di serbare l'idea di benessere di un focolare domestico in via di dissoluzione. Un altro ospite estivo aveva compiuto la tipica maratona di sette nazioni in tre settimane. La tendenza sarebbe di prenderlo in giro, però mi interessa la spinta a compiere un simile *tour de force*, migliaia e migliaia di chilometri in auto. In primo luogo è molto americano: guidare, null'altro che guidare. Andare in fretta e lontano. Dietro viaggi simili c'è un impulso del genere "portatemi via di qui", anche se mascherato da considerazioni come: "Voglio vedere il più possibile, così so dove mi piacerebbe tornare". La destinazione non conta, quanto piuttosto la capacità di stare *on the road*, percorrere strade felici, nei grandi spazi in cui nessuno sa, o capisce, o ti chiede dei tormenti che ti hanno prostrato, rendendoti furioso come una lucertola con un sasso sulla coda. Le persone viaggiano per molti motivi, tanti quanti sono quelli per cui rifiutano di viaggiare. «Sono felice di essere stata a Londra» mi ha detto un'amica del college. «Così non sono costretta a tornarci.» Esattamente agli antipodi sta la mia amica Charlotte, che, diretta in Tibet, ha attraversato la Cina sul rimorchio di un camion. Nel suo poema *Words from a Totem Animal*, W.S. Merwin sfiora il cuore della questione:

> *Fammi vivere un'altra vita,*
> *Signore, perché questa si sta spengendo,*
> *non credo che arrivi fino in fondo.*

Una volta giunti in un luogo, questo viaggio all'interno di sé può avvenire oppure no. Qualcosa deve renderlo tuo, qualcosa di ineffabile che nessuna guida potrà trasmetterti mai. Eppure è semplice, come il riflesso sui volti delle tre donne che procedevano allacciate, mentre la luce del tardo pomeriggio spioveva su Rugapiana. Una luce che sembrava toccare ciascuno come una benedizione. Anch'io volevo immergere il mio corpo in un simile fiotto di luce.

L'approccio ideale alla mia nuova città è vedere per prima cosa le tombe etrusche giù in pianura. Risalgono a un periodo che va dall'800 al 200 a.C; sono situate vicino alla stazione di Camucia e sulla strada per Foiano, dove il custode non accetta mai mance. Forse è di cattivo umore perché passa lugubri notti accanto alle tombe. La sua piccola casa colonica, con un appezzamento di terreno coltivato a fagioli e un'aia in cui vagano libere le galline, è quasi un tutt'uno con la *tomba*, che alla luce della luna dimostra la sua antichissima età. Un po' più in alto sulla collina, un cartello giallo arrugginito indica la cosiddetta tomba di Pitagora. Accosto la macchina e mi avvio lungo un torrente, finché non raggiungo un breve viale di cipressi che porta alla tomba. C'è un cancello, ma sembra che nessuno si dia la pena di chiuderlo mai. Mi siedo su una piattaforma formata da un lastrone di pietra rotondo. Le nicchie che accoglievano i sarcofagi messi in posizione verticale assomigliano al tabernacolo in fondo alla mia strada. Il soffitto è semidiruto, ma ne resta abbastanza da poter intuire la forma della cupola. Penso che sono all'interno di una costruzione eretta almeno duemila anni fa! Una grossa pietra sulla porta ha la forma di una perfetta mezzaluna.

Il mistero degli etruschi! Prima di venire in Italia, di loro sapevo soltanto che erano vissuti in epoca preromana, e che la loro scrittura era indecifrabile. Costruivano usando il legno, così dei loro edifici era rimasto ben poco. Mi sbagliavo quasi su tutto: non sono state rinvenute molte iscrizioni etrusche, ma ora esistono parecchi testi tradotti, grazie alla fondamentale scoperta di alcune strisce di lino che avvolgevano una mummia egizia, approdata a Zagabria come oggetto curioso e quindi conservata nel locale museo. Resta un mistero in quale modo un pezzo di lino etrusco, che reca un testo scritto con un inchiostro fatto di fuliggine o carbone, sia diventato il sudario di una giovane. Forse gli etruschi sono emigrati in Egitto dopo la conquista romana, intorno al I secolo a.C., e la ragazza era in realtà etrusca. O forse il lino era semplicemente un rimasuglio che gli imbalsamatori hanno trovato e riutilizzato, dopo averlo tagliato a strisce. La mummia aveva addosso abbastanza scrittura etrusca da fornire parecchie chiavi, anche se siamo lontani da una traduzione completa. Peccato che quello che hanno lasciato inciso sulla pietra siano solo epitaffi o notizie politiche. Un amico mi ha detto che l'anno scorso un geometra di queste parti ha scoperto un tavoletta di bronzo con un testo etrusco: stava sovrintendendo al restauro di una fattoria e gli è capitata sotto i piedi. Se l'è portata a casa, ma la polizia, udito il fatto, l'ha chiamato la sera stessa e l'ha costretto a consegnarla agli archeologi.

Ritrovamenti etruschi continuano a susseguirsi tuttora. Nel 1990 è stata scoperta, accanto a una delle tombe, una scala di pietra con sette gradini; da un lato e dall'altro, due leoni giacenti con parti antropomorfe: probabilmente una visione del mondo degli inferi. Di Chiusi (come Cortona, una delle dodici città etrusche della zona) solo recentemente hanno disseppellito la cinta muraria. Sia Cortona sia Chiusi posseggono vaste collezioni di oggetti etruschi, figure di bronzo, trovati negli scavi archeologici o da contadini intenti ad arare. A Chiusi il custode del museo si offre di accompagnarti a visitare qualcuna delle numerose tombe scoperte nei dintorni. I romani consideravano gli etruschi bellicosi (ma loro non lo erano?), così ce ne hanno tramandato l'immagine con questa stimma. Le tombe, invece, coi giganteschi cavalli di argilla, le figure di bronzo e gli oggetti di uso domestico dimostrano che erano anche un popolo allegro e fantasioso. Sicuramente era gente robusta. Hanno lasciato ovunque mura e tombe costruite di meravigliose, enormi pietre.

Le tombe rinvenute non lontano da Cortona sono dette popolarmente *meloni*, per la caratteristica forma semisferica. Stare in una di esse ti serve ad assimilare un certo senso del tempo, e ti prepara per la visita di Cortona.

Mi lascio le tombe alle spalle e mi dirigo sulla collina; la strada, inizialmente poco ripida, séguita poi in una serie di tornanti. Mentre salgo osservo i terrazzamenti di olivi, la torre merlata del Palazzone, dove Luca Signorelli cadde da un'impalcatura e morì pochi mesi dopo; i resti di una torre di guardia e le fattorie dai dolci colori. Morbide sfumature, la pietra calda, gli olivi che mutano tonalità dal verde muschio al platino; e il cielo un po' velato dalla caligine che sale dal lago. In luglio i campi di grano appena mietuto accanto agli oliveti diventano fulvi quanto il mantello d'un leone. Osservo Cortona, il suo profilo nobile come quello di Nefertiti. Dapprima sono sotto la grande chiesa rinascimentale di Santa Maria del Calcinaio, poi, percorsa una strada che gira a 280°, raggiungo il suo stesso livello; infine mi trovo al di sopra, con una vista sulla cupola argentata e la pianta a croce latina. La chiesa fu costruita dalla corporazione dei calzolai, a seguito dell'apparizione del volto della Madonna sul muro di una delle loro botteghe. Si chiama Santa Maria del Calcinaio perché è stata eretta nel punto in cui c'era la vasca col latte di calce, in cui si immergevano le pelli per la concia. Curioso quante aree sacre rimangono tali: la chiesa poggia su resti etruschi, forse un tempio o una necropoli.

Un rapido sguardo alle mie spalle, per vedere come sono salita in alto: la Val di Chiana apre ai miei piedi il suo ventaglio di verde. Nelle giornate più limpide riesco a scorgere in lontananza Monte San Savino, Sinalunga e Montepulciano. Potrebbero mandarsi dei segnali di fumo: "*Festa* grande, stasera, accorrete numerosi!". In breve arrivo alle mura nella parte più alta della città, e sempre sulle tracce degli etruschi mi spingo fino all'ultima porta, Porta Colonia, la cui base è costruita con gli immensi blocchi di pietra etruschi, mentre sopra si notano apporti medioevali o più tardi ancora.

Passando velocemente in macchina mi piace sbirciare oltre le porte. In città vendono vecchie cartoline con questi scorci, che sono assolutamente identici ad ora: la porta, la stradina in pendio, i *palazzi* da entrambi i lati. Entrando in città ho la sensazione immediata di essere dentro le mura, dunque al riparo in caso di assalto da parte di Guelfi, Ghibellini, o qualsiasi altro nemico avvistato di lontano, con le armi in pugno... O mi basta il sollievo di essere scampata all'*autostrada* senza che un pirata di passaggio, in una macchina la metà della mia, mi abbia frantumato lo specchietto.

Se vengo in auto salgo per via Dardano, un nome che risale alla notte dei tempi. Dardano, il mitico fondatore della città di Troia, si dice sia nato qui. Mi lascio sulla sinistra una trattoria con quattro tavolini, aperta solo a mezzogiorno. Non c'è menù, ma solo i piatti del giorno. Mi piacciono molto le bistecche non troppo alte, servite su un letto di rucola. E mi piace osservare le due donne, intente a cucinare sulla stufa a legna. E mai che appaia sul loro viso la minima goccia di sudore!

Sono incantata, in questa strada, dalla perfezione delle "porte del morto". La tradizione vuole che da lì venissero fatti passare i morti di peste, infatti era considerato di malaugurio usare il portone principale, quello per i vivi. Probabilmente una simile superstizione risale a un'epoca precedente il cristianesimo. Qualcuno suggerisce invece che le porte, strette e rialzate, servissero in tempo di guerra, quando il *portone* era sbarrato. Mi chiedo se non venissero semplicemente usate in caso di maltempo, per non bagnarsi o sporcarsi gli abiti smontando da cavallo o uscendo dalla carrozza; oppure, anche col sole, per non sciupare una bella gonna di seta trascinandola nella polvere della strada. George Dennis, un archeologo del XIX secolo, descrisse Cortona come "estremamente sordida". Il fatto che le porticine abbiano la vaga forma di una bara conforta comunque la teoria della "porta del morto".

Il *centro* consiste di due piazze irregolari unite da una corta via. Non sembra possibile che sia opera di un urbanista, però ha un suo fascino. Il Palazzo comunale del XIV secolo, con la sua ampia scalinata in pietra a ventiquattro gradini, domina piazza della Repubblica. La sera, la gente si siede sui gradini a mangiare il *gelato*: un ottimo punto di osservazione per godersi il consueto spettacolo serale. Da qui si vede, dall'altra parte della piazza, a un livello più in alto rispetto a noi, la loggia dell'antico mercato del pesce, ora trasformato in ristorante all'aperto, con uno splendido panorama. Tutt'intorno si ergono armoniosi palazzi, tra cui si aprono le tre strade provenienti dalle tre diverse porte della cinta muraria. Strade piene di voci, di suoni, brulicanti di vita. E grazie all'assenza o quasi delle automobili risulta esaltata la presenza dell'uomo. Prima assimilo il profilo architettonico dell'insieme, poi mi rendo conto che i bassi edifici sono perfettamente adeguati al corpo. Il corso principale – via Nazionale, ma nota come Rugapiana – è sempre chiuso al traffico (tranne un breve lasso di tempo, la mattina, per permettere la consegna delle merci); e il resto della città si gira molto male in macchina: troppo strette le strade, troppo erte. Ogni via è collegata a un'altra più in basso o più in alto mediante un angusto passaggio, un *vicolo*. Persino i nomi dei vicoli mi spronano a visitarli uno per uno: Vicolo della Notte, Vicolo dell'Aurora e Vicolo della Scala, una scalinata di bassi gradini, appunto.

Nelle antiche cittadine toscane non ho la sensazione di risalire il corso del tempo, come mi è accaduto in Iugoslavia, in Messico o in Perú. I toscani vivono nel tempo attuale, solo che hanno avuto il buon senso di portarsi dietro il proprio passato. Se la cultura americana ci insegna a tagliarci i ponti alle spalle (e così facciamo), quella italiana suggerisce di passarli e ripassarli, quei ponti. Una persona morta di peste nel XIV secolo, uno dei defunti portati fuori dalla porta del morto, ritroverebbe oggi la sua casa, e forse intatta. Qui il presente e il passato coesistono. Fino all'anno scorso l'antica insegna dei Medici, sulla piazza, aveva accanto la falce e il martello della sede del Partito Comunista.

Da piazza della Repubblica, attraverso la piccola strada di collegamento, mi ritrovo in piazza Signorelli, dal nome di uno dei figli illustri di Cortona. Appena più grande della precedente, il sabato, giorno di mercato, si riempie di persone. E d'estate ospita anche una fiera antiquaria, la terza domenica di ogni mese. Due bar hanno i tavolini all'esterno. Mi capita sempre sotto gli occhi il simbolo della signoria fiorentina, il leone rampante – dall'aspetto invero alquanto sconsolato – che va lentamente erodendosi su una colonna. Per quanto tardi scenda in città, in piazza Signorelli trovo comunque moltissima gente: un ultimo caffè prima dei rintocchi della mezzanotte.

Qui il *comune* organizza talvolta dei concerti serali: e la piazza si riempie ulteriormente di persone venute da fuori, dalle vicine *frazioni* o dalle case coloniche dei dintorni. Stasera è in programma un coro gospel di neri americani: curioso, per una città che conta un tal numero di chiese cattoliche... Ovviamente non si tratta di un qualsiasi gruppo di battisti provenienti da chissà quale chiesa del Sud, bensì di un coro professionista di Chicago, con tanto di riflettori rossi e blu e cassette in vendita a ventimila lire. Cantano a squarciagola *Amazing grace* e *Mary don't you weep*. L'acustica è tutt'altro che perfetta, il suono si deforma contro gli edifici dell'XI e XII secolo che circondano la piazza. Il luogo è usato anche per giostre e sbandieratori, o, in occasione di certe festività religiose, qui i vescovi reggono alte le reliquie dei santi, i preti oscillano i turiboli con l'incenso e ti ritrovi a camminare per l'intera città sui petali di fiori gettati dai bambini. I tecnici del suono regolano i microfoni e la voce solista comincia a coinvolgere il pubblico: «Ripetete insieme a me» dice in inglese, e la gente obbedisce. «*Praise the Lord. Thank you, Jesus.*» Cortona fu liberata nel 1944 dalle forze inglesi e americane. Fino a stasera non era mai capitato che tanti stranieri si radunassero qui, soprattutto non così tanti neri. Sono già molti i componenti del coro; inoltre, in preda d'un attacco di nostalgia, si sono riversati in piazza anche gli studenti dell'università della Georgia, che seguono a Cortona un programma di storia dell'arte. C'è poi qualche turista, e quasi tutti i cortonesi. «*Oh, happy day*» intona il coro, trascinando una ragazza italiana sul palcoscenico a cantare insieme a loro. Ha una voce potente che tiene facilmente testa alle altre; il suo esile corpo sembra intessuto di sonorità. Che cosa staranno pensando, i cortonesi di antichissima stirpe? Rammentano forse i carriarmati che entrano in città – *oh, happy, happy day* –, i soldati che buttano le arance ai bambini? O cantano e basta, si dondolano inneggiando al Gesù degli americani, un Gesù alla buona, abbandonati sulla sua spalla al ritmo della musica?

Il punto focale della piazza è palazzo Casali, ora Museo dell'Accademia Etrusca. Il pezzo più famoso qui conservato è un lampadario di bronzo del IV secolo a.C., dal complesso disegno. Una testa di gorgone, al centro, rifornisce di olio le sedici lucerne intorno; e tra di esse vi sono figure di animali, un Dioniso cornuto, delfini, uomini nudi accovacciati, *in erectus*, sirene alate. Tra due lucerne compare una parola etrusca, *tinscvil*. Secondo il testo di James Wellard, *The Search of the Etruscans*, Tin era lo Zeus degli etruschi e la scritta sarebbe traducibile con "Salute a Tin". Il lampadario fu rinvenuto nel 1840, in un campo vicino Cortona. Nel museo è appeso con uno specchio sopra, in modo da darne una visione completa. Una volta sentii una donna inglese che diceva: «Certo, è interessante, ma non lo comprerei mai, neppure a una vendita di beneficenza». Nelle teche sono esposti calici, vasi, bottiglie, un meraviglioso maiale di bronzo, un uomo a due teste; in molte vi sono bronzi di soldati del VII e VI secolo a.C., di cui qualcuno del *tipo schematico*, uno stile di figura molto allungata che ricorda il contemporaneo Giacometti. Oltre alle collezioni etrusche, il piccolo museo ha una serie insospettabile di mummie e oggetti egizi. Sono talmente tanti i musei con reperti egizi, che alle volte mi chiedo se qualcosa dell'antico Egitto sia andato perduto. Mi piace tornare a vedere alcune pitture che amo: uno è il ritratto a encausto di Polimnia, in abito azzurro e corona di alloro; a lungo fu creduto romano, del I secolo d.C. È la musa della poesia sacra, e l'espressione pensosa sembra riflettere su un simile onere. Adesso gli studiosi lo ritengono un'ottima copia del XVII secolo. Il responsabile del museo, però, non ha cambiato la data nella didascalia.

Stemmi nobiliari con cigni scolpiti, pere e animali fantastici coprono il fianco destro di palazzo Casali. Una breve via conduce quindi al duomo e al Museo diocesano (ex chiesa del Gesù), in cui entro di tanto in tanto. L'autentico tesoro è l'*Annunciazione* del Beato Angelico, con un meraviglioso angelo dai capelli fulvi. Dalla sua bocca esce una frase latina che raggiunge la Vergine; e la risposta di lei segue il medesimo cammino, ma si presenta alla rovescia. Si tratta di uno dei più bei dipinti del Beato Angelico, attivo a Cortona per una decina d'anni: questo trittico e una sbiadita lunetta sulla porta di San Domenico sono quanto resta del suo lavoro qui.

A destra di palazzo Casali c'è il teatro Signorelli, di costruzione recente (1854), ma in uno stile quasi rinascimentale, con un portico che costituisce per i venditori di ortaggi il rifugio ideale dal sole o dalla pioggia. La sala del teatro sembra uscita direttamente da un romanzo di García Márquez: di forma ovale, a gradinate, coi palchi e le poltrone tappezzate di rosso, e un piccolo palcoscenico su cui una volta vidi una compagnia di balletto russo pestare per due ore di fila. In inverno viene usato come cinema. A metà pellicola la proiezione si interrompe; la gente si alza e va a prendersi un caffè, chiacchiera per un quarto d'ora. Difficile tacere per due ore, se provi gusto nel parlare. In estate le proiezioni avvengono *sotto le stelle*, nel parco pubblico. In un anfiteatro di pietra vengono sistemate delle sedie di plastica arancione: una sorta di *drive-in* senza macchine.

Da entrambe le piazze si dipartono alcune vie. Di qui si va verso le dimore medioevali, di là alla fontana del XIII secolo; e da quella parte alle piazzette e poi su verso i conventi e le piccole pievi. Imbocco di volta in volta ciascuna delle strade, e sempre mi capita di notare qualcosa di nuovo. Oggi un vicolo dal nome di Polveroso, anche se lo è più o meno quanto qualsiasi altro.

Se siete in gran forma, potete spingervi nella parte alta della città. E anche dopo pranzo, sotto il sole a picco, ne vale la pena. Supero l'ospedale medioevale con il suo lungo porticato, formulando tra me la preghiera di non dovermi mai operare di appendicite lì dentro. Alle ore dei pasti le donne entrano in frotta portando piatti coperti e vassoi: se sei in ospedale, sembra normale che la famiglia ti fornisca il cibo. Segue la chiesa di San Francesco, chiusa da tempo immemorabile, la cui austera pianta è stata disegnata da frate Elia, compagno di San Francesco. Su un fianco, lungo il muro, si notano le tracce delle arcate di un chiostro. Si sale ancora, attraverso viuzze pulitissime, fiancheggiate da case ben tenute. Appena dispone di un metro e mezzo di terreno, la gente pianta i pomodori, che si arrampicano sui sostegni di canne, o cespi di lattuga. La pianta in vaso preferita in questa zona, oltre al geranio, è l'ortensia, che cresce a cespuglio e ha sempre una colorazione rosata. Spesso le donne stanno sedute sulla soglia a sgusciare fagioli, o a rammendare la biancheria, chiacchierando con la donna della porta accanto. Un giorno ho visto una vegliarda tutta vestita di nero, scialle nero, curva sulla poltrona di bambù; poteva avere 1.700 anni. Avvicinandomi ancora, mi sono resa conto che stava parlando con un telefono cellulare. Al numero 33 di via Berrettini una targa avverte che lì è nato Pietro Berrettini; solo molto dopo ho capito che si tratta di Pietro da Cortona. Due piazze ombrose sono circondate da vecchie case nello stile locale, con davanti graziosi giardini. Se vivessi qui vorrei quella con il tavolo di marmo sotto la vite canadese, ai vetri le tendine bianche inamidate. Una donna con un'elaborata crocchia scuote un panno dalla finestra. Sta apparecchiando la tavola per il pranzo; il profumo del suo ragù si spande per tutta la via come un invito, e io guardo bramosa la tovaglia verde a scacchi e la bottiglia di vino locale che lei piazza al centro con gesto deciso.

La chiesa di San Cristoforo, quasi in cima, è la mia preferita. È antichissima, risale forse al 1192, e ha fondamenta etrusche. Da fuori ammiro una piccola cappella con un affresco dell'Annunciazione. L'angelo, appena atterrato, ha maniche color acqua e gli abiti ancora svolazzanti. La porta della chiesa è sempre aperta. In realtà quasi aperta, solo socchiusa, così mi fermo un istante prima di entrare. La pianta è romanica;

all'interno la balconata con l'organo, in legno lavorato e dipinto, è una toccante, semplice interpretazione del Barocco. Un affresco stinto, dalla prospettiva stranamente appiattita, mostra un Cristo crocifisso. Sotto ogni ferita un angelo regge una coppa per raccoglierne il sangue. Sono molto casalinghe, queste pievi di campagna. Mi piacciono i barattoli di vetro (oggi sei) sull'altare, coi fiori dalle teste recline; o la pila di riviste cattoliche sotto l'affresco dell'Annunciazione. Qui la Madonna leva entrambe le braccia, all'annuncio angelico; sul suo volto, un'espressione incredula. Il fondo della chiesa è immerso nell'oscurità. Sento un lieve russare: un uomo sta schiacciando un pisolino nell'intimità dell'ultima panca.

Sul retro di San Cristoforo si gode una stupenda vista della valle, attraversata in diagonale dalle mura della fortezza, straordinariamente alte. Come hanno fatto a rimanere in piedi così a lungo? Il castello mediceo sta appollaiato in cima al colle, e questa parte di mura scende ripida verso la pianura. Salgo per la strada che conduce alla porta Montanina, anch'essa etrusca, e la più alta della cinta. Qualche volta ci passo, per andare in città. La mia casa è dall'altro lato della collina, e da qui la strada per arrivarci è praticamente in piano. Mi piace attraversare la parte alta della città senza dovermi inerpicare. Una delle gradevoli soste nella mia passeggiata è Santa Maria Nuova. Come Santa Maria del Calcinaio, questa chiesa è costruita su una larga spianata sotto la città. Dalla strada di porta Montanina osservo sotto di me la sua solida struttura, le curve armoniose e l'elegante cupola di bronzo e ceramica invetriata che brilla al sole. Anche se Calcinaio è più famosa, perché su progetto di Francesco di Giorgio Martini, Santa Maria Nuova appaga maggiormente lo sguardo. Le sue linee trasmettono un senso di saldezza. Sembra si sia posata lì un istante, e stia per riprendere il suo volo miracoloso verso un altro luogo.

Riscendendo dalla porta verso la città, visito un'altra magnifica chiesa, San Nicolò. È più recente, della metà del XV secolo. Come la chiesa di San Cristoforo, contiene pitture dilettantesche ma affascinanti tuttavia. Il pezzo più importante è lo stendardo, opera di Luca Signorelli, dipinto da entrambe le parti: da un lato una Deposizione, dall'altro una Madonna con bambino. Ideato per essere portato in processione, ora lo gira il custode, a richiesta. Nei giorni più caldi la chiesetta è un ottimo luogo di riposo: l'occhio viene soddisfatto, i piedi trovano il fresco del pavimento in pietra. Uscendo vedo, seminascosto, un Cristo di Gino Severini, altro figlio di Cortona. Firmatario del manifesto futurista e di slogan come "Uccidete il chiaro di luna", non mi è facile associare questo pittore con l'arte sacra. I futuristi volevano abolire il passato, erano i profeti della velocità, delle macchine, dell'industrializzazione. In vari bar e ristoranti cittadini avevo già visto poster di quadri di Severini, tutti colore, volute, energia. Poi, sopra un tavolo al Bar Sport, ho notato che la moderna Madonna che allatta il bambino è di Severini, appunto. La donna, diversa da qualsiasi altra Vergine abbia mai veduto, ha seni grossi quanto meloni. Di solito i seni della Madonna sono come staccati dal corpo; spesso sono tondi come palle da tennis. L'originale di Severini, al Museo Etrusco, più che sinistro è banale. Una stanza a parte, dedicata a Severini, contiene un pot-pourri delle sue opere. Niente di notevole, purtroppo, ma un assaggio del suo continuo sperimentalismo: collage alla Braque con ingranaggi, tubi, tachimetri tipici della concezione futurista; un ritratto di donna nello stile di Sargent; disegni accademici e i più noti quadri del periodo cubista. Un paio di teche mostrano opere a stampa e qualche lettera di Braque e di Apollinaire. Nessuno di questi lavori attesta la forza della sua inventiva. Ovviamente tutti i futuristi hanno poi pagato il loro entusiasmo per il fascismo; e il bambino è stato gettato insieme all'acqua sporca del bagno. Hanno anche sofferto della nostra abitudine, sino a tempi recentissimi, di guardare alla Francia per le moderne tendenze dell'arte. Molti bellissimi quadri futuristi sono pressocché ignoti. Per un qualche motivo, negli anni estremi Severini tornò alle sue origini in cerca di soggetti. Penso che esista un virus, nel sangue dei pittori italiani, che a un certo punto li spinga a dipingere Gesù e Maria.

Lasciatomi alle spalle San Nicolò, passo accanto a numerosi conventi quasi privi di finestre (devono avere all'interno vasti cortili), uno dei quali tuttora di clausura. Se ho bisogno di rammendare un merletto, posso metterlo sulla "ruota" di Santa Caterina, e una monaca lo riceve dall'altra parte. Due dei conventi hanno cappelle stranamente moderne. Ai piedi del colle incontro ancora Severini, in un mosaico a San Marco. Sulla strada, infatti, è una Via Crucis disegnata dall'artista: quindici pannelli a mosaico incastonati nei muri, con le varie tappe dell'ascesa di Cristo al Calvario e infine la Deposizione. Al termine della passeggiata (nelle giornate calde mi sembra di averla portata anch'io, la croce) mi trovo al santuario di Santa Margherita, una grande chiesa con annesso il convento. All'interno il corpo della santa è conservato in una bara di vetro. Appare rimpicciolita. I piedi fanno un po' ribrezzo. Eppure quante donne s'inginocchiano davanti a lei! Margherita aveva deciso di digiunare, poi qualcuno la convinse a bere almeno un cucchiaio d'olio al giorno. Girava per le strade confessando a gran voce i propri peccati. Oggi l'avrebbero definita nevrotica e anoressica; allora comprendevano il suo desiderio di eguagliare la sofferenza del Cristo. Si dice che persino Dante sia venuto a farle visita nel 1289, e abbia parlato con lei della propria "pusillanimità". Margherita è così venerata nella regione che sento spessissimo il suo nome, quando le mamme chiamano le bimbe ai giardini pubblici. Una targa vicino a porta Berarda (ora chiusa) spiega che da lì Margherita entrò la prima volta in città, nel 1272.

La strada principale che parte da piazza della Repubblica conduce al parco pubblico. Su Rugapiana si aprono molti caffè e negozietti, i cui proprietari stanno spesso seduti fuori o sono a prendere un espresso lì vicino. Dalla *rosticceria* si spandono profumi tentatori di pollo arrosto, anatra e coniglio. A pranzo fanno grande smercio di lasagne, e l'intera giornata di *panzerotti* ripieni di funghi o di prosciutto e formaggio; uno dei migliori è con salsicce e mozzarella. Superata la rotonda di piazza Garibaldi (quasi tutte le città italiane hanno una piazza con questo nome), hai la prova tangibile, se ancora ne avessi bisogno, che ti trovi in una delle città più civili del mondo: un parco ombroso si stende per un chilometro, frequentato quotidianamente dai cortonesi. Un parco è un luogo fuori dal tempo. Gli abiti della gente, i fiori, la grandezza degli alberi sono cambiati: altrimenti potremmo tranquillamente essere nell'Ottocento. Attorno al fresco getto della fontana, adorna di ninfe che cavalcano delfini, i giovani genitori sorvegliano i bimbi che giocano. Le panchine sono piene di persone che chiacchierano. Spesso un padre sistema la bambina su una bicicletta, e la guarda pedalare traballando, con un'espressione tra preoccupata e divertita. È un angolo tranquillo per leggere il giornale. E i cani ci possono scorrazzare a loro piacimento, la sera. A destra, la distesa della vallata e la curva azzurra del lago Trasimeno.

Il parco termina con la *strada bianca* fiancheggiata da cipressi, a ricordo dei caduti della Prima Guerra Mondiale. Mi avvio verso casa; dopo una camminata di circa un chilometro per la strada polverosa, alzo lo sguardo e vedo, alla fine delle mura medicee, il pezzo di muro etrusco noto come Bramasole. La mia casa prende il nome da esso. Rivolto a sud, come il tempio a Marzabotto, vicino Bologna, il muro faceva forse parte di un tempio dedicato alla divinità solare. Qualcuno del posto ci ha detto che il nome gli è stato dato perché in inverno, dal nostro lato della collina, il sole dura pochissimo. Chissà quanto è antico questo nome, relativo appunto al desiderio di sole... Per tutta l'estate i raggi dell'alba colpiscono la muraglia etrusca. E destano anche me. Oltre al piacere e alla fresca bellezza del sorgere del sole, mi sembra di discernere una remota, primordiale certezza: Ecco, è sorto un nuovo giorno, nessun dio delle tenebre l'ha ingoiato per sempre durante le ore notturne. Un tempio al sole mi pare la cosa più logica che chiunque voglia costruire. Forse il nome risale a ventisei secoli fa, e si riferisce all'antica destinazione del sito. Immagino gli etruschi salmodiare ai primi raggi che compaiono d'oltre il crinale appenninico, e poi, unti di olio d'oliva, trascorrere l'intera mattinata sotto il grande sole mediterraneo.

Nel suo *The Art of Travel*, Henry James scrive di aver percorso questa strada. "Avanzavo sotto il sole feroce, compiendo il giro esterno delle mura. Ho visto degli immani blocchi di pietra, che alla forte luce rimandavano bagliori, tanto che ho dovuto schermarmi gli occhi con vetri azzurri, per poter penetrare nel modo giusto il passato degli etruschi..." Vetri azzurri? L'equivalente ottocentesco degli occhiali da sole? Mi sembra di vederlo, Henry sulla strada bianca, che parla fra sé annuendo gravemente, si spolvera le tomaie; e poi torna in fretta all'albergo, a scrivere il numero di pagine che si è prefisso per la giornata. Seguo il medesimo cammino e tento lo stesso misterioso atto, mi abbandono nella luce del mattino a quel riverbero di un lunghissimo passato.

LA MAREMMA:
NEL CUORE DELLA TOSCANA PIÙ SELVAGGIA

Siamo finalmente pronti a lasciare Bramasole, anche se solo per pochi giorni. I pavimenti sono lustri di cera. Abbiamo ripassato con cera d'api i mobili regalatici da Elisabeth, foderato ogni cassetto con carta fiorentina. Abbiamo comprato al mercato dei copriletti bianchi d'epoca. È tutto a posto. Un sabato ci siamo dedicati alle persiane, le abbiamo tirate giù una per una, e poi lavate e trattate col solito olio di lino, buono a tutto, parrebbe. I fiori di vario genere che ho seminato lungo il muro dei polacchi sono tutti sbocciati, e crescono a dismisura. Viviamo qui. Adesso possiamo cominciare a visitare i dintorni, secondo cerchi concentrici sempre più ampi: quest'anno la Toscana e l'Umbria, il prossimo, forse, il sud Italia. Fino ad ora sono gite nell'ambito della giornata. Siamo pronti per cominciare una riserva di vini, partendo da quelli che abbiamo degustato nei vari posti, insieme ai piatti locali. Molti vini italiani devono essere bevuti subito, così la nostra "cantina" nel sottoscala servirà per le bottiglie speciali. Nella cantina fuori della cucina, invece, terremo le damigiane e le casse di vino di consumo giornaliero.

In Maremma abbiamo intenzione di assaggiare quanti più piatti possibili di cucina tipica, di abbronzarci al sole e di seguire le tracce degli etruschi. Da quando ho letto *Etruscan Places* di Lawrence, anni fa, ho desiderato ammirare il giovane tuffatore, il suonatore di flauto con i suoi sandali, le pantere accosciate; sentire la misteriosa energia, la tangibile *joie de vivre* rimaste sepolte per così tanti secoli. Giorni e giorni abbiamo studiato l'itinerario: ci sembrava di dover compiere un lungo viaggio nell'entroterra, sebbene Tarquinia disti solo centocinquanta chilometri da casa nostra. E a Tarquinia le tombe etrusche sono disseminate su un territorio di parecchi chilometri quadrati; gli archeologi ne scoprono sempre di nuove. Qui ho come la percezione di un tempo che si ripieghi su di me. In Toscana sono tali e tante le cose da vedere, che perdo completamente il nostro senso americano delle distanze; dimentico le autostrade, di cui Ed percorre almeno cinquanta chilometri al giorno, per andare al lavoro. Una settimana non ci basterà. La regione chiamata Maremma, nella parte sud-occidentale della Toscana, non è più paludosa come vuole l'origine del nome. Gli ultimi acquitrini furono bonificati tanti anni fa. Ma essendo state comunque per lungo tempo zone malariche, sono rimaste pressoché disabitate. È la terra dei *butteri*, l'unica costa tirrenica davvero selvaggia; i vasti spazi deserti appaiono interrotti solo da casupole in pietra, rifugio per i pastori.

Arriviamo in breve a Montalcino, da cui si godono viste straordinarie sulle colline all'intorno. Il verde e ondulato orizzonte sembra pressoché infinito. Sulle vie si aprono piccoli spacci di vini. Al di là di ogni porta ti attende un tavolino con la tovaglia bianca e qualche bicchiere, come se il proprietario ti invitasse a fare con lui un brindisi alla buona annata.

L'albergo cittadino è alquanto modesto; più che altro mi terrorizza il fatto che le prese elettriche del bagno sono situate nel vano doccia. Cerco di schizzare il meno possibile, e di rivolgere il getto nell'angolo più lontano: non vorrei friggere prima di aver degustato il vino locale! Il panorama dalla nostra camera ci compensa di tutto: il profilo dei tetti, la campagna sullo sfondo. Il caffè *belle époque* in centro non sembra cambiato in nulla dal 1870: tavolini di marmo, divanetti di velluto rosso, specchi dalle cornici dorate. La cameriera che sta lustrando il bancone ha labbra tumide e indossa una camicetta bianca inamidata coi nastri alle maniche. E cosa potrebbe essere più sensuale di un pranzo a base di *schiacciata* con prosciutto e tartufi e un buon bicchiere di Brunello? Ah, l'assoluta semplicità e dignità del cibo toscano!

Dopo la siesta facciamo una passeggiata fino alla *fortezza* del XIV secolo, ora trasformata in un'ottima *enoteca*. Al pianterreno – la parte più antica, usata un tempo per tenerci balestre e frecce, cannoni e polvere da sparo – hanno allestito una degustazione di vini locali. Fuori è una bellissima giornata di sole, ma nella fortezza filtra una luce crepuscolare, le mura sono umide e imporrate. La musica di Vivaldi ci accompagna mentre beviamo un paio di bianchi (Banfi e Castelgiocondo). Poi, giustamente, mettono Brahms come sottofondo per il vino successivo, il Brunello, di cui proviamo varie marche: Il Poggiolo, Case Basse, e l'antenato di tutti i Brunelli, Biondi e Santi. Un vino vivace, dalla perfetta rotondità, che mi fa venir voglia di correre in cucina a preparare i piatti adatti ad esso: coniglio arrosto con rosmarino e aceto balsamico, pollo con quaranta spicchi d'aglio, pere al vino con crema di mascarpone. La persona che ci serve insiste perché assaggiamo anche qualche vino dolce. Ci appassioniamo a uno chiamato semplicemente "B", e a un'altro, il Moscadello della Tenuta Il Poggione. L'enologo dev'essere stato in precedenza un profumiere. Vini simili non hanno bisogno di alcun dessert, salvo forse una pesca bianca. Oppure, rifletto, con un soufflé al limone si potrebbe attingere al paradiso. O, ancora, il mio dolce preferito del Sud, la *crème brulée*. Compriamo qualche bottiglia dell'eccellente Brunello. Solo il ricordo di quanto costa negli Stati Uniti ci rende indulgenti. A Bramasole abbiamo due spazi nel sottoscala, per tenere il vino. Possiamo stiparci le casse, chiudere a chiave la porta e cominciare a consumarlo dopo alcuni anni. Ma poiché sia Ed sia io non siamo bravi nei progetti a lungo termine, compriamo un paio di casse del meno costoso Rosso di Montalcino, un vino morbido e corposo, da bere subito. Dubito molto che dei vini da dessert ne resti qualcuno, a fine estate.

Nel tardo pomeriggio raggiungiamo in macchina Sant'Antimo, uno di quei luoghi che paiono sorti su terreno consacrato. La distinguiamo da lontano, tra olivi ben curati: un'abbazia romanica di travertino chiaro, dallo stile forte, semplice e puro. Non sembra italiana. Quando Carlomagno passò di qui, una grave epidemia si diffuse tra i suoi soldati. Allora il condottiero fece voto che se Dio l'avesse fatta cessare gli avrebbe eretto un santuario. Così avvenne, e nel 781 costruì effettivamente una chiesa. È forse questo retaggio che conferisce all'edificio attuale, risalente al 1118, le sue slanciate linee francesizzanti. Appena giunti comincia il vespro. Nella navata c'è solo una dozzina di persone, tra cui tre donne che si sventagliano e chiacchierano di continuo proprio alle nostre spalle. Di solito mi affascina l'idea della chiesa come propaggine del salotto domestico o della piazza del paese, ma in questo caso mi giro e le guardo male, perché i cinque monaci agostiniani stanno avanzando a grandi passi, sistemano i libri e cominciano il canto gregoriano. La chiesa altissima e disadorna amplifica le loro voci, mentre l'ultimo guizzo di sole rende il travertino quasi trasparente. La musica mi penetra nelle orecchie, come il canto di un qualche uccello che quasi ferisce. Le loro voci si dispiegano e si rompono, si dividono per poi tornare a riunirsi su un tono basso e continuo. La melodia mi libera la mente da ogni razionalità. Sento che si libra e spazia, cavalca il canto che è come un torrente in piena. Ripenso ai versi di Gary Snyder:

> *state insieme*
> *imparate i fiori*
> *siate lievi.*

Mi volto verso Ed: sta guardando in alto, ai pilastri di luce. Le donne, invece, restano impassibili; forse per loro frequentare questa chiesa è un'abitudine. A metà, infatti, se ne vanno, parlando tutt'e tre insieme. Se abitassi vicino verrei sempre, secondo la teoria che se non ti senti devoto qui dentro non potrai esserlo da nessun'altra parte al mondo. Mi affascina lo zelo con cui i monaci cantano il gregoriano ogni giorno, in corrispondenza delle sei ore liturgiche: cominciano con le *lodi*, alle sette del mattino, e finiscono con la *compieta*, alle nove di sera. Mi piacerebbe trattenermi un giorno intero e non perderne uno. Leggo nel dépliant che chi sceglie di restare un periodo in ritiro spirituale ha a disposizione una foresteria e può mangiare nel vicino convento. Facciamo il giro della chiesa dall'esterno, per ammirare le creature fantastiche sulle mensole del tetto.

La serata è fresca, ideale per percorrere strade polverose ammirando il paesaggio, annusando come un cane fuori dal finestrino il profumo del fieno secco. Giungiamo a Sant'Angelo in Colle, un ristorante gestito dall'azienda vinicola Poggio Antico. Vi si sta svolgendo un pranzo di nozze, le cameriere si danno da fare, il frastuono aumenta sempre più. Ci sistemano da soli in una stanza in fondo; attorno a noi riecheggiano le voci della festa, ma non ci badiamo. Una vasca in pietra è piena di pesche mature, che riempiono la stanza di profumo. Ordiniamo zuppa di cipolle, piccione arrosto, patate al rosmarino e, ovviamente, il Brunello della casa.

Toscana selvaggia è in certo senso un ossimoro. L'intera regione è stata addomesticata ormai da secoli. Ogni volta che lavoro la terra in giardino, penso a quanti lo hanno fatto prima di me. Possiedo una nutrita collezione di frammenti di piatti, un sacco di modelli, così tanti che mi chiedo se le donne continuano a buttare le stoviglie nel mio giardino. Colini di terracotta, pezzi di coperchi, graziosi manici di tazzine e un assortimento di cocci si vanno accumulando su un tavolino che tengo fuori, insieme all'osso mandibolare di un cinghiale e di un istrice. Il terreno è stato pestato e ripestato. Basta guardare i terrazzamenti per capire quanto la collina sia stata rimodellata, per servire all'uomo. Eppure fino a meno di un secolo fa la Maremma era una lunga, piatta striscia costiera abitata solo da *butteri*, pastori e zanzare. La sua *mal'aria* è rimasta associata per sempre a brividi e febbre. Le fattorie, così diffuse nelle altre zone della Toscana, qui sono rare. E il Rinascimento non l'ha quasi sfiorata; in generale le città non mostrano esempi di architettura monumentale, né si fregiano dei nomi di illustri pittori. E la *mal'aria*, ora dolce e fresca, probabilmente ha salvaguardato di più le tombe etrusche. Certo, molte sono state anche qui oggetto di saccheggi, ma la maggior parte resta intatta. Forse gli etruschi erano immuni dalla malaria? È assodato che allora queste regioni erano piuttosto popolate.

La nostra prossima tappa è una villa, trasformata in piccolo hotel, sulla proprietà dell'azienda vinicola Acquaviva, vicino Montemerano. Ed ha spulciato la guida del *Gambero Rosso*, scovando questo paesino e i suoi tre ristoranti. Essendo in posizione centrale rispetto alle cose che vogliamo visitare, decidiamo di fare base qui per alcuni giorni, invece di aprire e chiudere le valigie vagando da un albergo all'altro. Un viale conduce a un vasto giardino, con luoghi ombrosi in cui riposare ammirando il panorama delle vigne. La nostra camera dà proprio sul giardino. Spingo le persiane e penetra intenso il profumo delle ortensie blu. Sistemiamo velocemente gli effetti personali e usciamo di nuovo: ci riposeremo più tardi.

Pitigliano dev'essere certo la cittadina più strana della Toscana. Come Orvieto, è situata in cima a un roccione tufaceo. Ma Pitigliano dà l'idea di un castello di sabbia, sempre sul punto di scivolare nell'abisso. Nessun avventuroso ha il coraggio di guardare giù, mentre sale tenendo d'occhio la strada e il paese al contempo... Il tufo non è una pietra durissima, e capita che ceda, si sgretoli, si stacchi addirittura. Le case di Pitigliano si ergono letteralmente sulla voragine. Inoltre il tufo sotto di esse è pieno di grotte, usate forse come deposito per il bianco di Pitigliano, un vino che certo trae il suo mordente dal suolo vulcanico. In paese il barista ci dice che molte grotte erano tombe etrusche. Oltre al vino, vi tenevano l'olio e gli animali domestici. Le città medioevali avevano una pianta tortuosa, con molti recessi bui; questa è ancora più tortuosa e più buia delle altre. A Pitigliano, nel XV secolo, c'era un'importante comunità ebraica; essendo situata fuori dello

Stato Pontificio, gli ebrei vi si stabilirono per sfuggire alle persecuzioni dei papi. La parte in cui vivevano si chiamava *ghetto*, ma non saprei dire se si trattasse di un ghetto nel senso stretto del termine, come a Venezia, dove gli ebrei dovevano rispettare il coprifuoco, avevano il loro governo e la loro vita culturale separata. La sinagoga è chiusa per restauri, ma non pare che in tal senso stia succedendo granché. Quasi tutto dà l'impressione d'essere in svendita. Nella vita attuale o nella prossima, certo qualcuna di queste case si ritroverà in fondo al baratro. Forse ciò contribuisce all'impressione di tetraggine che il paese mi comunica. Andando via compriamo delle bottiglie di vino bianco locale per la nostra incipiente collezione. Ho domandato quanti ebrei vivevano qui durante la Seconda Guerra Mondiale. «Non lo so, signora» mi è stato risposto, «io sono di Napoli.» Scendendo a valle per la strada serpeggiante, leggo in una guida che la comunità ebraica fu sterminata durante la guerra. Ma non presto cieca fiducia alle guide, e spero che non sia vero.

La vicina, minuscola Sovana mi rammenta una qualche cittadina fantasma della California, salvo che le poche case sulla via principale sono antichissime. Sembra vi siano molte più tombe etrusche che persone. Vediamo un cartello turistico e accostiamo. Un sentiero ci conduce in una zona boscosa, dove un rivo stagnante è la perfetta dimora per la femmina della zanzara anofele. Ci inerpichiamo su un terreno sdrucciolevole, arrancando per un erto pendio. Cominciamo a vedere le tombe: gallerie scavate nel fianco della collina, cunicoli di pietra, regno delle vipere. Gli ingressi rimandano un senso di abbandono secolare. Nessuno cura nulla, non esiste una biglietteria, né guide in attesa di accompagnare i turisti. È come se fossi io a scoprire, ora, questi strani sepolcri, infestati dagli spettri. Tralci di piante rampicanti ricordano la giungla attorno a Palenque, e gli intagli nel tufo hanno lo strano aspetto orientale di certe opere maya, come se in un lontano passato l'arte fosse stata la stessa ovunque. È chiaro che fare l'etruscologo è una buona mossa: intere regioni restano tuttora da scoprire. Ci arrampichiamo per ore, incontrando soltanto una grossa mucca in piedi nel fiumiciattolo, l'acqua alle ginocchia. Quando riaffioriamo ho tutte le gambe graffiate e sanguinanti, ma non una sola puntura di zanzara. Sento che ripenserò a questo posto come un incubo, nelle notti d'insonnia. Alla fine della strada scorgiamo un altro cartello indicatore: da lì si raggiungono le rovine di un tempio, che sembra scavato nel tufo. Ci aggiriamo tra lugubri archi e colonne, parzialmente riportate alla luce e poi abbandonate. Gli etruschi serberanno il loro mistero. Che facevano qui? Una serie di concerti estivi nel parco? Strani riti? La guida dice che in questo tempio viveva forse un aruspice, cioè un sacerdote che divinava il futuro esaminando il fegato degli animali sacrificati. Un modello bronzeo di fegato è stato trovato vicino Piacenza, diviso in sedici parti. Si pensa che gli etruschi dividessero alla stessa maniera anche il cielo, e che sulla base di quello schema progettassero le loro città. Chissà, forse frequentavano questo luogo gli antesignani dei moderni talk show, o si teneva il mercato del pesce. In siti come Machu Picchu, Palenque, Mesa Verde, Stonehenge e adesso qui ho sempre l'oscura percezione di quanto il tempo ci depauperi, e il passato sia davvero irrecuperabile, specialmente in posti in cui sai che è nata una civiltà, una cultura. Non serve a nulla, però continuiamo a dare le nostre interpretazioni. È un desiderio profondamente radicato in filosofi e poeti, quello di formulare teorie dell'eterno ritorno e di un passato che si fa presente. Ha ragione Bertrand Russell, quando dice che l'universo è stato creato cinque minuti fa. Non siamo in grado di ricostruire il menomo gesto di chi ha aperto un varco in questa roccia, né di chi ha posto la prima pietra; il bagliore di un fuoco per cucinare il pranzo, il rimestare in un paiolo, l'odore di un'ascella, il sospiro dopo l'amore... *niente*. Veniamo qui, estremi anelli nella catena delle esistenze. Pur avendo coscienza di ciò, mi stupisco sempre di quanto bado al fatto che la cartina sia ben piegata, che l'indicatore della benzina non cali oltre un certo livello, o se abbiamo prelevato abbastanza denaro: il significato che attribuisco alle cose, quasi non fosse tutto sul punto di scomparire.

Abbiamo visto abbastanza, per oggi, ma non resistiamo a un'ultima passeggiata per l'antica Sorano, anch'essa in bilico su un blocco di tufo. Non si vedono turisti, in questa zona. Le strade sono deserte. Sorano ha lo stesso aspetto che probabilmente aveva nel 1492, quando Colombo scoprì l'America. L'ultimo edificio dev'essere stato costruito proprio intorno a quegli anni. Le stradine sono avvolte in un perenne crepuscolo, una luce grigia che proviene dalla pietra scura; gli abitanti, invece, sono straordinariamente cortesi. Un vasaio ci vede curiosare e insiste perché entriamo nella sua bottega. Compriamo due pesche, e un uomo che sta lavando un cesto d'uva ce ne offre un grappolo. «*Speciale!*» ci assicura. Due persone si fermano per aiutarci a uscire da uno stretto parcheggio, una ci avverte quando muoverci, l'altra quando fermarci.

Entrando nel parcheggio vicino al giardino di Acquaviva ci sentiamo sporchi e stanchi. Prima di cena facciamo una doccia, ci cambiamo e beviamo un bicchiere del locale bianco di Pitigliano sulle confortevoli poltroncine all'aperto, guardando il sole tramontare dietro la collina, proprio come due etruschi di millenni fa.

Montemerano, una bellissima cittadina fortificata, dista solo pochi minuti. Ha la consueta chiesa del XV secolo con l'indispensabile Madonna, sebbene un po' diversa. È detta *Madonna della gattaiola*: in basso, infatti, si nota un buco attraverso il quale il gatto può uscire dalla chiesa. Per le strade c'è il paese intero. In centro alcuni ragazzi suonano il jazz, e la proprietaria del bar sbatte la porta: certo ne ha abbastanza. Tutti si girano quando un uomo alto e ben portante, in stivali da cavallerizzo e maglietta attillata, attraversa a grandi passi la piazza. Appare riservato e distante. Noto che passando si guarda di sfuggita in una vetrina.

Abbiamo una fame da lupi. Appena batte la magica ora delle diciannove e trenta e il ristorante apre i battenti, ci precipitiamo dentro. Siamo gli unici, nell'Enoteca dell'Antico Fran-

181

toio, un vecchio frantoio per le olive ora rimodernato al punto da parere una riproduzione di se stesso. Anche se ha perduto l'atmosfera originale, il risultato è un ampio locale tipo ristorante della Napa Valley: così ci sentiamo a casa. Il menù mostra le sue radici maremmane: *acquacotta*, un piatto diffuso in tutta la Toscana, zuppa di verdura con sopra un uovo; *testina di vitella e porcini sott'olio, pappardelle al ragù di lepre, cinghiale in umido alle mele*. In molte *trattorie* toscane i menù sono circa i medesimi: la solita pasta al *ragù*, o a burro e salvia, al pesto, pomodoro e basilico; l'usuale scelta di carni al forno o alla griglia, i *contorni* a base di patate fritte, spinaci e insalata. In Maremma, regione meno organizzata e meno frequentata dai turisti, la cucina toscana è più vicina alle sue origini, il cacciatore porta a casa la selvaggina, il contadino usa ogni parte dell'animale, la zuppa è fatta di un pugno di verdure e un uovo. Di solito cose come quelle succitate non si trovano, nei ristoranti; né il *capretto* o il *fegatello di cinghiale*. Il Frantoio, invece, ce le offre, insieme a pietanze più delicate: *ravioli di radicchio rosso e ricotta* o *sformato di carciofi*. Cominciamo con *crostini di polenta con purè di funghi porcini e tartufo*, sostanziosi e saporiti. Ed ordina coniglio arrosto con pomodori, cipolle e aglio; io azzardo il capretto. Squisito. Il vino locale è il Morellino di Scansano, nero come quello di Cahors: una scoperta, per noi. Quello della casa è il Morellino Banti, dal gusto rotondo. Adesso sì che mi sento compiutamente felice.

La mattina dopo vivo uno dei momenti più belli della mia esistenza: ci alziamo alle cinque e andiamo alle cascate di acqua calda vicino Saturnia. A quell'ora non c'è nessuno (il direttore dell'albergo ci avverte che più tardi si riempirà di gente). Lungo la parete di tufo scende un'acqua azzurra e pulita, che ha scavato la roccia in molti punti, in modo da formare delle piscinette naturali in cui stare a mollo. La prima volta che mi hanno parlato delle cascate, ho pensato che ne sarei emersa puzzolente come un uovo marcio; invece la componente solforosa non è eccessiva. La corrente ha forza abbastanza da massaggiarti ma non da trascinarti via. Felicità. Dove sono le ninfe delle acque? Qualsiasi effetto curativo attribuiscano a quest'acqua, sono sicura che funziona. Dopo un'ora mi sento come se non avessi più struttura ossea. Sono completamente rilassata, non ho neppure voglia di parlare. Mentre ce ne andiamo arrivano altre due macchine. Tornati ad Acquaviva, facciamo colazione in terrazzo: spremuta d'arancia, pane alle noci, toast, una fetta di torta, caffè e latte caldo. Difficile muoversi. Solo il richiamo degli etruschi ci spinge ad alzarci, cartina alla mano.

Tarquinia non è più in Toscana, ma qualche chilometro al di là del confine col Lazio. La strada per arrivarci è orribile, iperpopolata e piena di fabbriche. Mi sembra assai più arduo riconoscere gli etruschi qui che nella verde, irreale Maremma. Il traffico ci infastidisce, dopo tante strade deserte. Siamo dunque nella vivace città di Tarquinia, dove, in un palazzo del XV secolo, sono esposti infiniti oggetti trovati nelle tombe. Stupefacenti, fantastici i due cavalli alati in terracotta del III o IV secolo a.C.: solo loro valgono il viaggio. Furono rinvenuti nel 1938 vicino ai gradini di un tempio, ora ridotto a due file sovrapposte di blocchi di calcare. I cavalli dovevano aver avuto funzione meramente ornamentale. Mi chiedo che legame ci sia con Pegaso, il cavallo alato che fece sgorgare la sacra fonte Ippocrene battendo in terra con lo zoccolo, e che sempre è stato oggetto d'ispirazione per l'arte e la poesia. Questi cavalli sono poderosi, coi muscoli in rilievo, le costole, i genitali, e due ali piumate. Il percorso cronologico nel museo mette in luce il momento in cui subentrano influenze attiche, e gli etruschi cominciano a utilizzare sarcofagi in pietra, molto diversi dai precedenti. Tutto, dalle urne funerarie ai fornelli per bruciare le essenze, trasmette un senso di creatività e di energia. Per evitarne l'ulteriore deterioramento, molte pitture sono state staccate dalle pareti delle tombe e portate qui. La tomba del *Triclinium*, con il musicista impettito e il giovane danzatore che sembra avvolto in uno scialle leggero, scioglierebbe il cuore a una pietra. In quasi tutti i musei dopo due ore mi accascio, vago gettando occhiate qua e là, a cose che all'inizio mi avrebbero trattenuto alcuni minuti. Decidiamo di tornare una seconda volta, perché c'è troppo da vedere.

I siti delle tombe sono luoghi simili a tanti altri, le necropoli come dependances attaccate alle case. Le strutture costruite per facilitarne la visita sono semplici ingressi e una rampa di scale per scendere in basso. Le tombe sono illuminate. Ci dispiace che oggi ne siano aperte solo quattro. Perché? Nessuno sa darci una spiegazione. Fanno dei turni, ecco tutto. Adesso siamo sicuri di tornare, perché oggi non è visibile la tomba del Pescatore e del Cacciatore. Visitiamo la tomba del Fior di Loto, con ornamenti quasi stile Art-Déco; quindi la tomba delle Leonesse, famosa per l'uomo giacente che tiene in mano un uovo, simbolo della resurrezione nel concetto cristiano: il guscio si rompe come la tomba si aprirà. Anche qui immagini di danzatori. Noto i loro elaborati sandali, con i legacci che salgono incrociati attorno alle caviglie: proprio come quelli che porto io oggi. Gli italiani, mi domando, hanno sempre amato le calzature? Siamo fortunati: riusciamo a visitare la tomba dei Giocolieri, che ha un'aria piuttosto egizia; una figura femminile dai tratti orientali sembra una danzatrice del ventre. Nella tomba a due vani detta delle Orche resta, tra molte scene sbiadite di banchetto, un sorprendente ritratto di donna di profilo con corona di olivo.

Dopo esserci parcamente rifocillati ci dirigiamo verso Norcia, sito – ci informano – di molte recenti scoperte. Ci si presenta come abbandonata da decenni. Il segnale turistico, mezzo divelto, punta al cielo. Dopo aver vagato a destra e a manca, finalmente un contadino ci indica la giusta direzione. Parcheggiamo in fondo a una strada sterrata e ci avviamo lungo un campo di grano. Pochi metri, e ci si para davanti una testa di capra mozzata, coperta da un nugolo di mosche. Almeno è un segno: antico sacrificio agli dei. «Questo posto sta diventando spettrale» dico mentre ci guardiamo intorno. Il terreno si fa sempre più scosceso, penso a come sarà dover affrontare il cammino inverso. Un pezzo di ringhiera arrugginita ci conforta comunque sul fatto che abbiamo preso la direzione giusta. Sempre più ripido: per non scivolare siamo costretti a reggerci ai tralci delle viti. Ma non ne abbiamo viste abbastanza, di queste tombe etrusche? A un certo punto la strada torna in piano; scorgiamo davanti a noi le tetre bocche sul fianco della collina, e poi l'intrico delle piante rampicanti, dei cespugli. Ci avventuriamo in due di esse, rompendo con un bastone enormi ragnatele. Dentro è buio pesto: come in una tomba, appunto. Distinguiamo i lastroni di pietra e le fosse che accoglievano i corpi e le urne. Adesso sarà il regno delle vipere. Camminiamo per un altro chilometro circa. Le tombe sono più numerose che a Sovana e si aprono sulla collina a vari livelli. Mi invade un oscuro senso di pericolo. Voglio andar via. Chiedo a Ed se secondo lui si tratta di un luogo stregato: «Di sicuro» mi fa. «Andiamocene.» La via del ritorno è terribile, secondo le mie previsioni. Ed si ferma a togliersi della terra da un mocassino e scivola fuori anche un osso color rosso scuro. Arriviamo al punto dove abbiamo visto la testa di capra, ma non ce n'è più traccia; la macchina non dista molto. Accanto alla nostra ne troviamo parcheggiata un'altra, con dentro una giovane coppia che si bacia e si rotola, tanto che nemmeno si accorgono di noi. Questa scena scaccia l'aura negativa; rientriamo in albergo, ne abbiamo abbastanza di voodoo etrusco.

Ah, l'ora di cena! La mia preferita... Stasera andiamo da Caino, e ci aspettiamo che sia l'apice del viaggio. Prima di dirigerci verso Montemerano facciamo una piccola deviazione a Saturnia, forse la più antica cittadina d'Italia dopo Cortona. La leggenda narra che sia stata fondata da Saturno, figlio del Cielo e della Terra. E le polle di acqua calda – séguita la leggenda – sarebbero sgorgate nel momento in cui il cavallo di Orlando percosse il terreno con lo zoccolo. Una città sulla via Clodia dovrebbe essere più antica di qualsiasi altra. Mi esercito a dire: «Abito in via Clodia», sforzandomi di immaginare quel luogo brulicante di vita. La cittadina è piena di verde, vivace, per nulla ferma nel tempo. Alcune persone abbronzatissime, uscite dal costoso albergo vicino alle cascate, si guardano intorno alla ricerca di qualcosa da comprare, ma i negozi sono bruttini. Allora si siedono in un caffè all'aperto e ordinano colorati aperitivi in grandi bicchieri.

Caino è una vera chicca: due graziosi locali con i fiori sui tavoli, belle porcellane e cristalli. In compagnia di un bicchiere di *spumante* ci addentriamo nel menù. Sembra tutto ottimo, così non so decidermi. Anche loro offrono una combinazione tra cibi sofisticati e i più semplici piatti maremmani, come la *zuppa di fagioli*, la pasta con *ragù* di coniglio, il *cinghiale all'aspretto di mora*. Come antipasto ci convince il *flan di melanzane in salsa tiepida di pomodoro* e una *mousse di formaggi al cetriolo*. Poi prendiamo entrambi *tagliolini all'uovo con zucchine e fiori di zucca*, mentre per secondo Ed sceglie agnello arrosto, io petto d'anatra in aceto balsamico. Il cameriere ci suggerisce un Morellino Le Sentinelle, Riserva 1990, dell'azienda Mantellassi. Allah sia ringraziato! Che vino! La cena è eccellente nei minimi particolari, il servizio accurato. Nella piccola sala gli occhi di tutti sono puntati sulla giovane coppia che siede a un tavolino centrale. Sembrano gemelli: stupendi capelli neri e ricciuti, qualche fiore di gelsomino tra quelli di lei. Hanno entrambi uno sguardo appassionato, del genere definito da mia madre "sguardo da letto", e labbra arcuate come nelle statue greche arcaiche. Indossano abiti comprati certo in boutique milanesi o romane: lui un completo di lino chiaro sgualcito, la ragazza un prendisole giallo di crespo di seta, il cui colore sfuma su quello della sua pelle. Il cameriere versa loro champagne, fatto insolito, per un ristorante italiano. Distogliamo lo sguardo mentre brindano l'uno all'altra, gli occhi negli occhi. Il sapore della nostra insalata ci lascia intendere che sia stata colta un istante prima. Ci abbandoniamo al rilassamento e alle risate, cose che peraltro una vacanza presupporrebbe. «Ti piacerebbe andare in Marocco?» salta su Ed, di punto in bianco.

«Perché non in Grecia? Non la voglio certo scartare...» Visitare posti nuovi apre sempre la possibilità di vederne altri ancora. Siamo nuovamente avvinti dalla bellissima coppia. Mi accorgo che anche gli altri clienti osservano con discrezione. Il giovane si è spostato dalla sedia di fronte a quella accanto a lei e le ha preso la mano. Lo vedo trarre di tasca uno scatolino. Ritorniamo col naso nell'insalata. Vorremmo evitare i *dolci*, ma insieme al caffè ci viene portato un vassoio di pasticceria mignon: così ce la facciamo a finirlo. In Italia questa è stata una delle cene migliori ch'io ricordi. Ed propone di fermarci qualche altro giorno e di cenare qui ogni sera. Ora la splendida fanciulla sta ammirando, sulla propria mano, uno smeraldo circondato da brillanti che vedo distintamente persino dal mio posto. Solo adesso i due si rendono conto che la gente ha seguito l'intera scena del fidanzamento; si volgono e sorridono. Ci viene naturale levare i bicchieri e brindare; il cameriere, attento, si precipita a riempirli di nuovo. La ragazza scuote all'indietro la lunga chioma, e dei fiorellini bianchi cascano sul pavimento.

Quando usciamo il paese è buio e silenzioso; almeno fino al bar in fondo alla strada, dove si riuniscono tutti a giocare a carte o per un ultimo caffè.

La mattina successiva ci muoviamo in auto verso Vulci, un altro nome dal suono antico. Ha un famoso ponte a schiena d'asino e un castello ora adibito a museo. Il ponte è etrusco con aggiunte romane e medioevali. Non si comprende una simile altezza, visto che il Fiora, poco più che un torrente, scorre molto in basso, in una gola. Anche le strade che portavano ad esso sono oggi scomparse, così il ponte ha un aspetto irreale. La fortezza è stata costruita in epoca assai più tarda. Si tratta di un monastero cistercense con tanto di fossato, attualmente ricchissimo museo, come quello di Tarquinia. Peccato che i vetri ci separino dagli oggetti: viene una gran voglia di toccarli, invece. Vorrei prendere ogni singola manina votiva, la bottiglia per il profumo a forma di cerbiatto, o sfiorare le monumentali sculture in pietra, tra cui quella del ragazzo sul cavallo alato. Ecco ciò che davvero si può dire degli etruschi: la loro arte fortifica lo spirito, cimeli di gente che viveva nel momento. D.H. Lawrence certamente lo comprese, ma non gli è stato difficile, considerato tutto ciò che ha visto. Rileggendo per strada il libro, mi colpisce il suo atteggiamento idiota. I contadini sono tonti perché non esaudiscono immediatamente i desideri di questo antipatico straniero; nessuno lo aspetta per scorrazzarlo nei siti archeologici, distanti chilometri e chilometri; nessuno gli porta le candele nel preciso istante il cui le chiede: che incresciosa nazione! Gli orari dei treni sono diversi da quelli in Victoria Station, e il cibo non è di suo gradimento. Lo perdono solo quando scompare dal testo e si limita a registrare ciò che vede.

Rovine etrusche e romane, pezzi di fondamenta in pietra, resti di pavimentazione e di bagni, qualche mosaico in bianco e nero, passaggi sotterranei: in realtà è come una pianta urbana, in cui ti aggiri immaginando i muri, le botteghe, le case di là dal ponte. Un po' discosto notiamo ciò che avanza di un edificio romano in mattoni: mura, finestre, i buchi per le travi di sostegno di un pavimento. Vulci, una zona archeologica molto ricca. Sfortunatamente le tombe con le pitture murali oggi sono chiuse: un motivo per ritornare.

Anche i ristoranti ci colpiscono favorevolmente. L'enoteca Passaparola, sulla strada che sale a Montemerano, offre piatti sostanziosi in un ambiente alla buona: tovaglie di carta, menù scritto sulla lavagna, piancito in legno. Se in Maremma esistono ancora i *butteri*, sono sicura che è qui che vengono. Ordiniamo un vassoio di verdure alla griglia e delle meravigliose insalate verdi, accompagnate da una bottiglia di Lunaia, un bianco di Pitigliano dell'azienda La Stellata, altro ottimo vino locale. Il cameriere ci parla della vicina Cantina Cooperativa del Morellino di Scansano, poi ce ne fa assaggiare un bicchiere. Abbiamo trovato il vino che ci accompagnerà per il resto dell'estate: morbido e pieno, e costa solo 1 dollaro e 70 la bottiglia. Più schietto dei Morellini *riserva* che abbiamo provati, questo è davvero degno di nota. Be', abbiamo ancora il sedile posteriore per sistemarci un paio di casse...

Al tavolo vicino al nostro un artista ci fa la caricatura. Io sembro Dora Maar di Picasso. Per complimentarci alziamo i bicchieri, quindi ci mettiamo a chiacchierare; allora apre una cartella e comincia a tirar fuori i cataloghi delle sue mostre. Noi annuiamo con cortesia. Continua a estrarre riviste, versando ancora vino. Sua moglie non pare mortificata quanto piuttosto rassegnata; probabilmente accade sempre, quando vanno al ristorante insieme. Sono alle *terme*, lui sta facendo una cura per il fegato. Me lo immagino, assalire i poveracci che stanno lì a bere la dose giornaliera di acqua minerale: avvicina la sedia, e lascia la moglie sola al loro tavolo. Sono dibattuta tra il piacere di assaggiare la torta ai frutti di bosco proposta dal menù sulla lavagna e chiedere il conto e andar via. Ed chiede il conto e usciamo. Beviamo un caffè in un bar; tornando alla macchina ripassiamo davanti al ristorante, sbirciamo dalla finestra e vediamo che il signor Picasso se n'è a sua volta andato. Decidiamo di fermarci per la famosa torta. Il cameriere ci offre un *amaro*. «Vengono tutte le sere» dice sconsolato. «Non vediamo l'ora che se ne torni a Milano, lui e il suo fegato!»

Saturi di etruschi, sazi di cibo e contenti del nostro albergo, facciamo i bagagli e partiamo per Talamone, una città a picco sul mare. L'acqua sembra pulita, almeno fin dove arriva lo sguardo, e abbastanza fredda. Il nostro moderno hotel non dispone di spiaggia; ci sono solo rocce aggettanti sul mare, piattaforme di cemento con sedie a sdraio su cui prendere il sole. Abbiamo scelto Talamone perché è sul limitare del Parco Naturale della Maremma, un'area protetta, l'unico litorale toscano al riparo dalla speculazione edilizia. Per lo più le spiagge sono una distesa infinita di ombrelloni e lettini, che ne occupano l'intera larghezza, lasciando libera solo una striscia di sabbia accanto al mare, per camminare. Gli stabilimenti balneari spesso sono dotati di cabine per cambiarsi, docce e bar. Gli italiani amano molto questo modo di stare in spiaggia: così tanta gente con cui parlare! Di solito vi si riuniscono famiglie e gruppi di amici. Come californiana non mi piace troppo essere circondata di gente. Considerate le spiagge della mia infanzia in Georgia, il lungo litorale sabbioso di

Point Reyes, battuto dal vento, non sono preparata alle spiagge del Vecchio Mondo. Ed e mia figlia, invece, adorano gli ombrelloni. Mi hanno trascinata a Viareggio, a Marina di Pisa, a Pietrasanta, insistendo che lì è diverso: bisogna entrare nello spirito giusto. Io sono felice se posso distendermi sulla sabbia ad ascoltare il rumore delle onde, o passeggiare in perfetta solitudine. Le spiagge toscane sono affollate quanto le vie. Comunque nel Parco Naturale della Maremma vivono cavalli allo stato brado, volpi, cinghiali e cervi, dice il dépliant. Quello che mi fa impazzire è il sentore di *macchia*, gli arbusti piegati dal vento e inariditi dalla salsedine di cui i marinai affermavano di poter sentire l'odore anche quando non vedevano più la costa. Il parco in realtà è fatto di sentieri tra le dune, fiancheggiati da ciuffi di lavanda e rosmarino; e spiagge deserte. Per l'intera mattinata passeggiamo o stiamo seduti sulla sabbia. Tirreno, Tirreno – mormorano le onde – un mare antico... Abbiamo portato dei panini alla mortadella, un pezzo di *parmigiano* e tè freddo. Tranne che per un piccolo gruppo di persone un po' più in là, realizzo il desiderio di trovarmi sola nella natura. Di che colore è il mare? Forse cobalto, no, lapislazzuli, come il colore della veste di Maria in tanti quadri, tramato d'una lucentezza d'argento. È meraviglioso camminare, dopo giorni di auto a caccia di siti etruschi. Tento di leggere ma il sole è accecante: forse ci vorrebbe davvero un ombrellone.

In tarda mattinata ci spostiamo alla Riva degli Etruschi. Non riusciamo proprio a staccarci da loro! È uno stabilimento balneare, ma essendo vicinissimo al Parco Naturale non è troppo affollato. Così facciamo una lunghissima passeggiata lungo il mare e poi ci riposiamo nel cottage. Non siamo lontani da San Vincenzo, dove Italo Calvino trascorreva l'estate. I negozietti in città vendono palloni da spiaggia, gommoni e secchielli. La sera la gente sta fuori, a mangiare il gelato e comprar cartoline. Le cittadine di mare si somigliano tutte. Troviamo un ristorante all'aperto e ordiniamo *caciucco*: vari tipi di pesce sfilettati lì per lì, su cui viene versato un brodo caldo. Aggiungiamo dei crostini di pane tostato, su cui il cameriere ha strofinato dell'aglio, e respiriamo profondamente l'intenso profumo. Due fieri astici ci guardano dal piatto con gli occhietti sporgenti. Il cameriere versa col mestolo altro brodo, i crostini ci galleggiano sopra. Insieme all'insalata ci porta, su un carrello, un'ampia scelta di diverse qualità di olio d'oliva, contenuto in orcetti di terracotta, bottiglie di vetro o di ceramica colorata. Gli chiediamo di decidere per noi e lui fa scendere dall'alto, nelle nostre insalate di radicchio verde e rosso, un filo di olio verde chiaro.

Diretti a Massa Marittima, deviamo per Populonia, soltanto perché è vicinissima e ha un nome troppo antico per non visitarla. Ogni menoma tappa mi fa venir voglia di fermarmi per giorni. Nel bar in cui prendiamo un caffè entrano due pescatori con dei secchi di pesce fresco: le prede della notte appena trascorsa. Purtroppo l'ora del pranzo è ancora lontana, per noi. Dalla cucina esce una donna e comincia a scrivere il menù sulla lavagna. In città parcheggiamo sotto un'immensa fortezza, un castello e le sue mura così come appaiono raffigurati nei libri d'ore. Ah, c'è un altro museo etrusco: non posso perdermi neppure un oggetto. Ed, invece, il quale per il momento ne ha abbastanza di tutto quanto sia accaduto prima dell'ultimo millennio, se ne va in giro a comprare il miele che le api hanno ricavato dagli arbusti sulla costa. Ci incontriamo in un negozio, dove ho idea di acquistare un piede di argilla, modello etrusco. È autentico o un'imitazione? Decido di pensarci su; dopo una passeggiata torniamo al negozio per comprarlo, ma lo troviamo chiuso. Uscendo dal paese vedo un cartello indicatore di un sito etrusco, ma Ed pigia sull'acceleratore: di tombe ne ha fin sopra i capelli.

L'ultima sera. Ho sempre sbagliato a pronunciare la parola Marittima, mettendo l'accento sulla seconda "i" invece che sulla prima. Imparerò mai bene l'italiano? Faccio ancora dei gravi errori. Un tempo la cittadina era vicina alla costa, poi a poco a poco il mare ha depositato dei sedimenti sabbiosi, per cui ora risulta abbastanza nell'interno; si erge al centro della piana e domina il paesaggio all'intorno. Mi rammenta il Brasile, un remoto avamposto che piacerebbe agli scrittori del realismo magico. In realtà gli agglomerati urbani sono due, l'antico borgo e la città nuova: entrambe austere, con ombre profonde e improvvisi soprassalti di luce. Siamo un po' stanchi. Per la prima volta la nostra camera d'albergo è dotata di TV. Danno un film sulla Seconda Guerra Mondiale; la pellicola è rovinata, gli attori parlano uno strano italiano. Ma subito la vicenda ci cattura: un paese italiano è occupato dai tedeschi, e un soldato americano, che si nasconde nei dintorni, cerca di aiutarne gli abitanti. Devono evacuare; caricano le loro cose su alcuni muli e se ne vanno, diretti chissà dove. Mi appisolo, e nel sonno immagino qualcuno che forza le persiane di Bramasole. Mi sveglio di soprassalto. Nel fienile c'è un altro soldato. Qualcosa sta bruciando: è Bramasole? Di colpo mi rendo conto che siamo a Massa Marittima.

In due ore la visitiamo da cima a fondo. La Maremma continua a ricordarmi il Far West, i suoi villaggi lontani una cinquantina di chilometri dall'autostrada, i negozianti che spiano dalla finestra, il vasto cielo immutabile. Chiaramente la piazza e la magnifica cattedrale non hanno nulla del West; l'affinità sta nella qualità del luogo: la stessa solitudine, lo stesso sguardo sul forestiero di passaggio.

Sulla via di casa ci fermiamo a San Galgano, una bellissima chiesa gotica ridotta quasi a un rudere, priva di tetto e di pavimento ormai da secoli: restano in piedi le mura, e i larghi finestroni vuoti aperti al verde e alle nuvole. Molto adatta per un matrimonio romantico. Nel rosone solo la fantasia può rimettere i colori rossi e azzurri delle vetrate; ai lati dell'altare, dove i monaci accendevano le candele, adesso fanno il nido gli uccelli. Una scala di pietra conduce nel nulla. Un altare in pietra è tuttora in piedi, ma così lontano dal concetto di religiosità cristiana che potrebbe benissimo esser servito per sacrifici umani. Il luogo cadde in rovina, dicono, quando un abate vendette il piombo della copertura per sostenere una non ben precisata guerra. Adesso è dimora di una numerosa famiglia di gatti. Una ha una figliata multirazziale: molti padri devono aver contribuito alla nascita dei gattini rossi, gialli e striati che si rannicchiano contro il corpo bianco della madre.

Casa! Portiamo dentro il vino, spalanchiamo le imposte, corriamo all'acqua per innaffiare le piante. Sistemiamo le bottiglie nelle casse, e le stipiamo nel ripostiglio sotto le scale. Possediamo ora il nettare di tutti i grappoli che abbiamo visto maturare: invecchierà nelle bottiglie per quelle occasioni che speriamo di festeggiare. Ed chiude la porta, lasciandole per il momento alla polvere e agli scorpioni. Siamo stati via una settimana soltanto, ma la casa ci mancava. Torniamo con una nuova conoscenza della regione; e alcune qualità molto invidiate dalla gente del nord – la tipica calma italiana, la capacità di godersi il presente – che capiamo discendere direttamente dagli etruschi. Tutte le pitture murali nelle tombe sono cariche di significato, se solo avessimo la giusta chiave di lettura. Chiudo gli occhi e vedo i leopardi accucciati, l'agile figura della morte, l'interminabile banchetto. A tratti mi tornano alla mente i miti greci, Persefone, Atteone dilaniato dai cani, Pegaso... Ma l'istinto mi dice che le scene nelle tombe (anche quelle greche) provengono da un passato assai più remoto, che a sua volta si fonda su qualcosa di più antico ancora. Continuano ad apparirci immagini archetipiche, e in esse vediamo ciò che riusciamo a vedere, perché esse parlano ai nostri neuroni e alle nostre sinapsi più arcaiche.

Quando vivevo a Somers, nello stato di New York, in quella casa del XVIII secolo che tuttora mi capita di sognare, disponevo di un vasto giardino erboso. Spesso, lavorando la terra, ci trovavo flaconi di medicinali marroni o gialli. Un giorno, piantando una siepe di santolina (i cui rami, nel Medioevo, venivano disseminati sui pavimenti delle chiese per coprire gli odori della gente), ho urtato con la paletta un cavalluccio di ferro arrugginito, raffigurato nell'atto d'una corsa sfrenata. L'ho messo sulla scrivania come totem personale. Ebbene, all'inizio di quest'estate stavo togliendo delle pietre, e la pala ha raccolto un piccolo oggetto; l'ho preso e ho visto con stupore che si trattava di un cavallo. Etrusco, forse, o piuttosto un giocattolo di un secolo fa? Anche questo cavallo sta correndo.

Qualche anno fa ho letto un passo dell'*Eneide* sulla decisione di fondare Cartagine nel punto in cui i Punici trovarono un segno:

> *V'era, in mezzo alla città, un bosco rigoglioso*
> *d'ombra, dove prima gettati dalle onde e dal turbine*
> *i Punici scavarono il segno che aveva indicato Giunone*
> *regale, il teschio d'un cavallo da guerra: così la stirpe*
> *sarebbe famosa in guerra e prospera in pace per secoli.*[3]
>
> [I, 441-445]

Non è tanto la parola guerra a farmi fremere, quanto quel "prospera in pace". Lo zoccolo del cavallo di Orlando fa sgorgare una sorgente di acqua calda. Serbo ancora negli occhi i cavalli alati di Tarquinia, scoperti sotto montagne di pietrisco e di terra. Ho appoggiato una cartolina che li raffigura vicino ai miei due cavallucci. Prosperità in pace. Gli etruschi l'avevano. E in certi tempi e luoghi è possibile trovarla. E allora partiamo galoppando ventre a terra, forse voliamo.

---

[3] La traduzione qui seguita è quella di Luca Canali, Milano, Mondadori, 1991, p. 25 (*N.d.T.*).

Diventare italiani

In Italia Ed non fa che redigere liste. Sul tavolo da pranzo, sul comodino, sul sedile dell'auto, nelle tasche di camicie e maglioni trovo continuamente pezzetti di carta ripiegati con appunti, o buste semiaccartocciate. Scrive elenchi di cose da comprare o da portare a compimento, progetti a lungo termine, liste relative al giardinaggio, liste di liste. Sono scritte un po' in italiano un po' in inglese, a seconda della lingua nella quale la parola risulta più breve. Talvolta di qualche speciale utensile conosce soltanto il termine italiano. Avrei dovuto conservare le sue liste, e tappezzarne le pareti del bagno, come fece James Joyce con le lettere di rifiuto degli editori. Ci siamo scambiati le abitudini: a casa lui butta giù di rado una lista della spesa, mentre io prendo nota di lettere da spedire, faccende domestiche, e soprattutto degli obiettivi che mi prefiggo per la settimana. Qui di solito non mi prefiggo alcun obiettivo.

È difficile discernere i cambiamenti causati in te da un posto nuovo, più facile individuarli in un'altra persona. Al tempo dei nostri primi viaggi in Italia, Ed era un bevitore di tè. Da studente aveva passato un semestre a Londra, mantenendosi da solo. Viveva in un monolocale senza acqua calda vicino al British Museum e andava avanti a forza di tazze di tè con latte e zucchero, cibandosi più che altro di Eliot e Conrad. L'espresso è pandemico, in Italia; lo sbuffo del vapore delle macchine da bar è udibile in ogni piazza. Nel corso della nostra prima estate in Toscana, ricordo di aver visto Ed osservare gli italiani avvicinarsi al bancone e ordinare, con voce stentorea, «Un caffè». A quell'epoca l'espresso era quasi sconosciuto, in America. E quando lui si provava ad ordinare alla maniera degli italiani, il barista invariabilmente gli chiedeva: «*Normale?*». Pensavano che, essendo un turista, si sbagliasse, intendendo una di quelle tazzone di caffè scuro, come lo chiamano gli italiani, non senza un certo stupore.

«*Sì, sì, normale*» rispondeva lui, leggermente spazientito. Dopo poco, però, ha imparato a chiedere con autorevolezza; e nessuno più gli domandava precisazioni. Vedeva la gente del posto trangugiare il caffè in un attimo, invece di sorseggiarlo. Ha cominciato a notare anche le diverse marche usate dai vari bar: Illy, Lavazza, Sandy, River. Inoltre faceva commenti sulla schiuma. E lo prendeva sempre senza latte né zucchero.

«La sua vita dev'essere dolce» gli ha detto una volta un *barista*, «se il caffè lo vuole sempre amaro.» Allora Ed ha preso a notare il gesto un po' lezioso con cui il barista, insieme al piattino e al cucchiaino, gli avvicinava anche la zuccheriera, e gliela apriva davanti. Gli italiani mettono nel caffè un quantitativo inimmaginabile di zucchero: due, tre cucchiaini colmi. Un giorno sono rimasta colpita nel vedere anche Ed usare lo zucchero: «Lo rende quasi un dolce» mi ha spiegato.

Il secondo anno in cui siamo venuti in Italia, a fine estate Ed si è portato via una La Pavoni comprata a Firenze: una lucente macchina per il caffè tutta d'acciaio inossidabile e con un'aquila in cima; apparecchio classico per uso manuale. Io gioivo del cappuccino a letto, i nostri ospiti dell'espresso a fine cena servito in tazzine, anch'esse acquistate in Italia.

Anche qui ha comprato una La Pavoni, questa volta automatica. E sia qui sia a casa, prima di andare a letto si gode l'ultima tazza di nettare. Però si diverte di più a berlo nei bar; che usano macchine La Faema, modello Art-Déco, o eleganti Rancilio. Esamina la schiuma, fa girare il caffè nella tazzina e lo manda giù d'un colpo. Dice che così dorme meglio.

L'altra esperienza culturale che lo ha entusiasmato è stata guidare. La maggior parte degli stranieri in viaggio in Italia pensa che guidare dentro Roma sia un'esperienza di fondamentale importanza per l'esistenza di ognuno; che i viaggi in autostrada si debbano considerare autentiche prove di coraggio; e che la costiera amalfitana sia, da un punto di vista del traffico, l'anticamera dell'inferno. «Questa è gente che sa davvero come si guida!» mi ha detto Ed una volta, lanciando la nostra sfiatata Fiat a nolo sulla corsia di sorpasso e lampeggiando. Ma vedendo nello specchietto retrovisore una Maserati arrivare rombando a gran velocità, abbiamo ritenuto meglio rientrare a destra. Presto ha cominciato ad ammirare chi compiva rischiose manovre. «Ma l'hai visto? Viaggia con due ruote in aria!» esclamava stupefatto. «Certo, avranno anche loro una buona percentuale di inetti che procedono a cavallo della linea bianca, però la maggioranza rispetta le regole.»

«Quali regole?» gli ho domandato, mentre qualcuno in una utilitaria come la nostra sfrecciava a centosessanta all'ora. Devono esserci dei limiti di velocità, in base alla potenza del motore, ma in tutte le estati trascorse in Italia non ho mai visto una persona fermata e multata per eccesso di velocità. Anzi, se vai a novanta all'ora sei pericoloso per gli altri. Non conosco le cifre degli incidenti stradali, ne ho visti pochi; ma immagino che molti siano provocati da automobilisti (turisti forse?) che guidano con troppa cautela, istigando al sorpasso le macchine dietro di loro.

«Basta che osservi: se qualcuno comincia un sorpasso azzardato, la persona dietro di lui evita di fare altrettanto, almeno finché l'altro non ha sorpassato, per dargli semmai la possibilità di rientrare. E poi nessuno sorpassa a destra; e occupano la corsia di sinistra solo per il tempo del sorpasso. Sai bene che da noi magari fingono di rispettare i limiti di velocità, e intanto viaggiano sulla corsia che vogliono.»

«Sì, ma guarda! Sorpassano sempre in curva. Appena c'è una curva, ecco che loro sorpassano. Sembra che gliel'abbiano insegnato alla scuola guida. Scommetto che l'istruttore, dalla sua parte, ha un acceleratore, invece del freno. Se vedi qualcuno che ti sta dietro, puoi essere sicuro che ti sorpasserà: se ne fa un dovere.»

«Sì, ma chi viaggia nella corsia opposta lo sa bene. Per questo si mantiene perfettamente entro il proprio spazio.»

Si è divertito molto nel leggere quello che il sindaco di Napoli ha detto del modo di guidare laggiù. Napoli è forse la città col traffico più caotico del pianeta. Ed l'adora: ha imparato a procedere sui marciapiedi mentre i pedoni riempiono la carreggiata. «Il semaforo verde è il semaforo verde, significa *avanti*» ha spiegato il sindaco. «Il rosso è un suggerimento.» «E il giallo?» gli è stato chiesto. «Be', il giallo fa allegria.»

In Toscana, comunque, la gente rispetta di più il codice della strada. Magari partono a razzo, ma osservano la segnaletica. Qui la vera sfida sono le stradine medioevali, dove un'auto ha solo pochi centimetri di spazio da una parte e dall'altra, e in certe curve gira a stento anche una bicicletta. Per fortuna in molte città hanno chiuso al traffico il centro storico: un beneficio per tutti, in quanto la vita cittadina ha ripreso la sua dimensione umana. E un beneficio anche per i miei nervi, visto che i vicoli attraggono Ed irresistibilmente, e troppe volte ci è capitato di dover tornare a marcia indietro, sotto lo sguardo stupito degli abitanti, perché il passaggio si faceva troppo stretto.

All'inizio è rimasto colpito dalle Alfa Romeo della polizia. Di ritorno dal nostro primo soggiorno in Italia ha comprato una GTV di vent'anni, color argento, in perfette condizioni, sicuramente una delle auto più carine che abbiano mai costruito. In sei mesi si è beccato tre multe per eccesso di velocità. Una l'ha contestata, spiegando al giudice che l'avevano preso di mira, che gli agenti della stradale si accanivano contro le auto sportive, anche se, come nel caso in questione, non superavano affatto i limiti di velocità. Con un vero e proprio abuso di potere, il giudice gli ha detto di vendere la macchina, se non gradiva il sistema, e gli ha raddoppiato sui due piedi la sanzione.

Per un po' ci siamo scambiati le auto. Non potevamo fare diversamente, Ed rischiava il ritiro della patente. Io andavo al lavoro col bolide d'argento e non ho mai preso una multa; lui guidava la mia Mercedes berlina d'epoca, altrimenti nota come Delta Queen. «È roba vecchia» si lamentava Ed.

«Però è sicura, e la polizia non ti ferma.»

«Be', come potrebbe, se viaggio con un simile catorcio?»

Tornati in Italia, si è ritrovato nel proprio elemento. La maggior parte delle nostre gite avvengono per strade di campagna. Ora non esitiamo più a imboccare le vie sterrate, se in qualche modo ci attraggono. Di solito sono ben tenute, o comunque percorribili. Siamo pronti a seguire magari un sentiero fino a una pieve del XIII secolo, e poi, nei paesini minuscoli, a tornare a marcia indietro, se necessario. Nessun problema, per chi ha abbastanza sangue freddo. Risalire a marcia indietro un cocuzzolo, per una strada tutta curve e a una sola corsia, è un'esperienza che rende felice un maniaco della guida come Ed. «Che forza!» grida mentre si volta, un braccio sullo schienale del mio sedile, l'altro sul volante. Io guardo in basso, al grazioso, lontano fondovalle. Pochi centimetri ci separano dal ciglio della strada. Incrociamo una macchina che scende: il guidatore salta giù, confabula con Ed, e poi comincia a sua volta ad arretrare: adesso siamo davvero una fila di idioti. Gli altri sono in un'Alfa Romeo GTV come quella che ha Ed in America. Appena la strada si allarga un poco smontiamo tutti e loro cominciano a discutere sulla lunghezza dell'auto, il particolare tipo di specchietto, i problemi con le frecce, il prezzo attuale: all'infinito. Io dispiego la cartina di rito sul cofano bollente della Fiat, cercando di pensare a come sfuggire a quella strada lungo il burrone dove, evidentemente, non c'è nessun rudere di monastero.

Una delle ragioni per cui Ed ama così tanto l'*autostrada* è perché essa si configura come una *summa* di piaceri: ogni cinquanta chilometri o giù di lì appare un autogrill, che può essere da sosta rapida, con un piccolo bar e i distributori di benzina; oppure uno di quelli che sovrastano l'autostrada, con ristorante, ampia vendita di generi di vario tipo, persino un motel. Ed apprezza molto la pulizia e l'efficienza dei bar. Tranguggia l'espresso, spesso mangia un panino alla mortadella; io prendo un cappuccino, anche se inconsueto al pomeriggio, e lui mi aspetta paziente. Non indugia mai, al bar. Dentro e fuori. E poi di nuovo per strada, con il caffè che gli pompa energia nelle vene, e il tachimetro che sale e sale. *Il paradiso!*

Parlando a livello più profondo, direi che Ed è cambiato rispetto alla terra. Inizialmente volevamo venti o trenta acri; cinque ci sembravano pochi, finché non abbiamo cominciato a sfoltire la giungla, a sforzarci di tenere pulito. La *limonaia* è piena di attrezzi. In America teniamo gli arnesi da giardinaggio in una scatola rossa di metallo, il modello più piccolo. Non ci aspettavamo di possedere uno strumento per piantare i pali, una motosega, tagliaerba, decespugliatore, una serie di zappe, rastrelli, pali e paletti, e numerosi utensili a mano che sembrano antecedenti la Rivoluzione Industriale: roncola, trincetto, cesoie e falce fienaia. Eravamo convinti di dover semplicemente ripulire il terreno, potare gli alberi; di tanto in tanto falciare, fertilizzare, tagliare i rovi. Quello, però, che non eravamo in grado di prevedere è lo straordinario potere rigenerativo della natura. Secondo la mia personale esperienza di giardinaggio le piante devono essere accudite, invogliate a crescere; invece l'edera, il fico, l'ailanto, l'acacia, i rovi sono irrefrenabili. Una pianta rampicante detta "erba del diavolo" si avvolge attorno a qualsiasi altra pianta e la soffoca. Deve essere estirpata alla radice, un lungo fittone; e così le ortiche. Strano che le ortiche non abbiano ricoperto il pianeta. E a strapparle, anche se hai dei guanti spessissimi, è quasi impossibile non pungersi. Anche il bambù ricresce continuamente e invade la strada d'accesso. Cadono dei rami. Dopo un temporale devi rimettere i paletti di sostegno ai giovani olivi. I terrazzamenti hanno bisogno di essere arati, poi fresati; gli olivi ripuliti alla base, nutriti con fertilizzanti. Le viti necessitano di settimane di cure. Insomma, possediamo una piccola fattoria che deve avere il suo fattore. Senza un lavoro costante, in pochi mesi questo posto tornerebbe al suo stato primitivo. Una cosa che ci dà gioia, e al contempo ci assilla.

«Come sta Johnny Semedimela?» ci chiede un'amica. Anche lei ha visto Ed percorrere il terreno, esaminare ogni pianta, tastare le foglie di un nuovo ciliegio, togliere le pietre. Ormai conosce ogni leccio, ogni ciottolo, ogni ceppo e ogni quercia. Forse pulendo e ripulendo ha finito per sentirsi indissolubilmente legato alla terra.

Attraversa i terrazzamenti ogni giorno. Ha preso l'abitudine

di indossare pantaloncini, stivali e una di quelle magliette tagliate che usava anche mio padre. Mettono in risalto i muscoli, che gli sono aumentati – i bicipiti, i pettorali – come in certi personaggi dei vecchi fumetti. Suo padre ha fatto il contadino fino a quarant'anni, prima di andare a lavorare in città. I
suoi antenati provengono dalle campagne polacche. Sono certa che loro lo riconoscerebbero da lontano, in mezzo a un
campo. A San Francisco non si ricorda mai di innaffiare le
piante, e qui, se non piove da un po', lo vedo trasportare secchi d'acqua per i nuovi alberi, o curare un tipo speciale di lavanda particolarmente odorosa; o ancora, la sera, leggere libri
sui fertilizzanti e sulla potatura.

Riusciremo mai a diventare italiani? Temo di no, non completamente, almeno. Siamo troppo chiari di pelle, conversando
non siamo capaci di gesticolare. Una volta ho visto un uomo
uscir fuori dalla cabina telefonica, mentre parlava, per poter
muovere le mani con maggior agio. Molta gente parcheggia al
lato della strada per parlare al telefonino, non potendo tenere il
volante con una mano, il telefono con l'altra e chiacchierare al
medesimo tempo. Così, non ci impadroniremo mai dell'arte di
parlare tutti insieme. Spesso dalla finestra vedo gruppi di tre o
quattro persone che passeggiano sulla nostra strada. Parlano in
contemporanea: chi di loro ascolta? E dopo una partita di calcio,
non saremo mai capaci di fiondarci per le strade a tutta velocità
strombazzando, o di girare ossessivamente in piazza col motori-
no. La stessa politica ci rimarrà per larga parte incomprensibile.

All'inizio non afferravamo bene neppure il senso della festa di
ferragosto, finché abbiamo cominciato a capire che in realtà si
tratta di uno stato mentale. E a poco a poco anche noi siamo en-
trati in quest'ordine di idee. Considerato da un punto di vista
più semplicistico, a *ferragosto*, il 15 di agosto, si celebra l'ascen-
sione al cielo di Maria Vergine. Perché il 15 agosto? Forse perché faceva troppo caldo per rimanere sulla terra un giorno di
più. Gli affreschi della cupola del duomo di Parma raffigurano

appunto la sua gloriosa ascesa al cielo, accompagnata da molti altri personaggi. Viste da sotto, è come se le loro ampie vesti rigonfie veleggiassero sopra il pavimento della cattedrale. È un trionfo dell'arte (e a nessuno si scorge la biancheria intima). Ma il giorno in sé simboleggia il mese intero, perché con la parola, nel suo significato più vasto, si intende in pratica tutto agosto, un lungo periodo di vacanza da ogni attività. Anche se una folla di turisti invade una città, la migliore *trattoria* affigge il cartello "CHIUSO PER FERIE", e i proprietari se ne vanno al mare a Viareggio. La logica affaristica degli americani qui non regge: quella di fare magari un mucchio di soldi durante la stagione turistica, e poi godersi le vacanze ad aprile o a novembre, quando i turisti sono ripartiti. Perché no? Perché è agosto. Il tasso di incidenti autostradali aumenta. Le città di mare sono prese d'assalto. In questo periodo sappiamo di dover accantonare qualsiasi progetto più complesso del fare la marmellata. O abbandonare anch'esso: mi riempio il cappello di susine, mi siedo sotto un albero e mi metto a succhiarle, gettando oltre il muro semi e buccia. In tutta la penisola, poi, il giorno dell'Assunta è variamente festeggiato. A Cortona organizzano una grande *sagra della bistecca.*

Girando per la Toscana bisogna porre attenzione alla bellissima parola *sagra*: i prodotti di stagione sono oggetto di festa. In quasi ogni paese vedi cartelli che annunciano una sagra delle ciliege, delle castagne, del vino novello, del *vin santo*, delle albicocche, e ancora rane, cinghiale, olio d'oliva o trote di lago. All'inizio dell'estate siamo andati alla *sagra della lumaca*, nella parte alta della città: otto tavolate imbandite lungo le vie con accompagnamento di musica assordante. Solo che, non essendo piovuto, le lumache non c'erano, e le hanno sostituite con stufato di vitella. Alla *sagra* in un *borgo* sui monti ho vinto alla lotteria un asinello di pelouche. Abbiamo mangiato pasta al ragù e agnello arrosto; quindi ci siamo messi a guardare un'anziana coppia che ballava con aria solenne al suono della fisarmonica: lui col colletto inamidato, lei in abito nero fino ai piedi.

A Cortona i preparativi per i due giorni di festa cominciano molto in anticipo. Il comune fa costruire nel parco pubblico un enorme barbecue (tipo quelli che mi ricordo negli Stati Uniti): muretti di mattoni di due metri per sei circa, alti trenta centimetri, con sopra delle gigantesche graticole di ferro. La struttura viene quindi lasciata in loco: dovrà servire in autunno, per la *festa dei funghi porcini*. (Cortona vanta il primato della padella più grande del mondo per cuocere i funghi. Non sono mai stata qui per questa festa, ma immagino il profumo dei funghi che invade il parco.) Gli uomini preparano sotto gli alberi, a cui hanno appeso delle lanterne, tavoli per quattro, sei, otto, dodici persone. Vicino al grill ci sono dei banchi per il servizio; da un capannone tirano fuori il botteghino per i biglietti, lo spolverano e lo piazzano all'ingresso del parco. Passando scorgo nel capanno montagne di carbonella.

Il parco, di solito chiuso al traffico, nei due giorni della sagra viene aperto al pubblico. Purtroppo per noi, perché la nostra strada porta appunto al parco. Così le macchine cominciano a passare dalle sette di sera e finiscono alle undici. Decidiamo di usare la via romana, onde evitare le nuvole di polvere bianca. Il nostro vicino, uno dei volontari per la grigliata, ci saluta con la mano.

Le grosse bistecche sfrigolano sul letto di carboni ardenti. Facciamo la fila per prendere i *crostini* e i piatti di insalate e verdure. Al grill il nostro vicino arpiona per noi due enormi bistecche e con esse ci dirigiamo, tenendo i piatti in precario equilibrio, verso un tavolo già quasi pieno. Le brocche del vino passano di mano in mano. Alla sagra accorre la città intera, e, stranamente, non ci sono turisti, tranne una tavolata di inglesi. Non conosciamo le persone con cui siamo seduti. Vengono da Acquaviva, due coppie e tre bambini. La bimba spolpa un osso con aria soddisfatta. I due ragazzi, invece, educati come la maggior parte dei bambini italiani, si concentrano nel taglio delle bistecche. Gli adulti brindano alla nostra salute, e noi ricambiamo. Quando diciamo che siamo americani, uno di loro ci chiede se conosciamo i suoi zii a Chicago.

Dopo cena passeggiamo in città, insieme a folle di persone. Rugapiana è un carnaio. I bar sono un carnaio. Riusciamo ad accaparrarci dei gelati alla nocciola. Un branco di adolescenti canta sui gradini del Palazzo comunale. Tre ragazzini fanno scoppiare dei mortaretti, fingendo poi di nulla, ma con mediocre successo. Ridono a gola spiegata. Aspetto fuori e li ascolto mentre Ed entra in un bar per una sorsata del nero elisir che adora. Tornando a casa attraversiamo di nuovo il parco. Sono quasi le dieci e mezzo e il barbecue fuma ancora. Vediamo il nostro vicino a cena con la bella moglie, la figlia e una dozzina di amici. «Da quanto tempo fate questa sagra?» chiede Ed.

«Oh, da sempre, da sempre» risponde Placido. Gli studiosi pensano che la prima festa dell'Assunta sia avvenuta ad Antiochia nel 370 d.C. Quindi oggi ricorrerebbe il suo 1.624° anniversario. Per quanto è antica Cortona, forse il primo sacrificio di armenti in onore di una divinità risale a un tempo ancora più remoto.

Dopo *ferragosto* Cortona è stranamente tranquilla per alcuni giorni. Chi doveva venire in città, c'è stato. I negozianti siedono sulla soglia a leggere il giornale o a fissare la strada con aria assente. Se hai bisogno di ordinare qualcosa devi aspettare settembre.

Il nostro vicino, il maestro delle bistecche alla griglia, è un agente delle tasse. Sappiamo l'ora in cui passa davanti alla nostra casa in Vespa, al mattino; e ancora a pranzo, dopo la siesta, e infine quando si ritira la sera. Ho cominciato a idealizzare la sua vita. È facile, per uno straniero, basarsi su degli stereotipi, ipersemplificare la vita della gente del posto. L'ubriaco che barcolla giù in strada, dopo essere stato a scaricare le cassette al mercato la mattina presto, diventa l'Alcolizzato del paese; la gobba con i capelli nerazzurri è nota come la Mammana; il terrier rosso e bianco che entra ogni giorno in tre macellerie per ottenere qualche scarto diventa il Cane del paese. E poi c'è L'Artista pazzo, il Fascista, la Bellezza rinascimentale, il Profeta.

Per fortuna, una volta conosciuta la persona, lo stereotipo decade. Placido, il nostro vicino, ha due cavalli bianchi. E canta sempre mentre va in Vespa. Lo sentiamo bene perché, come ho detto, passa proprio sotto casa nostra. Accende il motore solo ai piedi della collina, quando la strada si fa pianeggiante. Tiene pavoni, oche e colombe bianche. Sebbene abbia quasi raggiunto la mezza età, porta i capelli lunghi, talvolta legati con un fazzoletto. A cavallo si sente perfettamente a suo agio, si vede che è un cavallerizzo nato. La moglie e la sorella sono molto carine; la madre porta fiori nel nostro tabernacolo e la sorella si riferisce a Ed come al bell'americano. È così, certo; ma ciò che idealizzo in Placido è un'ipotetica, compiuta felicità. In città gli vogliono tutti bene. «Ah, il vostro vicino è Plary» ci dicono. Quando passa per via, non c'è persona che non lo saluti. Mi dà l'impressione di chi potrebbe vivere in qualsiasi epoca; è fuori dal tempo, qui, nella sua casa di pietra circondata dagli olivi, nel suo pacifico regno. A sostegno della mia intuizione, un giorno il mio vicino modello roussoiano mi si presenta alla porta con un falco incappucciato sul braccio.

Con la mia fobia per gli uccelli, retaggio di un qualche trauma infantile, l'ultima cosa che desidero vedere è un predatore sulla soglia di casa. Placido porta con sé un amico; devono addestrare l'animale, perciò mi chiedono se possono farlo sul mio terreno. Cerco di non mostrare quanto sono terrorizzata. «Ho paura» confesso alla fine, riflettendo sulla precisione dell'espressione italiana rispetto a quella inglese. Grave errore: Placido viene avanti, con il falco sempre più nervoso, e mi invita a prenderlo sul braccio: non avrò più paura, dice, se solo mi rendo conto di che creatura magnifica è. Ed scende giù e si interpone tra noi; anche lui è un po' preoccupato. Alla lunga la mia fobia lo ha contagiato. Ma siamo felici che Placido ci consideri più che vicini, noi che siamo in fondo degli *stranieri*; ci avviamo fuori con lui, raggiungiamo il punto più lontano della proprietà. L'amico tiene il falco e si mette a circa quindici metri. Placido trae qualcosa di tasca. Il falco distende le ali – una formidabile apertura – e comincia a sbatterle, facendo leva sugli artigli.

«Una quaglia viva. Forse comincerò a catturare i piccioni in piazza» ride. Il suo amico toglie al falco il grazioso cappuccetto e quello si scaglia come una freccia in direzione di Placido. Svolazzio di piume. L'uccello dilania la preda rapidamente, riducendo la quaglia a un ammasso di carni sanguinolente. L'amico fischia e il falco torna sul suo polso, gli viene rimesso il cappuccio. Una scena piuttosto atroce. Placido dice che in Italia ci sono cinquecento falconieri. Il suo falco viene dalla Germania, il cappuccio dal Canada. Deve addestrarlo tutti i giorni. Fa i complimenti all'animale, ora immobile sul polso.

Un simile diletto mi conforta nell'idea che Placido viva fuori dal tempo. Me lo figuro sul cavallo bianco, il falco sul polso, mentre si avvia verso un qualche torneo o fiera medioevale. Se mi accosto a casa sua vedo il falco nella gabbia: il profilo severo mi ricorda Mrs. Hattaway, la mia professoressa delle medie. E il rapido girare della testa mi riporta al suo infallibile sesto senso nell'intuire quando ci passavamo gli appunti sottobanco.

Sto facendo i bagagli per andare a Roma e di lì prendere l'aereo, quando mi chiama una sconosciuta dagli Stati Uniti. «Quali sono i lati negativi?» mi chiede una voce al telefono. Ha letto un mio articolo su una rivista relativo all'acquistare e restaurare case. «Mi dispiace disturbarla, ma non ho nessuno con cui discuterne. Voglio fare qualcosa ma non so esattamente cosa. Vivo a Baltimora, sono avvocato. Mia madre è morta e...»

Riconosco bene quell'impulso. Riconosco il desiderio di sorprendere la nostra stessa vita. "Devi cambiar vita" come diceva Rilke. Ho accumulato, come lingotti, tutto quanto ho acquisito nei primi anni di residente *part-time* in un altro paese. Basterebbe la soddisfazione di sentire molte parole italiane divenirmi familiari al pari dell'inglese: *pompelmo, susina, fragola*, nomi nuovi per ogni cosa. Temevo che con la fine del matrimonio la mia vita si sarebbe impoverita. Credo dipenda da una storia familiare fatta di nonne deluse e rassegnate, di ex reginette di bellezza della contea che guardano sospirando le rose disseccate tra le pagine dell'atlante. E per noi che abbiamo vissuto il movimento femminista, c'è sempre la paura che non sia reale, il poter davvero decidere della tua vita. In ogni istante potresti regredire. Avevo la sensazione di cavalcare una grande onda che però, a un certo punto, mi si sarebbe rovesciata addosso, sommergendomi. Ma a poco a poco ho cominciato ad aver fiducia negli dèi, a credere che non mi avrebbero rapito il primogenito, se solo fossi stata felice. La signora all'altro capo del filo era riuscita ad avere dall'università il mio numero in Italia.

«Che cosa pensa di fare?» chiedo, pur non conoscendola.

«Le isole della costa di Washington mi sono sempre piaciute moltissimo. Vendono una casina, i miei amici dicono che sono pazza perché è dall'altra parte del paese. Ma si può andare in traghetto e...»

«Non esistono lati negativi» dico sicura. La caterva di problemi con Benito, le preoccupazioni economiche, le barriere linguistiche, l'acqua calda nei gabinetti, gli strati di vernice appiccicosa sulle travi, i viaggi aerei su e giù dalla California: non sono nulla, se paragonati alla gioia assoluta di possedere questa piccola porzione di collina in un angolo della Toscana.

Mi verrebbe voglia di invitarla, perché veda coi suoi occhi. Il suo desiderio me la rende familiare, e so che diventeremmo subito amiche e chiacchiereremmo a lungo nella notte. Ma sto per partire: mentre lei mi parla dall'ufficio, a un piano alto d'un grattacielo, una mezza luna sorge sulla fortezza medicea. Vedo la panca che Ed ha costruito per me sotto una quercia: un'asse poggiata su due ceppi. Mi piace, nel tardo pomeriggio, salire a zigzag per i terrazzamenti e fermarmi lì, a guardare la luce dorata diffondersi nella valle e le ombre allungarsi tra i crinali. Non sono mai stata un'*hippie*, ma le chiedo se ha mai udito quel loro vecchio motto: "Segui la tua felicità".

«Sì» mi risponde, «sono stata a Woodstock venticinque anni fa; ma oggi mi occupo di cause di lavoro per una multinazionale... non so se tutto ciò ha un senso.»

«Be', le pare di aver conquistato una maggiore libertà? Qui mi diverto moltissimo.» Non parlo del sole inesorabile, di come, quando sono via e mi immagino qui, è sempre un'immagine luminosa; adesso mi sento in grado di assorbire tutto. Il sole della Toscana mi ha scaldata fino al midollo. Flannery O'Connor ha scritto del bisogno di perseguire il proprio piacere, "sia pure a denti stretti". Talvolta a casa lo faccio, ma qui il piacere viene naturalmente. I giorni scorrono senza forzature, come quando il ragazzo che regge la stadera con gran facilità bilancia il melone su un piatto e i dischi di ferro arrugginiti sull'altro.

Sono curiosa di sapere se poi ha davvero comprato il cottage rivestito di legno, con tanto di pontile privato.

Mi sembra di vedere la sua bicicletta appoggiata a un pino, e la luce del mattino che sfolgora sulla ringhiera della veranda.

Ragazza coraggiosa! Placido sta salendo insieme alla figlia, che regge il falco sul polso. I lunghi boccoli rimbalzano ad ogni passo. Anche ciò che ci fa paura si stratifica nella memoria: sono certa che sognerò il falco per tutto l'inverno. Forse verrà ad abitare i miei incubi; o forse accompagnerà soltanto i miei vicini nel tardo pomeriggio lungo il viale di cipressi, fino al punto in cui gli daranno il volo, permettendogli ogni volta di allontanarsi di più. Ecco un'altra cosa da portare via con me, a fine estate. *La notte*, una poesia di Cesare Pavese, termina appunto:

> *Talvolta ritorna*
> *nell'immobile calma del giorno il ricordo*
> *di quel vivere assorto, nella luce stupita.*[4]

[4] La lirica, datata 16 aprile 1938, è contenuta in C. Pavese, *Le poesie*, a cura di Mariarosa Masoero, Torino, Einaudi, 1998, p. 77 (*N.d.T.*).

OLIO VERDE

«Non raccogliete oggi, è troppo bagnato» ci dice Marco vedendoci portare giù i cesti. «E poi non c'è la luna giusta. Aspettate fino a mercoledì.» Sta mettendo le due porte di castagno che ha restaurato, e quelle nuove, indistinguibili dalle altre, costruite nel periodo in cui siamo mancati. Sostituiscono le porte impiallacciate che il grande innovatore prima di noi ha preferito negli anni Cinquanta.

Siamo arrivati tardi, per la raccolta delle olive. I frantoi chiudono prima di Natale, e abbiamo una sola settimana di tempo per fare tutto. Fuori un'acquerugiola vela il verde intenso dell'erba, che è cresciuta rigogliosa durante le piogge novembrine. Appoggio la mano sul vetro: gelido. Marco ha ragione, naturalmente. Se raccogliamo oggi, e non finiamo, le olive bagnate possono ammuffire prima che le portiamo al frantoio. Prendiamo i cesti di vimini, che si legano in vita (così comodi, quando devi ripulire un ramo da tutti i suoi frutti), i sacchi blu per il trasporto delle olive, la scala di alluminio, gli stivaloni di gomma. Ancora intontiti dal *jet lag*, ci siamo alzati molto presto grazie a Marco che è arrivato alle sette e mezzo, appena giorno. Ci ha consigliato di fissare un appuntamento al frantoio: dice che forse più tardi verrà bel tempo, nel qual caso il sole asciugherebbe le olive in un baleno.

«E la luna?» chiedo io. Alza le spalle. Non vorrebbe raccogliere adesso, lo so.

L'impulso sarebbe di ributtarci a letto; siamo arrivati ieri sera, e non abbiamo ancora avuto modo di riposarci dalle ventiquattro ore di viaggio, con le tempeste che sferzavano l'aeroplano per quasi l'intera traversata oceanica. Scesa a Fiumicino, mi sarei gettata a baciare la terra. Da veri incoscienti, ci siamo avventurati a Roma per qualche acquisto, quindi, sempre più frastornati, ci siamo diretti verso Cortona a bordo di una buffa Twingo presa a nolo, esterno rosso e sedili verde menta. Affrontiamo l'*autostrada* in una macchina da autoscontri e in uno stato di spossatezza estrema. Ma poi il paesaggio bagnato e vibrante ci riempie di euforia: quell'erba che sembra fosforescente, e molti alberi ancora coperti di foglie colorate. Quando siamo partiti, l'agosto scorso, era tutto secco, inaridito; adesso è di nuovo fresco e vivo. Arriviamo a buio. In città compriamo del pane e una teglia di *cannelloni* col ripieno di carne. L'aria pungente ci tonifica; non abbiamo più voglia di crollare subito a letto. Laura, la ragazza che viene a pulire, ha acceso il riscaldamento due giorni fa, perciò le mura di pietra hanno avuto tutto il tempo di perdere l'umido. Ha anche portato dentro della legna, così la prima sera festeggiamo con un gran fuoco, e dopo ci aggiriamo di stanza in stanza toccando le cose, salutandole. Infine dritti a letto, finché Marco non ci desta, stamane. «Laura mi ha detto del vostro arrivo, e allora ho pensato che volevate le porte.» Sempre, appena giunti, c'è qualcosa che va spostato da A a B, è matematico. Ed Io lo aiuta a sollevare le porte e le tiene ferme mentre Marco le inserisce nei cardini.

L'antico frantoio di Sant'Angelo usa il metodo migliore, ci spiega Marco, cioè la spremitura a freddo; inoltre tratta un cliente alla volta e non, come fanno altri, unendo magari il raccolto di due piccoli coltivatori. Comunque, aggiunge, dovete avere almeno un *quintale*. I nostri alberi non si sono ancora ripresi da trent'anni di abbandono, non so se ci daranno una simile abbondanza. Molti non hanno frutti per nulla.

Il frantoio odora di olio e il pavimento è umido e scivoloso. I locali in cui spremono le olive hanno l'odore del tempo, come accade alle pietre delle chiese. Esalazioni di fradicio, di guazza che penetrano nei pori di chi ci lavora. Il responsabile ci informa dell'esistenza di numerosi altri frantoi che trattano piccole quantità come la nostra. Non lo immaginavamo. Le sue indicazioni, però, sono piuttosto sommarie: svolta a destra al pino più alto, a sinistra dopo aver scollinato, ancora a destra aggirando la stalla dei maiali.

Prima di lasciarci andar via, enumera i vantaggi del metodo tradizionale, e a riprova di ciò ci offre da assaggiare due cucchiai d'olio preso da un contenitore lì vicino. In terra non lo posso buttare; non mi resta che ingollarlo d'un colpo. Difficile ma lo faccio. Il sapore è davvero straordinario, una fragranza delicata insieme al gusto pieno del frutto. Berne un cucchiaio, comunque, è un po' come prendere una medicina. «*Splendido*» dico, deglutendo a fatica. Guardo Ed, che esita ancora, fingendo di apprezzare il bellissimo colore verde. «E di quello, cosa ne fate?» esclamo, indicando le vasche di polpa. Il nostro ospite si gira e Ed, velocissimo, rimette l'olio nel contenitore, poi lecca ciò che ne resta sul cucchiaio.

«*Favoloso*» dice. È la verità. Dopo la prima spremitura a freddo, la polpa viene mandata a un altro frantoio e spremuta di nuovo per ottenere l'olio normale, quindi pressata un'ultima volta per fare gli oli da ingrassaggio. I residui sono spesso usati per fertilizzare gli olivi, in un meraviglioso ciclo che si richiude su se stesso.

Mettendo in moto per andarcene, vediamo che le porte di San Michele Arcangelo, una chiesa che amiamo molto, oggi sono aperte. La soglia è cosparsa di chicchi di riso: *arborio*, lo riconosco, il tipo adatto per i risotti. C'è appena stato un matrimonio, e qualcuno è tornato per togliere i rami di pino e di cedro. La chiesa risale a quasi mille anni fa. Situate una di fronte all'altro, chiesa e frantoio soddisfacevano le esigenze primarie di allora, e i campi di grano, le vigne non sono lontani. I soffitti a travi e capriate di queste vecchie chiese mi ricordano lo scafo delle navi. Non l'ho mai detto prima ma ora lo dico a Ed: «La struttura di certe chiese ha qualcosa della barca, anche». *Navata* viene dal latino *navis*, mi risponde lui.

«E abside da cosa viene?» gli chiedo allora; le eleganti forme arrotondate mi fanno pensare ai forni da pane, posti una volta al centro dei cortili delle fattorie.

«Credo che la radice rimandi all'idea del fissare, legare insieme delle cose: qualcosa di pratico, non di poetico.»

Ma c'è poesia nella scansione delle tre navate, le tre absidi, la pianta basilicale in miniatura. Le linee aderiscono perfettamente l'una all'altra nell'esiguo spazio. Unico lusso, il profumo dei sempreverdi. Adoro le grandi chiese affrescate, ma queste più semplici mi toccano nel profondo. Sembrano incarnare la forma e la sostanza dello spirito umano, trasformato in pietre e luce.

Ed svolta in una strada che fu romana, e in tempi più recenti usata dai pellegrini diretti in Terra Santa. San Michele era una tappa per riposarsi, rimettersi in forze. Mi chiedo se anche qui vi fosse un frantoio. Forse i pellegrini si strofinavano d'olio i piedi doloranti. A noi, comunque, basta trovare un frantoio che trasformi i nostri sacchi di olive in bottiglie d'olio. Due dei mulini indicatici hanno già chiuso. Giunti al terzo, una donna con almeno sei maglioni addosso scende le scale e ci dice che è troppo tardi, le olive dovevano essere già state colte e ora non c'è la luna giusta. «Sì, lo sappiamo» rispondiamo. Il marito ha già chiuso il frantoio, per questa stagione. Ci indica un punto alla fine della strada. Entriamo in una grande villa, un cartello con la scritta "IL MULINO" ci conduce sul retro; ma quando arriviamo e parcheggiamo, vediamo due operai che lavano le attrezzature con una pompa. Troppo tardi. Ci indirizzano al grande frantoio vicino alla città.

Passando in macchina osservo gli orti invernali. Tutti hanno piantato pallidi, esili *cardi*, detti anche *gobbi*, e *cavolo nero*, d'un colore verde-nero, che non cresce a palla ma con foglie simili a un pennacchio di piume. Anche il radicchio rosso e verde è presente ovunque. E molti hanno qualche pianta di carciofi. Prima di venire d'inverno, non avrei mai sospettato che vi fossero tanti alberi di cachi. Coi loro frutti di lacca arancione appesi ai rami nudi, gli alberi sembrano fatti di rapide pennellate, proprio come raffigurazioni giapponesi di se stessi.

Al frantoio sono tutti così occupati che non badano a noi. Ci guardiamo in giro, soffermandoci davanti ad ogni fase del processo di spremitura: il che non ci invoglia a servirci di questo frantoio, per le nostre preziose olive. Sembra più che altro un procedimento meccanizzato. Dove sono le grandi macine in pietra? Non saprei dire se spremano a caldo, un modo che – ci hanno spiegato – rovina molto il sapore. Vediamo entrare un cliente; gli pesano il raccolto e lo gettano su un capiente carrello. Certo, forse le olive sono tutte uguali e non importa se si mischiano, ma almeno questa volta vogliamo avere il piacere di un olio che venga proprio dalla terra lavorata da noi. Usciamo in fretta e ci dirigiamo verso la nostra ultima speranza, un piccolo frantoio vicino Castiglion Fiorentino. Tre grosse macine sono appoggiate al muro, accanto alla porta. E dentro troviamo, una sull'altra, tante cassette di olive, ciascuna con su scritto il nome del proprietario. Bene, è il luogo che fa per noi. Torneremo domani.

Il pomeriggio il tempo migliora, è più caldo. Marco ci dà il suo benestare: possiamo cominciare. Luna o no, partiamo con la raccolta. Svuotiamo i cestini nella cesta grande della biancheria, e quando è piena passiamo le olive in uno dei sacchi. In terra ne sono cadute poche, anche se cedono facilmente alle nostre dita. Una giornata di vento forte potrebbe fare molto danno, anche se si ha l'accortezza di stendere delle reti sotto gli alberi. Le olive sono lucide, turgide e sode. Sono curiosa, voglio sapere di che sanno da crude: ne mordo una, ha il sapore dell'allume. Mi chiedo come sia venuto in mente a qualcuno di conservarle. Lo stesso popolo, immagino, che ha avuto il coraggio di assaggiare le ostriche. Gli antichi liguri le conservavano in sacchi tenuti nel mare; le popolazioni dell'interno, invece, le facevano affumicare, durante la stagione invernale, sotto la cappa del camino, un metodo che desidero provare. Ci togliamo i giubbotti, poi i maglioni e li appendiamo ai rami; continuiamo a lavorare. La temperatura è salita a circa venti gradi; abbiamo gli stivali bagnati, ma l'aria è mite. In lontananza scorgiamo la striscia azzurra del lago Trasimeno sotto il blu ancora più intenso del cielo. Alle tre abbiamo colto tutte le olive di dodici alberi. Mi rimetto il maglione. Qui le giornate sono più corte, in inverno, e il sole è già vicino al crinale della collina dietro casa. Alle quattro abbiamo le dita rosse e intirizzite: smettiamo e trasportiamo in cantina sacco e cesta.

Non è la prima volta, nella mia storia qui, che il mio corpo diviene di colpo consapevole di aver bisogno di qualcosa: oggi è il turno delle spalle. Ah, nulla potrebbe essere più salutare di un lungo bagno nella vasca piena di bolle e di un massaggio! Ho lasciato l'olio da bagno a scaldare sul radiatore, ma avendo a disposizione soltanto venti giorni, ogni minuto è importante. Ci forziamo a scendere in città per fare la spesa. Fra tre giorni arrivano mia figlia e il suo ragazzo, e pensiamo di festeggiare in vario modo. Siamo in centro in tempo per la riapertura pomeridiana dei negozi. Strano, è già buio e la città si ridesta. Grappoli di luci bianche, appese da una parte all'altra delle stradine, ondeggiano al vento. Il negozio di alimentari A&O, dove compriamo di solito, esibisce un albero (l'unico, in città) finto e piuttosto malconcio, con sotto grandi pacchi dono con diverse leccornie.

Da quanto abbiamo appreso nel nostro fugace viaggio sotto Natale, lo scorso anno, il fulcro della festa è duplice: il cibo e il *presepe*. Pronti a lanciarci nel primo, siamo altresì incuriositi dal secondo. I bar hanno messo in vetrina dolciumi squisiti e il corrispondente italiano del nostro *fruitcake* di Natale, il *panettone*, in scatole colorate. Qualche negozio è addobbato con ghirlande composte chiaramente dai proprietari stessi. E con le decorazioni si finisce qui, tranne i *presepi* in tutte le chiese e in molte vetrine. «*Auguri, auguri!*» si dicono le persone, incontrandosi. Nessuno impazzisce a comprar regali, nessuno invita agli acquisti, né esistono le frenetiche corse dell'ultimo minuto.

La vetrina della *frutta e verdura* è appannata. Fuori, dove d'estate siamo abituati a veder esposta la frutta, troviamo cesti di noci, di castagne e profumati clementini. Maria Rita, ingoffita in un ampio maglione nero, sta schiacciando le mandorle. «*Ah, benissimo!*» ci saluta. «*Ben tornati!*» Al posto dei saporosi pomodori ci sono ora i *cardi*, che non ho mai provato. «Si fanno bollire, ma prima deve togliere le filacce.» Spezza un gambo e leva i filamenti, come al sedano. «Li metta subito a bagno in acqua e limone, altrimenti diventano neri. Poi nella pentola a bollore. Ecco, sono pronti per il burro e *parmigiano*.»

«Quanto?»

«Abbastanza, signora, abbastanza. E infine nel forno.» Dopo ci spiega la *bruschetta* col cavolo nero: le fette di pane abbrustolite sul fuoco e il cavolo precedentemente saltato in padella con olio e aglio. Compriamo arance rosse e piccole lenticchie verdi che lei tiene in un vaso di vetro, castagne, pere invernali, meline color del vino e broccoli, che non avevo ancora visto in Italia. «Le lenticchie sono di buon augurio per l'anno nuovo» ci dice. «Io le cucino con un po' di menta.» Ci riempie le sporte con tutti gli ingredienti per la *ribollita*, la tipica minestra invernale.

Dal macellaio ci sono le salsicce fresche, appese lungo la vetrina delle carni. Un uomo con un naso a salsiccia (appunto!) dà di gomito a Ed e, indicandogli le sfilze di salsicce, mima una persona che reciti il rosario. Ci mettiamo un momento prima di afferrare l'associazione, che a lui deve parere molto divertente. Quaglie e altri volatili, che sembra stiano ancora cantando sull'albero, giacciono nella vetrina con tutte le loro piume. Alcune foto a colori attaccate alle pareti mostrano il nome del macellaio scritto sul posteriore di molte enormi mucche bianche, dalle quali si ricava la famosa bistecca chianina, orgoglio della Toscana. In un'altra si vede Bruno con il braccio attorno al collo di un poderoso animale. Ci fa cenno di seguirlo, apre la cella frigorifera ed entriamo con lui: una mucca grossa quanto un elefante pende da un gancio sul soffitto. Bruno le batte sul fianco come a una vecchia amica: «La *bistecca* migliore del mondo» dice. «Alla griglia con rosmarino e un po' di limone.» Rigira le mani a mostrarci le palme, in un gesto che significa: "Che altro ci può essere, nella vita?" All'improvviso la porta si chiude: siamo prigionieri insieme al massiccio corpo rivestito di bianchi strati di grasso.

«Oh, no!»: penso a quel gioco che si faceva da bambini, con uno che "sta sotto", e quando si volta all'improvviso devi restare bloccato nella posizione in cui ti trovi, come congelato. Mi precipito alla porta, ma Bruno sta ridendo: la apre con facilità, e noi usciamo di gran carriera. No, la bistecca non la voglio.

Volevamo cucinare, ma è troppo tardi, ormai. Lasciamo il cibo in macchina e andiamo a cena da Dardano, una delle nostre *trattorie* preferite. Il figlio, che serve in sala da quando frequentiamo il locale, d'un tratto sembra un adolescente. La famiglia al completo siede attorno a un tavolo, in cucina. Nel ristorante ci sono solo due clienti, uomini del posto che mangiano concentrati sul loro piatto di *penne*, come se fossero soli. Ordiniamo pasta col tartufo nero e una caraffa di vino. Dopo passeggiamo per le vie silenziose. Dei ragazzini giocano a pallone nella piazza vuota. Le loro grida risuonano nell'aria gelida. I tavolini fuori sono stati tolti e messi via, le porte dei bar restano rigorosamente chiuse; il fiato delle persone all'interno si condensa in nuvolette bianche. Nessuna automobile in giro. Un cane solitario percorre un viale. A parte noi, non si vede uno straniero; la città svela i suoi silenzi, le lunghe serate trascorse a giocare a carte, dopo che le campane hanno battuto le nove; le strade deserte che sembrano tornate alle loro origini medioevali. Giunti al duomo, ci affacciamo ad ammirare le luci della vallata. C'è qualcun altro, appoggiato al parapetto. Quando siamo ben congelati, torniamo indietro e apriamo la porta di un bar: uno scoppio di rumori e di voci ci investe. La cioccolata, scaldata con la macchina del caffè, è densa quanto un budino. Mi è bastato un giorno e mi sto innamorando dell'inverno.

Alle prime luci siamo già fuori, sui terrazzamenti, anche se le olive sono ancora bagnate di guazza. Vogliamo finire entro oggi, per non dare il tempo ai frutti di ammuffire. Dalla valle sorge una nebbia spessa come mascarpone, ma noi ne siamo al di sopra, nell'aria limpida e gelida, pungente al respiro. Abbiamo una visione dall'alto, quasi da un aeroplano; e la sensazione di disancoraggio, come se la collina fluttuasse nel nulla. Persino il tetto rosso del nostro vicino Placido è scomparso alla vista. Il lago contribuisce al mistero di questo paesaggio. Vaste brume salgono dall'acqua e si disperdono nella valle. La nebbia si leva a ondate. Mentre raccogliamo le olive ci passano accanto stracci di nubi. Il lago è nascosto tra mulinelli di vapori madreperlacei. Superiamo degli olivi che non portano frutto e ci dedichiamo invece a un albero carico. Ce lo dividiamo: io mi occupo dei rami più bassi, Ed appoggia la scala al centro e si arrampica. Con nostra grande gioia Francesco Falco, l'uomo che cura gli olivi, viene a darci manforte. Incarna il raccoglitore di olive per eccellenza, coi pantaloni di lana grezza e il berretto di tweed, il cesto legato in vita. Attacca a lavorare da quel professionista che è, procedendo molto più veloce di noi. Non è troppo attento, però, fa cadere foglie e ramoscelli, mentre noi, dopo aver letto che rendono il sapore dell'olio più tanninico, li togliamo meticolosamente. Poi tira fuori la roncola dal dietro dei pantaloni (ma com'è che non gli si conficca nel sedere?) e taglia un pollone. Dice che è meglio portar dentro le olive, perché forse sta arrivando la gelata. Ci fermiamo per un caffè, ma lui continua a raccogliere. Lo scorso autunno ha tagliato dalle piante tutti i rami secchi, in modo da incoraggiare i nuovi germogli. Entro la primavera terminerà la potatura, lasciando soltanto i rami più rigogliosi. Il terreno attorno agli alberi sarà perfettamente pulito. Gli chiediamo degli olivi fatti crescere a cespuglio, e di altri metodi sperimentali di potatura di cui abbiamo letto: lui, però, non ne vuole sentir parlare. Gli olivi devono essere curati seguendo la natura, è indiscutibile. A settantacinque anni Francesco Falco ha la fibra di una persona di quaranta. La stessa fibra, credo, che gli ha dato la forza di tornare a casa a piedi dalla Russia, alla fine della Seconda Guerra Mondiale. Per noi che lo identifichiamo totalmente con il paesaggio di Cortona, è arduo immaginarlo giovane soldato bloccato, alla fine di quella brutta guerra, migliaia di chilometri lontano da casa. Di solito scherza, ma oggi ha lasciato la dentiera a casa e facciamo fatica a comprenderlo. Si avvia verso i terrazzamenti più in basso, dove ci sono ancora erbacce e rovi: ha visto dalla strada che alcuni olivi in quel punto sono carichi di frutti.

Con l'aggiunta di queste ultime olive, raggiungiamo il *quintale*. Dopo l'ora della siesta, che abbiamo trascorso lavorando, sentiamo Francesco e Beppe venir su dalla strada: hanno agganciato al trattore un carrello e hanno appena caricato i sacchi del loro amico Gino. Spostano i sacchi di Gino nell'Ape di Beppe e ci aiutano a caricare anche i nostri. Li seguiamo. È quasi buio, la temperatura sta calando. Molti inverni trascorsi in California hanno cancellato in me la memoria di cosa sia il vero freddo. Una presenza di per sé. Ho i piedi gelati e invano il riscaldamento della Twingo emette un getto d'aria tiepida. «Ma ci saranno almeno dieci gradi...!» dice Ed, che sembra irradiare calore. Il suo passato in Minnesota ritorna a galla ogniqualvolta io mi lamento per il freddo.

«A me sembra di stare nel frigorifero di Bruno.»

Pesano i nostri sacchi, poi mettono le olive in un contenitore, le lavano e le macinano con tre ruote in pietra. Una volta schiacciate, passano la polpa in una macchina che la distribuisce su una stuoia di canapa, sempre di forma rotonda, sulla quale mettono una seconda stuoia, e ancora polpa: e così via, fino a raggiungere uno spessore di circa un metro e mezzo. Mediante una pressa, la polpa rilascia tutto il suo olio, che gocciola ai lati in un apposito recipiente. Infine l'olio viene versato in una centrifuga perché perda la componente acquosa. Ci portiamo via il nostro olio in una damigiana; è verde e torbido. Il responsabile del frantoio ci informa che la resa è stata alta: per un *quintale* di olive, 18,6 kg di olio, circa un litro per ogni albero carico. C'è da meravigliarsi che l'olio sia caro? «E il tasso di acidità?» chiedo. Ho letto che per potersi definire extravergine, l'olio deve avere meno dell'uno per cento di acidità.

«Uno per cento!» Schiaccia il mozzicone sotto il tacco. «*Più basso, signori, più basso*» borbotta, quasi offeso: il suo frantoio non tollererebbe mai un olio di qualità inferiore. «Queste colline sono le migliori d'Italia.»

Una volta a casa, ne versiamo un poco in una ciotola e ci intingiamo dei pezzi di pane, come fanno certo i toscani. Il nostro olio! Non ne abbiamo mai assaggiato uno migliore. Il sapore ricorda vagamente il crescione d'acqua, è asprigno ma fresco come i ruscelli in cui nasce il crescione. Con quest'olio potremo preparare tutti i tipi di *bruschetta* che conosciamo e inventarne anche di nuovi. Forse imparerò a condire le fette di arance con olio e sale, come ho visto fare dal prete.

Lasciato nel contenitore, l'olio deporrà una fondata, ma a noi piace anche torbido, che sa di oliva. Perciò riempiamo parecchie graziose bottiglie che avevo messo da parte, e riponiamo il resto nella semioscurità della cantina. Metto in fila sul bancone di marmo cinque bottiglie, con quei particolari tappi usati dai baristi per versare i liquori. Li trovo perfetti per versare l'olio lentamente, a goccia a goccia, se occorre. E quando hai finito, il coperchietto si richiude, così non entra la polvere. Quest'estate cucineremo tutto col nostro olio. E gli amici che verranno in visita se ne porteranno via qualche bottiglia: in fondo ne abbiamo più di quanto ce ne serva, e nessuno a cui darlo, visto che qui ognuno ha il suo, o almeno un cugino generoso. Quando i nostri alberi renderanno di più, venderemo al locale consorzio ciò che ci avanza. E pensare che compravamo a venti dollari una tanica di circa quattro litri di orribile olio *comune*! Una volta ne ho portata una in aereo, e per tutto il lungo volo l'ho tenuta stretta tra i piedi, fredda e ingombrante.

Le nostre erbe aromatiche continuano a prosperare, a dispetto del freddo. Per guarnire l'arrosto di maiale prendo una manciata di foglie di salvia e dei rametti di rosmarino, cipolle e patate; poi metto in forno, dopo aver unto ben bene la teglia col nostro primo olio.

Il pomeriggio successivo si svolge la prima festa cittadina dell'*olio extravergine dei colli cortonesi*. Mi torna in mente la cucchiaiata d'olio trangugiata al frantoio, ma qui, per fortuna, c'è il pane del fornaio. Sul lungo tavolo in piazza sono allineati gli oli di nove aziende; alcuni olivi in vaso sono stati disposti qua e là, per fare atmosfera. «Non lo avrei mai immaginato, e tu?» mi dice Ed, mentre assaggiamo il quarto o quinto olio. No, neanch'io. Questi oli hanno la stessa freschezza del nostro, e sono al contempo asprigni e forti da leccarsi le labbra. Le differenze tra l'uno e l'altro sono quasi impercettibili. In uno mi sembra di sentire il vento caldo dell'estate, in un altro le prime piogge d'autunno, e ancora la storia di una strada romana, i raggi del sole sulle foglie. Sanno di verde e di vita piena.

·

UN MONDO CHE GALLEGGIA:
È INVERNO

C'è qualcosa di inevitabile nel fermento attorno al Natale. Mi sento spinta ai fornelli. E comincio a provare desideri impellenti per i biscotti a forma di stella, la glassa al mandarino e il crème caramel, cose a cui non penso mai durante il resto dell'anno. Anche le volte in cui mi riprometto di mantenermi sul semplice, mi ritrovo alle prese con le praline che mia madre faceva ogni anno all'aperto, in veranda. Bisogna farle fuori, al freddo, perché i fondenti a base di crema, zucchero e noci di pecan vanno infilzati con uno stuzzicadenti e immersi nella cioccolata, quindi lasciati raffreddare prima di essere messi sulla carta oleata. Ovviamente la cioccolata si indurisce di continuo e bisogna riportarla in cucina e scaldarla sui fornelli. Mia madre faceva un'enorme quantità di praline, perché tutti gli amici le aspettavano. Noi dicevamo che erano troppo dolci, ma poi le mangiavamo finché non ci dolevano i denti. Ho ancora il barattolo di vetro in cui compivano un effimero passaggio.

Altra necessità assoluta erano le noci di pecan tostate in burro e sale; le arterie rabbrividiscono di terrore al solo pensarlo, ne mangiavamo a chili. A Natale non posso farne a meno, anche se di solito le distribuisco agli amici, serbandone solo una piccola quantità. Per gli ospiti, chiaramente.

Quest'anno niente praline. Ma dovendo usare il raccolto dei nostri alberi, almeno le mandorle tostate sono d'obbligo. È tempo di minestre calde: in previsione dell'arrivo di Ashley e Jess, preparo una grande pentola di *ribollita*, un tipo di minestra adatta a rifocillare dopo una giornata di lavoro nei campi, oppure, penso io, dopo un volo da New York. Come tanti altri piatti, è un cibo che fa di necessità virtù, composto di ingredienti semplici: fagioli, verdure e pane raffermo.

Le pietanze invernali mi fanno capire la cucina toscana a un livello più profondo. La cucina francese, il mio primo amore, sembra lontana anni luce: l'evoluzione della tradizione borghese rispetto a quella contadina. Un libro comprato qui parla della cosiddetta *cucina povera* come fondamento della ricca cucina toscana dei nostri giorni. I *tortelloni in brodo*, un piatto tipico del Natale, sembra sofisticato: tre mezzelune di pasta ripiena messe a bollire nel brodo. Ma in realtà cosa ci può essere di più frugale che usare dei tortelloni avanzati insieme ad altro brodo? Più che la pasta, è il pane l'elemento primo: le minestre o le insalate di pane, che nei ristoranti californiani sembrano piatti così saporiti e fantasiosi, altro non sono che un buon riutilizzo degli avanzi, soprattutto quando in casa c'è l'olio e basta. Esemplare, nella cucina povera, è l'*acquacotta*. È presente, con varianti(ma la base è sempre il pane e l'acqua), in tutta la Toscana. Per fortuna le erbe commestibili non mancano mai, sul ciglio delle strade. L'acqua viene insaporita con un pugno di menta, funghi, un po' di salvastrella e altro. Se hai sottomano un uovo lo puoi aggiungere all'ultimo minuto. La cucina toscana è rimasta così semplice perché le donne di campagna erano talmente brave, ai fornelli, che nessuno ha pensato mai di discostarsi dalle loro ricette e sperimentare cose nuove.

Ashley e Jess arrivano a distanza di un'ora l'uno dall'altra: una perfetta sincronia, considerato che lei, venendo da Roma, scende alla stazione di Chiusi, mentre lui, giunto da Londra all'aeroporto di Pisa, ha poi preso il treno per Firenze, quindi per Camucia. Vado a prendere Ashley, e dopo quaranta minuti di macchina siamo a Camucia, proprio mentre Jess sta scendendo dal treno.

Le persone che i figli ti portano a casa sono sempre dei problemi. Uno ci è venuto a trovare l'anno che avevo preso in affitto una casa nel Mugello, a nord di Firenze. Era maniaco di Tom Wolfe, e stava seduto dietro in macchina a leggere senza interruzione *Look Homeward Angel*. Li abbiamo portati in giro per tutta la Toscana, per mostrare loro (artisti entrambi) i vari Piero della Francesca: ma lui non faceva che voltar pagine, dando di quando in quando un'occhiata in giro. Solo una volta ha alzato lo sguardo e, scorgendo le balle di fieno dorato che disseminavano la bellissima campagna, ha detto: «Forte! Sembrano delle sculture di Richard Serra!». Non abbiamo mai saputo se gli sia rimasto impresso dell'altro. Una ragazza amica di Ashley soffriva di un terribile mal di denti, tranne le volte in cui dovevamo andare a fare shopping. Allora miracolosamente risorgeva, giusto il tempo per comprare qualsiasi cosa vedesse (aveva un occhio straordinario per il design), poi crollava di nuovo sul letto, pretendendo di mangiare in camera. Tornata a New York, ha dovuto farsi devitalizzare tre denti: dunque le sue incursioni nei negozi erano state davvero un trionfo mentale sul dolore. Un altro amico non mi ha mai restituito il prezzo del biglietto New York-Roma e ritorno, pagato con la mia carta di credito perché Ashley si era incaricata di prenotare i biglietti per entrambi. Naturalmente ci chiedevamo che tipo di persona fosse quella che si apprestava a trascorrere due settimane con noi.

Se avessi un figlio maschio lo vorrei simile a Jess: sia Ed sia io ci siamo subito innamorati della sua ironia, della sua curiosità intellettuale e calore umano. Si è presentato con un cesto di vimini pieno di salmone affumicato, formaggio Stilton, biscotti d'avena, miele e marmellate. A Londra ha passato gli ultimi due giorni comprando bellissimi regali per ciascuno di noi. Ma soprattutto non ci considera i genitori con la G maiuscola, quanto piuttosto possibili amici. Vista la naturalezza con cui ciò avviene, mi sento incoraggiata anch'io a fare lo stesso, con quel trasporto che subito provo verso le persone nuove che entrano nella mia vita. Il mio amico iraniano sostiene che l'attrazione fra individui si fondi sugli odori, il che pare anche a me abbastanza logico. Nel caso della maggior parte delle mie amicizie durature è scattata una simpatia immediata. (Le volte in cui l'aspettativa è stata delusa mi bruciano ancora.) Jess conosce tutte le parole delle canzoni rock. Ashley ride. In macchina ci mettiamo a cantare. Che felicità!

A mezzogiorno fa troppo caldo per mangiare la ribollita, così ci fermiamo in città per prendere un panino al bar. Jess ci racconta del matrimonio a cui è stato di recente, a Westminster Abbey. Ashley, che ha affrontato il viaggio più lungo, vuole andare a riposarsi. Ed e io facciamo una passeggiata, poi – essendo la giornata calda e forte l'abitudine – cominciamo a lavorare in giardino. Strappo la gramigna cresciuta tra le erbe aromatiche e tolgo i gerani dai vasi, ne avvolgo le radici in carta di giornale e li metto al coperto per la stagione invernale. Ed falcia l'erba alta e l'ammonticchia col rastrello. Tutto è bagnato, rigoglioso, persino le erbacce sono bellissime. Adorno il tabernacolo con rami e coccole di abete, rami d'olivo e una stella d'oro sulla testa della Madonna. Ed cerca di dar fuoco a un mucchio di foglie che non abbiamo potuto bruciare durante l'estate, per via del clima troppo secco. Ma adesso, al contrario, sono così umide che fanno solo fumo. Quando Ashley e Jess riappaiono, raggiungiamo in macchina il vivaio per comprare un albero di Natale e un grosso vaso in cui piantarlo. Non è molto alto, eppure invade il salotto. Non abbiamo nulla per decorarlo, tranne un filo di lucine bianche, perciò decidiamo di andare l'indomani a Firenze per comprare qualche addobbo. Ho portato dalla California delle candele a forma di stella e dei *farolitos*, una tradizione decisamente non toscana: sono lampioncini di carta trasparente, con ritagliate delle stelle, in cui è racchiusa una candela. Si usano a Santa Fe come ornamento per le facciate delle case, e da quando ho trascorso un Natale lì ho cominciato a usarli anch'io. Ne mettiamo una dozzina sul muro di pietra davanti alla casa, e appaiono davvero magici, con le loro stelline luccicanti. Riempiamo la mensola del caminetto con pigne e rami di cipresso tagliati da Ed questo pomeriggio. Come sembra tutto facile, che piacere ritrovare la gioia del Natale! La ribollita e la fiamma del focolare contribuiscono al nostro dolce sopore: sprofondati nelle grandi poltrone e avvolti nelle coperte di mohair, ascoltiamo Elvis cantare in CD «*Blue, blue, blue Christmas*».

Al mercato di Firenze troviamo delle palline di cartapesta e delle campane con figure di angeli. La bancarella accanto vende *trippa*, un genere particolarmente amato dai fiorentini. Sembra che gli affari prosperino. Se ieri pensavo che mi stavo innamorando dell'inverno, oggi ne sono sicura. Firenze ci appare redenta e magnifica nella chiara mattinata di dicembre. Come tutte le città, è addobbata graziosamente, con collane di luci di traverso sulle vie, a brevi intervalli. Le signore fiorentine, comunque, non devono aver letto molto sul massacro degli animali selvatici: non ho mai visto tante pellicce, né così ampie e lussuose. Invano ne cerchiamo con gli occhi qualcuna sintetica. Gli uomini vestono bei cappotti di lana, eleganti sciarpe. Da Gilli, uno dei miei bar preferiti in città, esce un continuo brusio di voci e tintinnio di tazze, nonché il sibilo del vapore della macchina per l'espresso. Ed si blocca in mezzo alla strada e mi fa: «Ascolta!».

«Che cosa?» Ci fermiamo entrambi.

«Niente! Com'è che non lo abbiamo notato prima? Non ci sono motorini: dev'essere troppo freddo...»

Per Natale Ashley vuole degli stivali. E questo è il posto giusto, ovviamente. Ne trova un tipo nero e un altro marrone di pelle scamosciata. Invece io vedo una borsa che mi piace tantissimo, ma non ne ho bisogno, perciò resisto. Appena prima dell'orario di chiusura andiamo a San Marco, il convento con le celle affrescate dal Beato Angelico. Jess non lo conosce, e la visione dei dodici angeli musicanti ci sembra particolarmente adatta al momento. Sopraggiunge l'ora di chiusura dei negozi, così decidiamo per un tranquillo, lungo pranzo da Antolino, una buona *trattoria* che esibisce una grossa stufa panciuta al centro del locale. Il menù propone pasta al *ragù* di lepre o di cinghiale, anatra, polenta e risotti vari. I camerieri corrono in su e in giù con grandi vassoi di arrosti.

Abbiamo tutto il tempo per una passeggiata in centro, prima che i negozi riaprano. Firenze! I turisti se ne sono andati, ovvero, se ci sono ancora, probabilmente la pioggerellina impedisce loro di uscire. Passiamo sotto l'appartamento dove abbiamo abitato cinque anni fa, e dove ho giurato di non tornare mai più in questa città. Infatti d'estate orde di turisti intasano le vie come se si trattasse di un parco di divertimenti con ricostruzioni di ambienti rinascimentali. Tutti mangiano. Inoltre in quel periodo c'era uno sciopero della Nettezza Urbana, durato un'intera settimana, ed io cominciavo a temere un'epidemia di peste, a causa dei bidoni da cui strabordavano cumuli di marciume. Mi stupivo di quanto camerieri e negozianti continuassero a comportarsi gentilmente, considerato ciò che erano costretti a tollerare. Ovunque andassi ci trovavo folle di gente sgraziata: giovani di tutte le nazionalità, con zaini e lacere magliette, sdraiati sui gradini; turisti disorientati scesi dai torpedoni, che gettavano per terra i tovaglioli del gelato e domandavano ad ogni piè sospinto: «Quanto costa in dollari?»; tedeschi in pantaloncini troppo corti che permettevano ai figli di scorrazzare maleducatamente nei ristoranti; madri e figlie inglesi che ordinavano *lasagne verdi* e Coca Cola, salvo lamentarsi perché la pasta agli spinaci era verde, appunto. E la mia immagine riflessa nelle vetrine, con i pacchi delle scarpe acquistate e il prendisole che non mi donava molto. Un paese delle meraviglie che ha perso ogni smalto. Henry James scrive di Firenze, alludendo ai "detestabili compagni di visite". Sì, certo, ed è davvero il momento di partire, quando ci si vede così integrati in una situazione. Peccato che il nostro secolo non abbia aggiunto nulla alla bellezza di Firenze, ma solo torme di persone e inquinamento nell'aria.

Comunque, uscendo al mattino presto facevamo sempre una puntatina da Marino per i cornetti caldi, ce li portavamo sul ponte e da lì guardavamo la luce verde argentea sulla superficie dell'Arno. Molti pomeriggi ci sedevamo in un caffè in piazza Santo Spirito, che conserva anche in estate un'atmosfera raccolta di quartiere. Penetrando tra i rami degli alberi, il sole colpiva la grande, nuda facciata del Brunelleschi, con i ragazzi che giocavano a pallone sul sagrato. Certo, fa una bella differenza, crescere calciando la palla contro i muri di Santo Spirito. Forse tanti che vengono a visitare Firenze sanno godersi momenti e piazze come questa, situazioni in cui la città si abbandona e ritorna se stessa.

Oggi le vie lastricate brillano per l'umidità. Arriviamo alla cappella Brancacci: non c'è fila, ma solo alcuni giovani preti in abito talare dietro un prete più anziano che spiega loro gli affreschi. Non avevo visto la *Cacciata di Adamo ed Eva dall'Eden* dopo il restauro, quando hanno anche levato loro le foglie di fico aggiunte da qualche casto papa. Meraviglioso, ammirarli privi del velo di fuliggine provocato da secoli di candele accese: distinguerne bene i volti, e i colori rosa pastello, le vesti giallo zafferano. Ogni viso mostra un preciso carattere. "Volevo capire cosa facesse di una persona proprio quella persona" scrive Gertrude Stein, a proposito del suo desiderio di raccontare tante vite. Masaccio possiede un forte senso dei personaggi e delle storie, e un occhio unico nel situare la figura umana nello spazio. Un neofita sta in ginocchio in un ruscello in attesa del battesimo; nella trasparenza dell'acqua se ne distinguono chiaramente piedi e ginocchia. San Pietro gli asperge con l'acqua il capo e le spalle, in un gesto che rivoluziona tutto il simbolismo dell'arte precedente. Altra cosa notevole è l'attenzione di Masaccio (e di Masolino, e di Lippi, le cui differenti mani sono evidenti) all'architettura, alle luci e alle ombre. È questa la Firenze da lui vista, o idealizzata, e che egli raffigura sotto una ben precisa fonte di luce (novità rispetto ai suoi predecessori): luce che colpisce volti e personaggi certo ispirati ai suoi concittadini.

Corriamo alla stazione: il nostro treno parte alle sei e diciannove, ma lo perdiamo. Aspettando il successivo mi capita di alludere alla borsa nera che non ho comprato; allora Ed decide che dev'essere uno strepitoso regalo di Natale, anche se ci siamo ripromessi di comprare soltanto oggetti per la casa. Lui e Jess tornano precipitosamente al negozio, a metà strada tra il centro e la stazione. A cinque minuti dalla partenza del treno successivo Ashley e io stiamo sulle spine: ma proprio mentre annunciano il treno, eccoli sopraggiungere di gran carriera, sorridenti e affannati, salutandoci di lontano con il pacco della borsa.

La vigilia di Natale ci muoviamo verso l'Umbria, per acquistare alcuni generi introvabili qui. Per cena, infatti, Ed vuole uno dei suoi rossi preferiti, il Sagrantino, che non si vende a così gran distanza dai luoghi di produzione; e io mi occupo del *panettone*. Telefono a Donatella, un'amica italiana che è anche una cuoca straordinaria, e le chiedo se possiamo farne uno insieme: mi sembra infatti meglio così, piuttosto che comprarne uno confezionato, scelto fra i tanti esposti in involucri colorati in ogni bottega o bar. «Ci vogliono almeno venti ore» mi fa lei. «Deve lievitare quattro volte.» Ripenso allora alle tante occasioni in cui l'impasto del pane non mi è cresciuto. Quando sua madre era piccola – mi dice Donatella – il panettone non era che semplice pane con l'aggiunta di qualche noce e frutta secca. Sempre cucina povera. «È molto meglio comprarlo, davvero.» Mi segnala parecchie marche e io ne prendo uno per la famiglia di Francesco. Sto per acquistarne un altro per noi, quando una signora accanto a me mi spiega che quello migliore in assoluto lo fanno a Perugia. Mi scrive su un pezzetto di carta il nome del negozio, Ceccarani. Perciò ci mettiamo in viaggio per Perugia.

La vetrina di Ceccarani è occupata interamente da un presepe in pasta di pane glassata, che deve prestarsi bene a una simile lavorazione. I personaggi hanno volti espressivi, sulle pecore sembra ci sia lana vera, le foglie delle palme sono sbozzate nei minimi dettagli. La scena della Natività è circondata da funghi di marzapane e panettoni scavati da un lato, con dentro – incredibile! – un altro presepe in miniatura.

Il negozio è zeppo di donne. Avanzo a spintoni e alla fine scelgo un panettone alto quanto un cappello a cilindro.

Visto che siamo in Umbria, arriviamo fino a Spello, dove girovaghiamo a lungo per le erte viuzze. Riscendendo a valle scorgiamo la luna levarsi sui colli. Dopo una curva la perdiamo, poi la ritroviamo di nuovo: la luna più grande, bianca e spettrale che abbia mai visto. Per tutta la strada verso Montefalco, patria del Sagrantino, la schiviamo; solo due o tre volte la scopriamo, ora su questa, ora su quest'altra collina. Jess ha cominciato a chiamare Ed "Montefalco", per il giubbotto di pelle nera e la tendenza a correre in macchina, e improvvisa una serie di storielle avventurose interpretate da Montefalco, mentre Ed continua a sbagliare strada. L'enoteca in piazza è aperta, ma manca il proprietario. Ci guardiamo intorno, camminiamo un poco, torniamo indietro: non v'è segno della sua presenza. Facciamo il giro della piazza. Il negozio è sempre aperto, e sempre senza nessuno dentro. Alla fine entriamo in un caffè a chiedere, e il barista ci indica un uomo che sta giocando a carte. Compriamo le nostre quattro bottiglie e puntiamo dritti a casa, inseguendo la luna per tutta l'Umbria.

La vigilia di Natale Ashley e io ci lanciamo nell'attività culinaria. Jess, ancora un novizio, viene incaricato di vari compiti, e intanto ci recita i testi delle canzoni rock. Ed trascorre la mattinata a sigillare i telai delle finestre col silicone. Fa una corsa in città per comprare dal pastaio il primo piatto di stasera, le *crespelle*. Le delicate *crêpes* sono ripiene di crema di tartufi. Ecco il nostro menù, dopo le crespelle: insalata tiepida di *porcini*, peperoni rossi arrosto, lattuga di campo, bistecchine di vitella alla griglia, cardi con besciamella e nocciole tostate. Per dessert, una torta che si usava nella mia famiglia e che conosco a memoria, e *castagnaccio*, il classico dolce toscano di farina di castagne. Il mio vicino consiglia di non cimentarci nell'impresa. Sua nonna lo faceva quando erano molto poveri. «Tutto ciò che occorre è farina di castagne, olio d'oliva e acqua» dice con una smorfia. «La nonna diceva che almeno questi ingredienti li avevano sempre. Aggiungeva un po' di aromi: rosmarino e pinoli, semi di finocchio, e uvetta, se c'era.» Non ho mai usato la farina di castagne, un alimento che consideravo piuttosto astruso, finché non ho imparato che è un ingrediente base della *cucina povera*. Questa ricetta è decisamente strana. Come dice il mio vicino, bisogna aver acquisito un certo gusto.

«Ma senza farina e uova com'è possibile che diventi un dolce? E quanta acqua mettere? La ricetta spiega soltanto che la pastella dev'essere abbastanza liquida, quando si versa.» Il mio vicino si limita a scuotere la testa. La cosa mi prende: questo dolce ci farà tornare alle radici stesse della cucina toscana. Non so se Ashley e Jess intendano però regredire a tal punto...

Prima che i negozi chiudano, all'una, scendiamo in città per la strada romana e compriamo lattuga e pane. Dov'è il nostro "angelo"? D'inverno il tabernacolo sembra trascurato. Aspetto che giunga col suo passo lento, quindi, dopo un'occhiata fugace alla casa, si fermi a sistemare i fiori. Che cosa porta? Un rametto di bacche di rosa canina, un tralcio di vite coi grappoli raggrinziti, dei ricci di castagne semiaperti, che mostrano al loro interno i frutti marroni? Forse d'inverno va a passeggio da un'altra parte, o resta nella sua casina medioevale, ad alimentare la stufa con piccoli ciocchi.

A Cortona la giornata scorre frenetica. Tutti portano almeno un panettone e un cesto di leccornie avvolto nel cellophane. In nessun negozio si sente quella banale musica natalizia che trovo così deprimente in America. La gente affolla i bar, cercando di scaldarsi con il caffè o la cioccolata calda: infatti ha preso a soffiare una gelida *tramontana*, che porta il freddo dal nord, dalle Alpi e dai più prossimi Appennini.

Vigilia di pace, lauta cena, dolce gustato attorno al focolare. A nessuno di noi piace il castagnaccio: basso e gommoso, ha certo il sapore di un dolce natalizio in tempo di guerra, quando la gente andava per i boschi a cercar castagne. Volentieri lo scambiamo con un vassoio di noci, pere e *gorgonzola*: dessert degno degli dei! Molto prima della messa di mezzanotte, a cui vorremmo assistere in una delle chiesette cittadine, ci appisoliamo.

Ed grida dal fondo delle scale: «Affacciati alla finestra!». Durante la notte ha nevicato, quanto basta per spolverare le foglie delle palme e ricoprire i terrazzamenti di abbagliante biancore.

«Bellissimo! Alza il riscaldamento...» Ho i piedi nudi freddi come il ghiaccio. Mi metto le scarpe, i jeans e un maglione e scendo le scale di corsa. Le porte sul davanti sono spalancate, lasciando penetrare la gelida luce. Ed fa una palla con la neve caduta sul tavolo in giardino: la schivo e quella atterra in casa, nell'ingresso. I belli addormentati ancora non si mostrano. Ci portiamo il caffè fino al muretto, lo beviamo e guardiamo la nebbia sotto di noi muoversi come una marea opalescente. Il Natale con la neve!

A me è concessa una simile felicità? mi chiedo segretamente. Non verranno gli dèi a rubarmi il benessere, l'allegria, le gioiose speranze? Forse questa è solo la vecchia cicatrice che si riapre, il senso di mancanza e di paura. Mio padre morì una vigilia di Natale, quando avevo quattordici anni. Il giorno del funerale pioveva, ma così tanto che la bara galleggiò un istante sull'acqua, prima di adagiarsi nella fossa. Il mio tutù di velo rosa, che avrei dovuto usare il giorno di Natale, pendeva nell'armadio. O forse questa inquietudine fa semplicemente parte della più vasta malinconia della festa, su cui ogni anno si soffermano tutti i giornali. Nella mia vita da adulta molti Natali sono stati magnifici, in particolare quando mia figlia era piccola. Qualcuno l'ho passato da sola. E uno lo ricordo come davvero travagliato. Comunque, il momento della gioia giunge come una passione primaria che invade la psiche.

Dopo colazione accendiamo il fuoco e apriamo i regali. Alcuni li abbiamo portati dagli Stati Uniti; e a poco a poco il cumulo sotto l'albero è aumentato. Non era nostra intenzione averne così tanti, ma la giornata tra i negozi di Firenze ci ha spinto all'acquisto di saponi, blocchi per appunti, maglioni, e un'enorme quantità di cioccolato. Tra i nostri regali c'è una padella per le caldarroste, che inauguriamo all'istante: infatti ci riuniremo tutti alle quattro da Fenella e Peter, e uno dei nostri contributi al pranzo saranno appunto le caldarroste affogate nel vino rosso. Le castriamo e le teniamo nella padella, sulla brace, per circa dieci minuti, scuotendole ogni tanto; dopo di che ci apprestiamo a rovinarci le unghie nello sbucciarle. Forse perché sono fresche, la buccia però viene via facilmente, mostrando il frutto scuro e turgido. Ci dividiamo i compiti e ci dedichiamo alla preparazione di due *faraone* e una torta rustica di mele: si stende una sfoglia di pasta su carta da forno, in mezzo ci si mette la frutta con burro e zucchero e le nocciole tostate, quindi se ne ripiega l'orlo al di sopra. La nostra cuoca, Willie Bell, sarebbe fiera di me, di come ho saputo apportare delle variazioni alla sua ricetta. Insieme alla faraona, aggiungo nella teglia besciamella e caldarroste a pezzi. Ormai mi piace mettere le castagne in qualsiasi ricetta. Fenella sta preparando arrosto di maiale con polenta, Elisabeth porterà l'insalata e Max altre verdure e un altro dolce. Dovremmo digiunare, prima di un simile banchetto; invece mangiamo un pasto leggero, lasagne ai funghi. Una passeggiata il giorno di Natale fa parte delle nostre tradizioni familiari, di Ashley e me, almeno. Ed e io abbiamo deciso di tenere segreta la meta della gita di oggi.

Raggiungiamo in macchina la fine di una strada vicino casa, e proseguiamo a piedi. Abbiamo scoperto questo luogo un giorno, per caso, quando ci siamo resi conto che la via asfaltata seguitava in un sentiero. È stata per noi un'autentica rivelazione, una delle passeggiate più belle che abbia mai fatto: perciò l'abbiamo scelta per il giorno di Natale. Ci sono ora dei corsi d'acqua, assenti durante l'estate: acqua che sgorga improvvisa dai crepacci e inonda la strada. Arriviamo in un punto in cui c'è una cascata e parecchi torrenti, e da lì a un bosco di pini e castagni, con giganteschi alberi secolari. Troviamo sul terreno qualche chiazza di neve, e altra neve scorgiamo lontano, sulle cime intorno. L'aria è umida, sa di pigne bagnate. Camminiamo adesso su una via lastricata. «È una strada» dice Ashley. «E si fa sempre più larga, andando in su.» In effetti siamo su una strada romana, ottimamente conservata per lunghi tratti. Non ci siamo mai spinti fino in fondo, ma Beppe, che la conosce da quando era piccolo, ci ha detto che porta in vetta al monte Sant'Egidio, a venti chilometri da qui. Le strade romane venivano costruite per condurre dritte in cima, senza perdersi in inutili giravolte. I carri erano abbastanza leggeri, e gli antichi topografi sembra si siano sempre ispirati al criterio della distanza più breve fra due punti. Ho letto che alcune massicciate erano profonde fino a tre metri e mezzo. Cerchiamo le indicazioni chilometriche ma sono scomparse. Cortona si allunga sotto di noi, e sotto la città s'intravede la valle, e l'orizzonte nitido e brillante. In lontananza si delinea il profilo di montagne mai viste prima; Sinalunga, Montepulciano, Monte San Savino, ciascuna su una collina, si ergono contro il cielo come navi in mare aperto. Gli ultimi brandelli d'inquietudine svaniscono mentre canticchio «*I saw three ships come sailing in on Christmas Day, on Christmas Day in the morning*». Una volpe balza sul viottolo proprio davanti a noi; frusta nervosamente l'aria con la lunga coda, ci guarda per un momento, poi scompare ratta tra gli alberi.

La strada che porta alla dimora padronale in cui abitano Fenella e Peter è già abbastanza accidentata d'estate. Ora la percorriamo carichi di pentole e vassoi, cercando di non versarci addosso reciprocamente il contenuto. Povero semiasse della Twingo! Guadiamo parecchi torrenti e corriamo il rischio di impantanarci in una buca, quasi un fossato. Al nostro arrivo sono già tutti raccolti attorno al gigantesco focolare, a bere vino rosso. La casa è una delle più belle della zona. Il salone occupa il locale di un ex granaio, alto due volte una stanza normale, con copertura a travi scure. Lo smisurato locale è pieno zeppo di collezioni di vario genere, oggetti accumulati nel corso d'una vita: reperti archeologici, tappeti e ninnoli preziosi. Lo spazio è troppo ampio per essere riscaldato a dovere, così ci accomodiamo su soffici divanetti in cucina. Le dimensioni del camino permettevano alle donne di casa di sedercisi addirittura dentro, per meglio sorvegliare il cibo che cuoceva nelle pignatte. Sulla tavola al pianterreno – lunga nove metri – sono stati disposti rami di pino e candele rosse. Ciascuno racconta di altre feste, e i fantasmi dei passati Natali si uniscono a noi. Fenella versa la polenta calda sul tagliere. Ed taglia la faraona, mentre Peter affetta il succulento arrosto. Prepariamo i piatti. Fenella è andata a Montepulciano per comprare una scorta del suo *vino nobile* preferito, che ora viaggia avanti e indietro per la tavola. «Agli amici assenti» brinda Fenella. «Alla polenta!» fa eco Ed. La nostra piccola schiera di espatriati è molto, molto felice.

Tornando a casa ci fermiamo in città per un caffè. Ci aspettavamo strade deserte, alle nove della sera di Natale: invece sono tutti fuori, neonati, nonne e ogni generazione nel mezzo. Passeggiano e chiacchierano, chiacchierano sempre. «Be', Jess, devi cercare di essere obiettivo: tu che sei nuovo, qui, devi dirmi se la mia è un'illusione, o se davvero questa è la città più divina del pianeta.»

Senza esitazioni mi risponde: «Direi proprio di sì. *Extra "primo", good*».

La *passeggiata* dei cortonesi consiste nel pellegrinare di chiesa in chiesa per vedere i presepi. La scena della nascita di Gesù compare dappertutto, qui: diciamo che è il fulcro del Natale. Sarò pagana, certo, ma penso alla nascita come alla giusta metafora per la fine dell'anno, l'anno che svanisce nel buio, che muore. Un vagito del bambinello sulla paglia umida rappresenta la negazione della morte. Il Bambino è sempre raffigurato con un'aureola di luce attorno alla testa. Il sole sta oltrepassando l'equatore celeste, presto riporterà le giornate che amo. Ci avviamo a grandi passi verso la luce. L'inquietudine di questa stagione dipende forse dal desiderio di ritrovare nuovamente la propria luce. Ho letto che il corpo umano contiene la stessa percentuale di minerali della terra: lo zinco, o il potassio... Così, non potrebbe il corpo avere in sé anche un desiderio innato di rinascita, al pari della terra, appunto?

Ogni chiesa di Cortona ha il suo presepe; alcuni sono molto elaborati, copie in cera o legno di quadri famosi, con complesse architetture e sfarzosi costumi. Altri sono di terracotta. In uno la mangiatoia è fatta con i bastoncini dei gelati. Nella mostra di presepi costruiti dagli alunni delle scuole ci toccano in particolare quelli più semplici. Ve ne sono di tradizionali, con bamboline, alberi fatti di ramoscelli e laghetti di specchio. Uno, però, ci colpisce. Paolo Alunni, di forse dieci anni, è il vero erede dei futuristi, dai quali ha preso l'amore per la meccanica e l'energia. Il suo presepe – stalla, persone e animali – è costruito interamente con le chiavi: chiavi orizzontali per gli animali (e si distinguono chiaramente le pecore dalle mucche!), verticali per gli esseri umani; il Bambin Gesù è fatto con una graziosa piccola chiave da diario segreto. Un cardine funge da tetto della stalla. Strana e impressionante, è una vera piccola opera d'arte tra i progetti più seriosi.

Ogni mattina osservo dalla finestra la fitta nebbia nella valle, che nelle belle giornate all'alba si tinge di rosa, mentre assume un colore grigio smorto quando la spessa nuvolaglia si addensa dal nord. Trascorriamo giorni smemorati, fatti di passeggiate e di letture, di gite ad Anghiari, a Siena, ad Assisi e nella vicina Lucignano, le cui mura hanno un'armoniosa struttura ellittica. La sera prepariamo cibi alla brace: *bruschetta* con *pecorino* fuso e noci, fette di *pecorino* fresco e *prosciutto*, salsicce. La *scamorza*, tipica dell'Abruzzo ma diffusasi anche in Toscana, è un formaggio a pasta dura dalla forma di un 8. Diventa quasi come una fonduta e la spalmiamo sul pane. Ho imparato a usare il focolare per scaldare i piatti e mantenere le pietanze alla giusta temperatura, proprio come probabilmente faceva la mia immaginaria *nonna*. La nostra pasta preferita è diventata *pici con funghi e salsicce*, un tipo di spaghetto più grosso e fatto a mano. Una passeggiata di una decina di chilometri annulla gli effetti di una simile cena.

La sera dell'ultimo dell'anno torno dalla città con un carico di cibarie. Cucineremo il tradizionale *zampone* con lenticchie (la cui forma rammenta le monetine, e dunque sono simbolo di prosperità). Salendo la via verso casa supero la cupola di Santa Maria Nuova, sotto di me. La nebbia la circonda completamente, e la cupola galleggia sopra le nubi. Cinque arcobaleni la sovrastano, intersecandosi. Poco ci manca che vada fuori strada. Giunta alla curva mi fermo e smonto; vorrei che fossero tutti qui con me. È davvero uno spettacolo impressionante. Se fossimo nel Medioevo griderei al miracolo. Un'altra macchina si accosta alla mia e ne esce un uomo in tenuta da caccia. Sarà uno dei tanti assassini di uccelli canori, ma in questo caso sembra sbalordito anche lui. Restiamo tutti e due così, a osservare in silenzio. Quando le nuvole si spostano gli arcobaleni scompaiono uno ad uno, ma la cupola rimane ancora come fluttuante, quasi attendesse un qualche segno. Saluto il cacciatore con la mano. «*Auguri*» mi grida lui.

Prima che Ashley e Jess tornino a New York, dove un vero inverno li attende, e prima che noi stessi partiamo per San Francisco, dove i narcisi bianchi già fioriscono nel Golden Gate Park, piantiamo l'albero di Natale. Credevo che il terreno fosse duro, ma non è così: ricco e fertile, cede sotto la vanga. Scavando salta fuori un teschio di porcospino, con la mascella integra e i denti ancora attaccati alla fascia muscolare. *Memento mori* è un pensiero fondamentale, quando l'anno vecchio passa il testimone al nuovo. Il vigoroso alberello si sente subito a casa, sul terrazzamento più in basso. E crescendo svetterà sulla strada. Ne vedremo dall'alto la cima divenire ogni anno più alta. Se in questi suoi primi anni le piogge saranno abbondanti, tempo cinquant'anni e diventerà un albero gigantesco come quello sul fianco della collina. Ashley, che allora sarà vecchia, ricorderà il giorno in cui lo abbiamo piantato. Non riesco a pensarla vecchia, ora che è nel pieno della giovinezza. Verrà con la famiglia o gli amici, e tutti si stupiranno della bellezza dell'abete. Oppure chi avrà allora ricomprato la casa ne userà i rami più bassi per il focolare. Una cosa è certa: Bramasole sarà sempre qui, e gli olivi da noi piantati prospereranno sui terrazzamenti.

Cibo è qui una parola chiave. Sto preparando una borsa di *cibo* da portarmi in California. Non rammento esattamente il momento in cui il mio bagaglio a mano si è trasformato in una sporta per vivande. Oltre all'olio d'oliva (due litri per ciascuno), ho comprato dei tubetti di pasta di tartufi, di capperi, di olive e di aglio, ottime per preparare dei veloci antipasti. Costano poco e non sono ingombranti. Ho comprato anche alcune scatole di dadi ai *funghi porcini*, che in America non si trovano, e 350 grammi circa di *porcini* secchi. I cioccolatini Perugina, nelle loro confezioni a brillanti colori, vanno benissimo per fare dei regalini. Avrei voluto portarmi dietro una forma di *parmigiano*, ma non ho una borsa abbastanza capiente. Per questa volta mi accontento di una bottiglia di aceto aromatizzato al tartufo e di un buon *aceto balsamico*. Ho notato che Ed ha aggiunto una bottiglia di *grappa* e un vasetto di miele di castagno.

In dogana, alla domanda «Trasporta generi alimentari?» devo rispondere sì. Se i prodotti sono in confezioni sigillate nessuno sembra curarsene; ma una volta un mio amico ferrarese si era messo delle salsicce nelle varie tasche dell'impermeabile, e i cani della polizia aeroportuale le hanno fiutate: così gli è stata sottratta la sua preziosa zavorra.

L'unica cosa per la cucina che di solito mi porto dagli Stati Uniti è la pellicola per alimenti: del tipo che si trova in Italia è difficile trovare il capo; spesso mi ritrovo a lottare con una lunghissima striscia larga qualche centimetro. Questa volta, invece, ho portato anche un sacchetto di noci pecan della Georgia e una lattina di sciroppo di canna, poiché per me la torta di pecan è presenza indispensabile, nei giorni di Natale. Le altre cibarie natalizie tipiche della Toscana sono una gradevole novità: uno dei piaceri della cucina, infatti, è che non smetti mai di imparare.

Le ricette invernali, qui, parlano di cacciatori che tornano a casa con le saccocce piene di uccellini, o di contadini che raccolgono le olive, e poi cominciano a potare gli alberi e a legare i tralci delle viti, lavoro che dura per l'intera stagione fredda. In Toscana le pietanze invernali sono fatte per un robusto appetito. Dopo le nostre lunghe passeggiate, anche noi siamo pronti per i sostanziosi manicaretti che ordiniamo in *trattoria*: pasta col *ragù* di cinghiale o di *lepre*, funghi fritti, polenta. I profumi intensi che escono dalla nostra cucina sono diversi da quelli dell'estate. Alle delicate fragranze di basilico, citronella e pomodoro subentra l'aroma del maiale arrosto con glassa di miele, o della faraona che cuoce in forno sotto uno strato di *pancetta*; o ancora della *ribollita*, la regina delle zuppe. Il tartufo umbro grattugiato sulla pasta colpisce i sensi per il suo aroma sottile e terragno. A colazione dimentichiamo i fragranti meloni estivi e mangiamo fette di pane tostato e marmellata di prugne, fatta da me la scorsa estate con le delicate *cosce di monaca*, una varietà che cresce sul retro della casa. Le uova mi stupiscono sempre per il loro colore giallo carico. Sono fresche, e questo fa una gran differenza: così un piatto di uova strapazzate con l'aggiunta di un cucchiaio di mascarpone diventa qualcosa di davvero speciale.

Non potevo prevedere quanto mi sarei divertita con le ricette invernali: gli ingredienti sono radicalmente mutati. D'inverno qui non arrivano gli asparagi dal Perú o l'uva dal Cile: si usa ciò che la terra produce; solo gli agrumi vengono dalla Sicilia. Ho messo sul davanzale una ciotola azzurra piena di clementini aranciони, lucidi come fossero oggetti ornamentali. Ed ne mangia due o tre alla volta e getta le bucce nel fuoco: si anneriscono e si accartocciano, e la stanza è invasa dal loro pungente aroma. Alle giornate corte corrispondono lunghe cene che comportano una lunga preparazione.

ANTIPASTI

BRUSCHETTE INVERNALI

I *crostini* compaiono sempre come antipasti nei menù delle *trattorie* toscane, e così la *bruschetta*: in entrambi i casi si tratta di pane variamente arricchito. I crostini hanno forma rotonda e si ottengono dalle baguette, che ogni *forno* vende. Un tipico vassoio di crostini comprende una vasta scelta: quelli *di fegatini* sono i più diffusi. Spesso faccio dei crostini con pasta di aglio e sopra un gamberetto. Le *bruschette* sono invece di pane normale, affettato e unto d'olio, passato in forno o sulla graticola e strofinato con uno spicchio d'aglio. In estate, servito con pomodoro a pezzi e basilico, funge spesso da primo piatto o da spuntino. Le più sostanziose *bruschette* invernali si preparano sulla brace, ed è un divertimento. Se abbiamo ospiti stappiamo una bottiglia di robusto *vino nobile*.

BRUSCHETTA CON PECORINO E NOCI

Prepara la bruschetta *come precedentemente descritto. Per ogni fetta di pane fondi in una padella una fetta di* pecorino *(o di* fontina)*, sulla brace o sui fornelli. Quando è pronta mettici sopra dei pezzetti di noce. Spalma il tutto sulle fette di pane abbrustolito.*

BRUSCHETTA CON PECORINO E PROSCIUTTO

Prepara la bruschetta. *A parte, in una padella sulla brace o, se scegli i fornelli, in un tegame antiaderente, fai fondere delle fette di* pecorino, *con sopra una fetta di prosciutto, e infine ancora* pecorino. *Rigira il tutto, in modo che si fonda bene da entrambe le parti e sia croccante ai bordi. Metti sul pane.*

BRUSCHETTA VERDE

Taglia a pezzi del cavolo nero. *Cuocilo al vapore per cinque minuti, poi scolalo bene. Condisci e salta in olio d'oliva con due spicchi d'aglio. Mettine infine sulla* bruschetta *1 o 2 cucchiai.*

BRUSCHETTA CON PESTO DI RUCOLA

Questa variante al normale pesto è ottima anche sulla pasta. C'è soddisfazione, a piantare la rucola: cresce in fretta e le foglie nuove, piccanti, sono le migliori. Quando diventano troppo grandi, infatti, sono amare.

Prepara la bruschetta, *tagliando il pane in fette piuttosto piccole. In un frullatore o mortaio metti una manciata di rucola, sale, pepe, 2 spicchi d'aglio e 1/4 di tazza di pinoli. Poi unisci lentamente olio d'oliva sufficiente a fare un impasto denso. Aggiungi 1/2 tazza di* parmigiano *grattugiato e spalma il tutto sul pane abbrustolito. Ne viene 1 tazza e 1/2 circa.*

BRUSCHETTA CON MELANZANE ALLA GRIGLIA

Mi è capitato spesso di bruciare le melanzane sulla griglia: non fanno in tempo a cuocersi che sono già carbonizzate. Così adesso le metto in forno intere per circa 20 minuti, le taglio a fette e finisco di cuocerle sulla griglia.

Metti una melanzana in forno avvolta nella carta stagnola finché non è quasi cotta. Tagliala a fette e salala, poi lasciala raffreddare per qualche minuto. Prepara ogni fetta con olio d'oliva e pepe, quindi rimetti in forno. Pren-

di 1/2 tazza di prezzemolo fresco, mescolato a timo e maggiorana. Ungi le fette con altro olio, se ti sembrano troppo secche. Infine poni le fette sul pane, insieme a olio, erbe aromatiche e un po' di pecorino o parmigiano grattato; e il tutto sulla griglia, per far fondere il formaggio.

PRIMI PIATTI

LASAGNE AI FUNGHI

Le lasagne confezionate non mi piacciono, sono gommose e ondulate come copertoni di trattore. Invece con la sottile pasta fresca si può fare una lasagna molto leggera. Una volta mi sono messa a osservare una vera professionista, in un negozio di qui. La sfoglia le viene sottile come un lenzuolo e morbidissima. D'estate questa ricetta funziona meglio con le verdure invece che coi funghi: zucchine a fette, pomodori, cipolle e melanzane, insaporite con erbe aromatiche. Entrambe le ricette possono essere utilizzate anche per il ripieno delle *crespelle*.

*Fai 6 strati di pasta sfoglia grandi quanto una larga teglia da forno. (Alcuni degli strati centrali possono anche non essere in un unico pezzo.) Prepara una salsa besciamella: fondi 4 cucchiai di burro, incorpora 4 cucchiai di farina e lascia cuocere. Non deve scurirsi. Dopo 3 o 4 minuti, togli dal fuoco e amalgama al composto 2 tazze di latte. Rimetti sul fuoco e rimesta finché la salsa non si addensa. Taglia a pezzettini 3 spicchi d'aglio e aggiungili alla salsa, insieme a 1 cucchiaio di timo, sale e pepe. Gratta 1 tazza e 1/2 di parmigiano. In un largo tegame fai scaldare 2 cucchiai di olio d'oliva o burro e soffriggici 3 tazze di funghi freschi, di preferenza porcini o portobello. Se non li hai a disposizione, usa funghi champignon insieme a qualche porcino secco, che avrai preventivamente fatto rinvenire in acqua, brodo, vino o cognac.
Fai bollire un riquadro di sfoglia fin quasi a cottura, la-*

*scialo asciugare su un panno da cucina, quindi sistema-
lo nella teglia leggermente unta e coprilo con uno strato di
besciamella, uno strato di funghi soffritti e un pugno di
formaggio. Ripeti la stessa operazione per gli altri strati. Se
hai usato troppa salsa per i primi strati, aggiungi 1 cucchiaio o 2 dell'acqua della pasta. Le cuoche toscane di solito mettono sempre un po' dell'acqua della pasta, nei loro
sughi. Infine chiudi con pangrattato insaporito nel burro
e parecchio parmigiano grattugiato. Cuoci in forno a
130° per 30 minuti. La ricetta serve per 8 porzioni.*

RIBOLLITA

Si tratta di una meravigliosa minestra molto densa, a base di
fagioli, pane e verdure. Come dice il nome, si fa di solito con gli
avanzi, magari di un luculliano pranzo domenicale. La ricetta
classica prevede che si aggiungano alla fine dei pezzi di pane.
Una volta nei piatti, i toscani usano aggiungere un filo d'olio.
Questa minestra insieme a un'insalata rappresenta un pasto
completo, a meno che dopo non si debba arare. Si può usare
ogni tipo di verdura. Se vado da Maria Rita e le dico: «Zuppa»,
lei mi mette nella sporta tutto ciò che serve, più il prezzemolo,
il basilico e l'aglio. Come mi ha consigliato, aggiungo anche una
crosta di *parmigiano*: a fine cottura, è il bocconcino della cuoca.

*Prepara 4 etti di fagioli bianchi. Lavali bene e portali a
bollore. Poi toglili dal fuoco e lasciali riposare un paio d'o-
re. Aggiungi tanta acqua da ricoprirli, condisci e riportali
quasi al punto di cottura, mescolando sempre. Devono essere tenuti sotto controllo perché si disfano facilmente. Pu-
lisci e taglia a dadini: 2 cipolle, 6 carote, 4 costole di sedano, cavolo riccio o cardo, 4 o 5 spicchi d'aglio e 5 grandi
pomodori (d'inverno una scatola di pomodori a pezzi). Trita un mazzetto di prezzemolo. Soffriggi le cipolle e le carote
in olio d'oliva. Dopo qualche minuto aggiungi il sedano,
il cardo e l'aglio, e anche dell'olio, se occorre. Fa' cuocere per*

10 minuti, poi unisci i pomodori, la crosta di parmigiano e i fagioli. Il brodo (di pollo, di carne o vegetale) deve ricoprire il tutto. Porta a bollore e cuoci, mescolando, per 1 ora, per fondere bene i sapori. Infine aggiungi i cubetti di pane e lascia riposare per parecchie ore. Aggiungi il prezzemolo, riscalda e servi con del parmigiano grattugiato. La bottiglia dell'olio sulla tavola non deve mai mancare. Potrai arricchire la ribollita, il giorno dopo, con gli avanzi di pasta, fagioli, piselli, pancetta o patate. Questa ricetta basta per 15 porzioni, dipende dalla quantità di brodo.

PICI CON UNA SALSA LEGGERA DI POMODORO

A queste specie di spaghetti locali, lavorati a mano e del calibro quasi di una matita, meglio si addicono i più sostanziosi sughi di lepre o di cinghiale. La ricetta che segue è però la mia preferita anche per *fusilli* e *pappardelle*.

Soffriggi 4 o 5 fette di pancetta, mettile ad asciugare su carta da cucina e poi falle in pezzi minuti. Taglia 2 cipolle medie e 2 o 3 spicchi d'aglio, che soffriggerai per 5 minuti. Condisci con timo, origano e basilico. Unisci 1/2 tazza di panna da cucina e 3/4 di purea di pomodori. Aggiungi 1 cucchiaio di acqua della pasta. Metti la pancetta nella salsa all'ultimo minuto, perché si serbi croccante. Cuoci la pasta per 4 persone. Mescola alla pasta metà della salsa, il resto versacelo sopra. Il parmigiano dev'essere sulla tavola. La ricetta è per 4 porzioni.

SECONDI

QUAGLIE IN STUFATO CON BACCHE DI GINEPRO E PANCETTA

Mio padre era un cacciatore e vedevo spesso la nostra cuoca Willie Bell persa in una nuvola di piume, mentre spennava un mucchio di quaglie. Le loro testine ricadevano tutte dalla stessa parte. Io non le mangiavo, anche dopo che le aveva stufate con panna e peperoni sul fuoco all'aperto, nella grande casseruola coperta. Con maggiore equanimità, le ho incontrate ora sotto una nuova luce. L'aceto balsamico deve venire da Modena. In particolare consiglio quello con l'etichetta *Aceto balsamico tradizionale di Modena*, che è invecchiato dodici anni. Alcuni tipi di aceto balsamico sono così buoni che vengono centellinati come un liquore. Penso che Willie Bell approverebbe le mie quaglie.

Infarina e fai rapidamente rosolare 12 quaglie (2 a persona) in olio d'oliva. Sistemale in una casseruola pesante col coperchio ben aderente e versaci 1/4 di tazza di aceto balsamico. Copri le quaglie con strisce di pancetta, *2 scalogni a fettine, timo, grani di pepe e bacche di ginepro. Fai stufare in forno, non troppo alto (100°) per 3 ore. Dopo circa 1 ora e 1/2 gira le quaglie. Se sono troppo secche aggiungi vino rosso o aceto balsamico. Sono ottime servite con la polenta. La ricetta è per 6 persone.*

POLLO ARROSTO RIPIENO DI POLENTA

Quando ero piccola, in Georgia, il tacchino di Natale aveva sempre un ripieno a base di farina gialla. Per questa variante della ricetta di mia madre uso ingredienti italiani.

In una grossa pentola metti a bagno 2 tazze di polenta in 2 tazze d'acqua fredda per 10 minuti, poi aggiungi 2 tazze di acqua bollente. Porta a bollore, quindi abbassa il fuoco e mescola continuamente per una decina di minuti. Unisci 1 tazza di burro. Togli dal fuoco e aggiungi 2 uova sbattute, 2 tazze di mollica di pane fresco, 2 cipolle a pezzi, 3 costole di sedano; condisci generosamente con sale, pepe, salvia, timo e maggiorana. Riempi due polli (o 1 tacchino) senza pigiare, lega le zampe insieme e cospargi di timo. In forno per 25 minuti ogni chilo di peso, a 130°: è una stima approssi-

mativa del tempo di cottura, ma è bene cominciare a controllare con un po' di anticipo. Ciò che avanza del ripieno potrà essere poi passato in forno, in una teglia imburrata. La ricetta è per 8.

FARAONE CON FINOCCHIO

Delicata e aromatica, la faraona si trova facilmente dal macellaio. Per Natale ne abbiamo cucinate due arrosto, presentandole su un vassoio circondate da salsicce alla griglia e una ghirlanda di erbe aromatiche. Con le ossa abbiamo fatto un sostanzioso brodo da consumare il giorno successivo. Accanto alla faraona stanno benissimo delle patate arrosto con aglio e rosmarino.

Per prima cosa bisogna levare ben bene dalle faraone i residui di penne mediante una pinzetta. Quindi lavale e asciugale. La preparazione più semplice è sempre la migliore, esalta la naturale fragranza delle carni. Fodera il fondo di una teglia unta d'olio con rametti di rosmarino, su cui adagerai le faraone. Insaporisci con un misto di rosmarino, basilico e timo; lardella con strisce di pancetta. Prendi 2 finocchi e togli le parti più coriacee. Tagliali a spicchi di 1 centimetro circa e sistemali attorno alle faraone, con olio e 2 cipolle tagliate in quarti. In forno a 130° per 20 minuti ogni mezzo chilo circa. La faraona è più tenera del pollo: occorre badare che non passi la cottura. Per ottenere una salsa densa e saporita, aggiungi nella teglia della besciamella e castagne arrosto. La ricetta è per 4.

CONIGLIO CON POMODORI E ACETO BALSAMICO

Il *coniglio* è un elemento base della cucina toscana. Al mercato del sabato di solito una donna tiene tre o quattro soffici coniglietti che ti guardano da un vecchio trasportino per animali tipo Alitalia. Nella vetrinetta del macellaio sembrano qualcosa di più remoto: puliti e magri, rosa vivo, qualche volta con un ciuffo di pelo sulla coda per dimostrare che non è un gatto. Per quanto questa premessa possa levare ogni voglia di cibarsene, il coniglio è delizioso con una salsa di pomodoro ed erbe aromatiche. Per non turbare i bambini meglio chiamarlo con un altro nome.

Taglia a pezzi il coniglio, infarinalo e fallo rosolare in olio d'oliva. Disponilo in un piatto da forno e coprilo con la salsa al pomodoro e aceto balsamico qui di seguito descritta: soffriggi 1 cipolla grande e 3 o 4 spicchi d'aglio. Aggiungi 4 o 5 pomodori tagliati a pezzi. Condisci con 1/2 cucchiaio di curcuma, rosmarino, sale, pepe e semi di finocchio tostati. Unisci 4 cucchiai di aceto balsamico e mescola finché la salsa non si fa densa e ristretta. Fa' cuocere il coniglio in forno, scoperto, a 130° per 40 minuti. A metà cottura aggiungi altri 2 o 3 cucchiai di aceto balsamico. Ricetta per 4 porzioni.

POLENTA CON SALSICCE E FONTINA

In inverno la bottega della pasta fresca in città vende polenta alle noci, un semplice ma gustoso accompagnamento per il pollo o l'arrosto. Polenta e salsicce, più una grande insalata, fanno un pasto sostanzioso.

Prepara la polenta classica, come descritto nel capitolo "Ricette d'estate". Versane la metà in una teglia da forno ben unta. Taglia in fette sottilissime o gratta 1 tazza e 1/2 di fontina e mettila sulla polenta. Condisci con sale e pepe. Quindi, sopra, la rimanente metà della polenta. Infine ricopri il tutto con 6 salsicce, che avrai in precedenza saltato in padella, insieme con il loro intingolo. Metti in forno per 15 minuti a 110°. La ricetta è per 6.

La parte più tenera e più magra del maiale è il filetto. Un filetto basta per due persone affamate e il finocchio gli si accompagna bene. Il finocchio selvatico cresce ovunque, sul nostro terreno. Non so se il suo grande successo sulle tavole italiane derivi dai poteri afrodisiaci o dal fatto che sia curativo per le malattie degli occhi. A me piacciono le sue foglie simili a piume e i suoi legami con il mito. Infatti si dice che Prometeo abbia portato agli uomini la prima scintilla di fuoco tenendola nascosta nel gambo spesso e cavo del finocchio.

Cospargi con un po' di miele i due filetti. In un mortaio o in un tritatutto schiaccia 1 cucchiaio di semi di finocchio. Aggiungine uno di rosmarino, sale, pepe e 2 spicchi d'aglio a pezzettini. Con questo condirai il maiale, che sistemerai poi in una teglia bassa e ben unta. Inforna a 150° per circa 30 minuti, finché il maiale non appare rosa nella parte centrale. Intanto taglia 2 finocchi in fette di circa 1 centimetro, levando le parti più coriacee. Cucina al vapore per circa 10 minuti: deve risultare cotto ma non molle. Fanne una purea morbida e aggiungi 1/4 di tazza di vino bianco, 1/2 tazza di parmigiano grattugiato e 1/2 tazza di mascarpone (o panna acida). Metti i filetti in una teglia imburrata e versaci la salsa; termina con pangrattato insaporito nel burro. Inforna a 130° per 10 minuti. Decora il piatto con foglie di finocchio, se le hai, oppure con rametti di rosmarino. La ricetta basta per 4 persone.

CONTORNI

CASTAGNE AL VINO ROSSO

Anche se abito vicino a un castagneto, le castagne mi sembrano sempre un genere di lusso. Ne arrostiamo un po' ogni sera, accompagnate da un bicchiere di *amaro*, di *grap-*

pa, o da un ultimo caffè. Prima di metterle nella padella basta farvi un'incisione, o una "x": una volta pronte, la buccia verrà via facilmente. Molti libri di cucina dicono che per le caldarroste ci vuole circa un'ora! Sulla brace, invece, cuociono in un battibaleno: 15 minuti al massimo, dipende da quanto vive sono le braci. La padella va scossa spesso; togli le castagne appena cominciano ad annerire. Sono ottime con tutti i saporosi cibi dell'inverno, in particolare con la faraona.

> *Arrostisci e sbuccia 30 o 40 castagne. Immergile nel vino rosso, che le ricopra, per circa mezz'ora: i due sapori si devono fondere. Getta via buona parte del vino e dividi in 6 porzioni.*

FLAN ALL'AGLIO

Ottimo con ogni tipo di arrosto.

> *Prendi una grande testa d'aglio e staccane gli spicchi. Senza sbucciarli, metti gli spicchi in acqua bollente per 5 minuti. Lascia raffreddare e fai uscire dall'aglio tutta l'acqua. Schiaccia gli spicchi con una forchetta, poi aggiungi 2 tazze di panna da cucina. In una casseruola, porta il tutto a lenta ebollizione. Aggiungi un po' di noce moscata, sale e pepe. Togli dal fuoco e unisci 4 tuorli d'uovo sbattuti. Versa il composto in 4 stampi singoli ben unti, o in un unico testo da forno. Fa' cuocere in forno, a bagnomaria, a 130° per 20 minuti, o comunque finché non si è rassodato. Metti a raffreddare per 10 minuti, poi rovescia lo stampo.*

CARDI

I cardi, lunghi quanto un braccio, pungenti e di color verde pallido, si lavorano con difficoltà, in cucina: però ne vale la pena. Si tratta di un tipo di verdura per me nuovo. Ho imparato a togliere le coriacee filacce dal gambo – simile al sedano – e a metterlo poi subito in acqua e limone, altrimenti diventa nero. All'inizio li cucinavo al vapore, ma non si cuocevano mai. Così ho scoperto che è meglio farli bolliti: quando la forchetta vi penetra facilmente significa che sono cotti. Hanno il sapore e la consistenza di un cuore di carciofo: be', non c'è da stupirsi, visto che appartengono alla stessa famiglia.

Dopo aver pulito e messo a bagno in acqua e limone un grande mazzo di cardi, tagliali in pezzi di 5 centimetri circa e falli bollire fino a completa cottura. Condisci con sale e pepe e copri con un velo di besciamella (vedi la ricetta precedentemente descritta), qualche noce di burro e parmigiano grattugiato. In forno a 130° per 20 minuti.

Insalata tiepida di porcini (o portobello) con peperoni rossi e gialli arrostiti

Servi questa coloratissima insalata come primo piatto o piatto principale.

Cuoci alla griglia 2 grandi funghi, oppure saltali in padella con olio d'oliva (meglio se riesci a tenerli a testa in giù, per evitare che perdano i loro succhi). Tagliali a strisce e cospargili di vinaigrette. Arrostisci 2 peperoni, uno rosso e uno giallo, e dopo averli lasciati raffreddare leva la pelle annerita. Tagliali a striscioline e condiscili ugualmente con vinaigrette. Taglia ad anelli una cipolla rossa. Tosta 1/4 di tazza di pinoli. In ciascun piatto prepara un letto di insalate: radicchio, rucola e altre lattughe di vari generi e colori; condisci con vinaigrette e disponici sopra i peperoni caldi, la cipolla e i funghi. Spargi sul tutto una manciata di pinoli tostati e servi. Le dosi sono per 6 porzioni.

DOLCI

PERE INVERNALI IN VINO NOBILE

Le pere al vino sono un piatto assai gradevole. Il loro sapore risulta esaltato se accompagnate da gorgonzola, pane tostato e noci arrostite con burro e sale.

Sbuccia 6 pere piuttosto dure e disponile diritte in una casseruola. Lascia i piccioli, se li hanno. Bagnale con succo di limone e 1 tazza di vino rosso e cospargile con 1/4 di tazza di zucchero. Arricchisci il vino con 1/4 di tazza di uva passa, vaniglia e chiodi di garofano. Copri e fa' cuocere a fuoco lento per 20 minuti (o di più, dipende dalla grandezza e dal grado di maturazione delle pere); non devono diventare troppo molli. A metà cottura adagiale su un fianco e bagnale bene con il vino di cottura. Sistemale nei piatti, insieme con il loro vino e l'uva passa. Guarnisci con scorza di limone a strisce sottili. La ricetta è per 6.

TORTA RUSTICA DI PANE E MELE

Mi stupisce quale intenso sapore abbiano le mele rosse e nodose che compro al mercato del sabato. Persino i nostri meli, trascurati per così tanto tempo, portano il loro scarso carico. Sono troppo piccole, queste mele, per essere mangiate così, ma di sicuro sono ottime in purea. Per il dolce rustico che qui segue, taglia le mele in grosse fette.

Sbuccia 4 o 5 mele, leva il torsolo e tagliale in grosse fette. Innaffiale con succo di limone, poi spolverale con noce moscata. Tosta 1 tazza di mandorle frantumate. Prendi una pagnotta di pane raffermo e togli tutta la crosta (meglio usare il pane raffermo, perché quello fresco risulterebbe troppo morbido, per questa ricetta). Taglia il pane in fette e mettine qualcuna sul fondo di una teglia rettangolare imburrata, delle dimensioni di 30 x 40 cm cir-

ca. In un tegame fondi 6 cucchiai di burro e 6 cucchiai di zucchero, aggiungi 3/4 di tazza di mandorle tostate, 2 cucchiai di succo di limone e 1/4 di tazza di sidro o acqua. Infine unisci i pezzi di mela. Nella teglia, alterna uno strato di mele a uno strato di pane, terminando con uno strato di pane. Mescola 6 cucchiai di burro già ammorbidito e 4 cucchiai di zucchero; unisci 4 uova sbattute, 1 tazza e 1/4 di latte e 3/4 di tazza di panna. Versa il composto sul pane; in cima spolvera con zucchero, noce moscata e il resto delle mandorle tostate. In forno a 130° per un'ora. Lascia riposare per 15 o 20 minuti, infine servi accompagnato da crema al mascarpone o panna montata. La ricetta vale per 8 porzioni.

SORBETTO AL MANDARINO

Se fossi nata qui, sono certa che per me il profumo degli agrumi sarebbe indissolubilmente legato al Natale. Per le feste tutti i negozi di Assisi sono addobbati con rami di limoni. A contrasto con la pietra chiara, il frutto brilla, quasi emanasse luce propria, e il suo profumo impregna l'aria. In tutta Cortona, fuori dei negozi di alimentari, cesti pieni di clementini rallegrano le strade. I bar servono spremute di arance rosso sangue, le migliori. La prima sensazione – di un gusto un po' asprigno, come di pompelmo – vira subito in una squisita dolcezza. Questo sorbetto, ottimo a metà di una cena invernale, può essere fatto anche con altri frutti. È egualmente godibile come dessert leggero, servito con biscottini al cioccolato.

Fai uno sciroppo di zucchero con 1 tazza d'acqua e 1 tazza di zucchero: porta a bollore, quindi cuoci a fuoco lento per circa 5 minuti. Unisci 1 tazza e 1/4 di succo di mandarino, 1 tazza d'acqua, 1 cucchiaio di succo di limone, più la scorza dei mandarini che hai usato. Metti il tutto in frigorifero, quindi lavoralo in una gelatiera, secondo le istruzioni d'uso. La ricetta è per 6.

Retaggio di famiglia, questa torta tipica del Sud l'avrò fatta almeno un centinaio di volte. Qui sembra davvero al posto giusto, accompagnata d'estate da fragole e ciliege, e d'inverno dalle pere, o anche soltanto da un bicchierino di uno dei molti ottimi vini da dessert che si trovano in Italia (quello di Banfi, ad esempio).

Unisci 1 tazza di burro e 2 tazze di zucchero, quindi incorpora 3 uova sbattute, una alla volta. Il composto deve risultare leggero. Mescola 3 tazze di farina, 1 cucchiaio di lievito in polvere, 1/4 di cucchiaio di sale, e incorpora via via al composto precedente, aggiungendo 1 tazza di panna. Aggiungi 3 cucchiai di succo di limone e la scorza grattata. In un tegame antiaderente, metti in forno a 110° per 50 minuti. Prova con uno stecchino il grado di cottura. La torta può anche essere arricchita di una glassa fatta con 1/4 di tazza di burro ammorbidito mescolato a 1 tazza e 1/2 di zucchero a velo e 3 cucchiai di succo di limone. Decora con riccioli di scorza di limone.

Il vialetto delle rose

Nelle dieci ore di volo verso Parigi, seduta in uno dei posti centrali, ho letto con intensa concentrazione una storia delle avanguardie poetiche in Francia, la rivista in dotazione sull'aereo, persino il cartoncino delle istruzioni in caso di emergenza. Ho affrontato così tanti problemi di lavoro, a San Francisco, prima di partire per l'Italia, alla fine di maggio, che avrei voluto essere trasportata in aereo in barella, avvolta in una coperta bianca, quindi sistemata nella parte davanti dell'apparecchio, protetta da una tenda; con l'assistente di volo che mi porta di tanto in tanto una tazza di latte caldo, oppure un gin martini color zaffiro. Sono partita una settimana prima che Ed finisse le sue lezioni: in realtà sono letteralmente scappata via il giorno dopo quello delle lauree, balzando sul primo aereo in pista di decollo.

Dopo una breve attesa al Charles de Gaulle, ho preso un volo Alitalia. Il pilota non ha perso tempo e subito si è impennato. Guida come un tipico italiano, ho pensato; all'improvviso ho sentito un'accelerazione, e mi sono chiesta se per caso non stesse sorpassando qualcuno. Dopo poco ha puntato verso terra, quasi in picchiata, dritto verso l'aeroporto di Pisa. Nessuno sembrava allarmato, così ho cominciato a praticare la tecnica del respiro, cercando di raddrizzare l'aereo tirandolo per i braccioli.

Mi fermo a dormire a Pisa: in caso di ritardo, l'idea di cambiare treno a Firenze nel cuore della notte mi pare spossante. Prendo una stanza in un albergo e poi mi sento in vena di camminare. Infatti è giusto l'ora della *passeggiata*. Orde di gente brulicano, visitano, si aggirano, fanno commissioni. La torre è sempre pendente, e i turisti si fanno sempre fare le foto mentre la reggono da un lato, o la spingono dall'altro. Le case ocra e pastello sono sempre lì, assecondano le anse del fiume come un acquerello di se stesse. Donne con borse della spesa affollano la bottega del fornaio. È bellissimo arrivare da soli in un paese straniero e sentirsi aggrediti dalla diversità. Sono tutti occupati nelle loro faccende quotidiane. Nessuno parla la mia lingua o mi assomiglia. Il ritmo delle loro giornate è completamente diverso; e io sono qui un essere assolutamente estraneo. Ceno all'aperto in un ristorante in piazza: ravioli, pollo arrosto, fagiolini, insalata, e mezza caraffa del rosso locale. Poi la mia euforia decresce, e una grande stanchezza mi assale. Dopo un bagno nella vasca piena del bagnoschiuma dell'albergo, dormo per dieci ore filate.

Il mattino dopo, il primo treno mi conduce attraverso campi rosseggianti di papaveri, macchie di olivi, e i familiari paesini di pietra. Covoni, monache in abito bianco che procedono quattro a quattro, lenzuola stese alle finestre, ovili, oleandri: è l'Italia! Guardo fuori dal finestrino per tutto il tempo. Ora siamo quasi a Firenze; cerco di non sbatacchiare troppo la borsa col computer nuovo. La maggior parte dei vestiti estivi è già a Bramasole, perciò viaggio leggera. Eppure anche così mi sento una specie di bestia da soma, con la borsa, il computer e lo zaino. Ma mi piace scendere alla stazione di Firenze, che mi rammenta sempre il mio primo viaggio in Italia, circa venticinque anni fa; la voce arrochita dell'altoparlante che annuncia l'arrivo del treno da Roma *sul binario undici,* e la partenza di quello per Milano *dal binario uno,* e i treni che odorano di oli lubrificanti, e la gente che va e viene.

Per fortuna il treno è quasi vuoto, così posso sistemare facilmente i bagagli. A metà del tragitto verso casa (dentro di me ho proprio detto *casa*), passa il carrello con le bibite e i panini. Il treno non ferma a Camucia, perciò scendo a Terontola e chiamo un taxi.

Un quarto d'ora dopo spunta una vettura. Sono appena salita, ed ecco che un secondo taxi si affianca al nostro e l'uomo al volante comincia a gesticolare e a gridare. Deduco che il taxi che ho preso non è quello che ho chiamato, ma è capitato lì per caso. Il mio non vuole cedere la corsa. Gli dico che ho chiamato un taxi per telefono, ma lui mette in moto. L'altro batte il pugno sulla portiera gridando forte, dice che era a pranzo, e che è venuto apposta per l'*americana*, anche lui deve guadagnarsi il pane. La saliva gli si accumula all'angolo delle labbra, mi aspetto che da un momento all'altro faccia schiuma dalla bocca. «Si fermi, per favore, vado con lui, mi dispiace!» Il mio tassista borbotta, frena di colpo e con gesto stizzoso mi sbatacchia i bagagli a terra. Monto sull'altro taxi. I due ora si fronteggiano, parlano in contemporanea, stringendo pugni e mascelle; poi all'improvviso si calmano, si stringono la mano, sorridono. Il primo tassista mi viene vicino, sorride, mi augura buon viaggio.

Ho ceduto la casa per un paio di settimane a mia sorella, mio nipote e alcuni loro amici. Mia sorella ha piantato in tutti i vasi dei gerani bianchi e rossi. L'odore di erba tagliata di fresco mi dice che Beppe deve aver rasato il prato questa mattina stessa. Nonostante la potatura radicale di dicembre, le rose che ho piantato la scorsa estate sono già alte quanto me. Sono tutte in fiore: rosa, albicocca, bianco, giallo. Centinaia di farfalle volteggiano attorno ai cespi di lavanda. In casa trovo vasi di gigli color oro, pratoline, fiori di campo. Ogni cosa è linda, piena di vita. Mia sorella ha anche messo un vaso di basilico fuori dell'uscio di cucina.

Oggi loro sono in gita a Firenze, così ho il pomeriggio libero per tirar fuori i sacconi degli abiti di sotto il letto e far prendere aria ai vestiti estivi. Visto che gli ospiti sono cinque, dormirò nel mio studio per qualche giorno. Mi faccio il letto con delle lenzuola gialle, depongo il computer sulla scrivania di travertino, apro le finestre: eccomi qui, finalmente.

Più tardi metto gli stivali e cammino per i terrazzamenti. Beppe e Francesco hanno tagliato le erbacce. Ho perso di nuovo la mia battaglia per i fiori di campo: nello zelo di ripulire, infatti, non hanno risparmiato nulla, neppure le rose selvatiche (quelle che io chiamo rose Cherokee). I papaveri, i garofani selvatici, qualche vaporoso fiore bianco e la massa delle ginestre per fortuna sopravvivono lungo i bordi dei terrazzamenti. La grande novità sono gli olivi. A marzo ne hanno piantati trenta, così adesso ne abbiamo in tutto centocinquanta. Stanno già fiorendo. Quest'anno abbiamo ordinato degli alberi più grandi, rispetto a quelli piantati da Ed lo scorso anno: considerato il ritmo di crescita degli olivi, vorremmo essere ancora in vita, quando si tratterà di fare un po' d'olio. Beppe e Francesco hanno messo accanto ad ogni nuovo albero un palo di sostegno, con dell'erba fra il palo e il tronco per evitare che l'uno scortecci l'altro. Ed sapeva che i buchi per i nuovi olivi devono essere grandi, ma non credeva che grandi volesse dire enormi. Beppe mi ha spiegato che ogni pianta ha bisogno di un grande *polmone*. Attorno ai tronchi hanno scavato un cerchio di circa un metro e mezzo di profondità. Hanno anche piantato altri alberi di ciliegio, accanto a quelli piantati da Ed la scorsa primavera.

Per una settimana cuciniamo, andiamo in gita ad Arezzo, a Perugia, passeggiamo, compriamo scialli e lenzuola al mercato di Camucia, e chiacchieriamo di tutte le novità in famiglia. Ed arriva giusto in tempo per la cena di addio, in cui beviamo il Brunello che mio nipote ha comprato a Montalcino; poi loro preparano i bagagli (tantissimi bagagli, data la quantità di acquisti) e partono.

Hanno avuto un maggio caldo, mentre ora comincia a piovere. Le rose rampicanti si piegano e ondeggiano i rami al vento. Corriamo fuori con delle vanghe per legarle, inzuppandoci dalla testa ai piedi. Ed scava mentre io tolgo i fiori appassiti e tiro su i rami più esili; le nutro con del fertilizzante, anche se temo che poi cresceranno a dismisura, come la pianta di piselli della famosa favola. Faccio un mazzo di rose bianche, di quelle che fioriscono a grappolo. Rientriamo, ci stiriamo i vestiti, rimettiamo a posto le cose che tante persone hanno spostate per rendere l'ambiente più confortevole rispetto ai loro gusti personali. La casa riprende in breve il suo solito aspetto. Mi sembra siano passati degli eoni, da quando arrivavo, di giugno, e trovavo scale, operai, tubi, fili, calcinacci e polvere ovunque. Adesso cominciamo subito a goderci la vita qui.

Una pentola di minestrone è l'ideale, per le sere di pioggia. Poi una passeggiata per la strada romana fino in città, a comprare formaggio, rucola, caffè. Le ciliege di Maria Rita sono sempre le migliori; ne mangiamo un chilo al giorno. Tutti i ceppi e le pietre sono stati tolti, il terreno è ormai pulito. Adesso è molto più facile strappare le erbacce; e quando usi il decespugliatore non schizzano in aria troppi sassi. Quante pietre abbiamo raccolto? Tante da costruirci una casa? La sera le lucciole occhieggiano sui terrazzamenti, il cucù ripete all'alba il suo richiamo. E poi c'è un altro uccello dal verso dolcissimo. L'upupa, vestita del suo sontuoso piumaggio, non ha altro da fare che beccare in terra. Trascorriamo lunghe giornate accompagnate dai gorgheggi degli uccelli, invece che dallo squillare del telefono.

Piantiamo altre rose. In questa zona della toscana fioriscono in maniera magnifica. Quasi ogni giardino trabocca di rose. Scegliamo un tipo chiamato Paul Neyron, che ha petali color rosa carico, increspati come un tutù, e un profumo inebriante con una punta di limone. Voglio prenderne anche due rosa pallido, con fiori grossi come palline da tennis, del tipo detto Donna Marella Agnelli. Il loro profumo mi riporta a quando Delia, una delle amiche di mia nonna, mi stringeva al petto: indossava sempre enormi cappelli ed era cleptomane, ma nessuno osava accusarla perché il marito sarebbe morto di vergogna. Il quale marito, quando notava in casa un nuovo oggetto, entrava nel negozio da cui pensava provenisse: «Mia moglie si è dimenticata di pagarlo» diceva. «È uscita con questo in mano e le è venuto in mente solo l'altra sera. Quanto le devo?» Forse aveva rubato anche il suo profumo alla rosa.

«Non piantate le rose della pace» ci ha detto un amico, un intenditore. «Sono così banali!» Ma sono anche splendide, con le loro tinte vaniglia, pesca e rosa vivo che riprendono i colori della casa. Sembra proprio che appartengano a questo giardino. Ne ho piantate parecchie, invece. L'anno scorso le rose color arancione dorato avevano fiori dall'oscena, volgare bellezza. Adesso c'è una fila di rose lungo il vialetto che porta alla casa, e cespi di lavanda tra una pianta e l'altra. Sto cominciando a nutrire fiducia nell'aromaterapia: camminando verso casa tra gli effluvi, respiro profondamente, sentendomi invadere da un'onda di felicità.

Presso i gradini della terrazza, restano l'inizio e la fine della vecchia pergola di ferro; e il gelsomino che abbiamo piantato due anni fa sta crescendo lungo la ringhiera della scala. Decidiamo di piantare altre rose dal lato opposto del vialetto e una pergola alla fine. Così l'impressione, avvicinandosi alla casa, sarà quella che abbiamo avuto noi la prima volta, quando c'era ancora il pergolato fiorito di rose. Però non intendiamo ricostruire una pergola continua, preferiamo che il vialetto sia libero, aperto. Scegliamo due tipi di rose: Queen Elisabeth e Abe Lincoln. Bello pensare a queste due forze che si affrontino, faccia a faccia. La mia preferita, *Gioia*, quando comincia a fiorire è di un colore, poi muta in un altro: il bocciolo è perlato, il fiore aperto d'un giallo paglia con qualche petalo venato e orlato di rosa. Piantiamo altre rose d'un color albicocca che ricorda i colori del cielo all'alba, una giallo semaforo, una Pompidou e una che prende il nome da papa Giovanni XXIII. Quanta gente importante fiorisce nel nostro giardino! Non posso esimermi dall'acquistarne anche una d'un lilla spento, che starebbe assai bene tra le mani di un morto composto nella bara.

A Camucia passiamo da un *fabbro* che ha bottega proprio sul fiume. Mentre parliamo col padre, i due figli ci si accostano, forse per non perdere l'occasione di vedere così da vicino due strani forestieri come noi. Uno dei due, di circa dodici anni, ha occhi verdi, glaciali e inquietanti. È esile e abbronzato. Non posso fare a meno di fissarlo a mia volta. Gli manca solo la pelle di capra e un rudimentale flauto. Anche il fabbro ha occhi verdi, ma di un colore più definito. Fino ad ora siamo stati da cinque o sei fabbri; è un'arte che sembra attirare uomini particolarmente sensibili. La bottega in cui siamo ha un lato completamente aperto, così non c'è la fuliggine come nella maggior parte delle altre. Il fabbro ci mostra chiusini da pozzo e inferriate, oggetti di natura molto pratica. Ripenso al primo fabbro che abbiamo conosciuto (morto di cancro allo stomaco), con la sua aria assorta; si aggirava per la bottega fuligginosa come nel suo mondo, sfiorando il reggitorcia a serpentina e i bastoni coi pomi a forma di animali arcaici. Il nostro cancello è sempre spalancato: lui è morto prima di potercelo riparare, e via via ci siamo abituati al suo aspetto deformato, rugginoso. Il fabbro dagli occhi verdi ci mostra il giardino e la bella casa. Forse il figlio fauno ne erediterà il mestiere.

Alcune cose sono così facili! Ci basterà scavare delle buche, fissarvi le aste di ferro e riempirle di cemento. Scegliamo una rosa rampicante rosa per ciascun lato («Come si chiama?» «Non ha nessun nome, signora. È una rosa. *Bella, no?*»).

Ho avuto vari giardini, ma non ho mai piantato delle rose. Quando ero piccola, vedevo mio padre sistemare il giardino attorno al cotonificio che dirigeva per conto di mio nonno. Con una sorta di monomania di cui ancora mi chiedo ragione, piantò un migliaio di rose, tutte dello stesso tipo: l'*Etoile de Holland*, una sontuosa rosa rosso sangue, era appunto il fiore di mio padre. Era un uomo difficile, per usare un eufemismo, e a complicare il tutto è morto a quarantasette anni. Fino al giorno della sua morte la nostra casa era sempre piena di rose, in grandi vasi, in coppe di cristallo, o in vasetti d'argento per un solo fiore. Non erano mai appassite, perché venivano colte ogni giorno, per l'intera stagione della fioritura. Lo vedevo rientrare a mezzogiorno dalla porta sul retro, col suo completo beige di lino che, chissà come, non appariva mai spiegazzato, nonostante il caldo. Portava fra le braccia, come avrebbe fatto con un bambino, un fascio di boccioli rossi avvolti in carta di giornale. «Ci pensi tu a questi?» diceva, allungandoli a Willie Bell, già pronta con forbici e vasi. Faceva roteare il suo panama sulla punta del dito: «Dimmi, che bisogno c'è del paradiso?».

Nei miei vari giardini ho piantato erbe aromatiche, papaveri, fucsie, viole del pensiero, garofani. Adesso mi sono innamorata delle rose. Il prato è folto, ormai, così posso uscire e camminare a piedi nudi nella rugiada del mattino, cogliere una rosa e un ciuffo di lavanda per la mia scrivania. La memoria si cancella, ritorna: al cotonificio mio padre teneva sulla scrivania una singola rosa. Mi sono resa conto di aver piantato una sola rosa rossa. Al sole caldo del mattino il profumo si intensifica.

Ora che il grosso dei lavori è terminato, pregustiamo il futuro: sistemeremo il giardino, ci occuperemo della manutenzione (parrà strano, ma alcune finestre hanno già bisogno di una mano di vernice), delle rifiniture. Abbiamo una lista di bei progetti, come un sentiero lastricato, un affresco sulla parete della cucina, gite nelle Marche a caccia di oggetti di antiquariato, un forno esterno per cuocere il pane. E una lista di progetti meno divertenti: cercare di capire cos'è successo al pozzo nero, che manda un puzzo di cavolo se la casa è usata da parecchie persone; pulire e consolidare i muri di pietra della cantina; ricostruire sui terrazzamenti le parti dei muretti che sono crollate; ripiastrellare il bagno con le farfalle. Una volta simili programmi ci sarebbero parsi immani, mentre ora sono solo voci di un elenco. Si avvicinano i giorni in cui potremo dedicarci a imparare l'italiano con un insegnante, fare un erbario coi fiori raccolti nelle passeggiate, visitare il Veneto, la Sardegna e la Puglia, magari imbarcarci da Brindisi o da Venezia per la Grecia. Salpare da Venezia, la porta d'Oriente!

Ma non è ancora tempo: ci aspetta l'ultimo, grande lavoro.

Sempre pietra

Primo Bianchi avanza traballando sul vialetto con la sua Ape carica di sacchi di cemento. Salta giù per guidare un grande camion che sale a marcia indietro per lo stretto passaggio, portando sabbia, travi d'acciaio e mattoni. Il camion struscia lo specchietto laterale contro i rami del pino, e poi trascina con sé un ramo dell'abete, che si schianta con un rumore secco. Primo è quello che avevamo scelto per il restauro della casa, tre anni fa; ma non aveva potuto accettare per via di un'operazione allo stomaco. È sempre lo stesso: sembra un artigiano fuggito dal laboratorio di Babbo Natale. Affrontiamo il progetto: dobbiamo aprire un varco nel muro del salotto, spesso circa un metro, per metterlo in comunicazione con la cucina della *contadina*; e poi rifare il pavimento, l'intonaco, l'impianto elettrico. Primo annuisce: «*Cinque giorni, signori*» dice. Questa stanza ancora non rifinita serve come deposito degli attrezzi nella stagione invernale, e rappresenta l'estremo rifugio per gli scorpioni. Secondo la normativa vigente nelle zone sismiche, l'apertura non può superare il metro e mezzo, mentre noi la volevamo più larga. Ma comunque ci sono le porte che danno sull'esterno, e almeno i due locali verranno collegati.

Raccontiamo a Primo degli uomini di Benito che sono scappati via quando hanno buttato giù parte del muro tra la cucina nuova e il tinello. La sua risata mi rassicura. «Comincerete domani?» «No, domani è martedì, non è un buon giorno, per iniziare un lavoro. Ciò che comincia di martedì non finisce mai... È una vecchia superstizione: non che io ci creda, ma i miei manovali sì.» Bene, siamo d'accordo: decisamente vogliamo che il lavoro abbia termine.

Durante l'infausto martedì ci dedichiamo a spostare tutti i mobili e i libri fuori del salotto, togliamo ogni cosa dalle pareti e dal focolare. Segnamo il centro del muro e cerchiamo di immaginare la stanza con l'apertura che la renderà più ampia. Sono appunto prefigurazioni di questo tipo che ci aiutano a sopportare la tensione di simili lavori. Presto saremo contenti! Alla fine, delle due stanze si potrà dire che sono sempre state una sola! Dal lato che fronteggia la terrazza metteremo delle sedie a sdraio, e la musica di Brahms o di Bird si diffonderà nella cucina della *contadina*. Anzi, presto non la chiameremo più così, perché sarà il salotto.

Intercapedine è una parola che conosco solo in italiano. Il mio dizionario traduce: *gap, cavity*. È un termine molto usato nel gergo di chi restaura grandi e umide case. Accanto a una parete che trasuda umidità viene sovente costruito un muro in mattoni. E tra le due viene lasciato uno spazio di *due dita*, in modo da fermare l'umido: l'*intercapedine*, appunto. La cucina della *contadina* ha un muro di questo tipo lungo la parete esterna della casa, e sembra di spessore superiore al normale. Impazienti, Ed e io decidiamo di demolirne un pezzo, per vedere se si può allargare ulteriormente la stanza. Una volta abbattuta, però, ci rendiamo conto che la casa non termina con un muro: il pianterreno è addossato direttamente *sulla, nella* roccia della collina. Dietro l'*intercapedine* troviamo il Monte Sant'Egidio! Un'enorme roccia scabra! «Be', ora sappiamo perché questa stanza ha problemi di umidità.» Ed tira fuori delle radici di fico e di ailanto. Alla base della parete scopre ciò che resta di un canale di scolo, che un tempo deve aver funzionato, e ora è pieno di calcinacci.

«Sarebbe una fantastica cantina per i nostri vini!» è l'unica cosa che riesco a pensare. Non sapendo che fare, scattiamo qualche foto. Questa scoperta decisamente non si attaglia al sogno paradisiaco dei cento angeli.

Giunge il fausto mercoledì, e alle sette e mezzo del mattino si presenta Primo Bianchi insieme a due *muratori* e un manovale per trasportare le pietre. Non hanno nessun macchinario; ciascuno porta un secchio pieno di attrezzi. Scaricano i ponteggi, i *capretti* e dei sostegni per il soffitto a forma di T, detti *cristi* perché rammentano la croce di Gesù. Quando vedono la parete di roccia che abbiamo scoperto restano immobili, le mani sui fianchi; poi esclamano all'unisono: «*Madonna mia!*». Non credono che il muro l'abbiamo buttato giù noi, soprattutto che abbia contribuito anch'io. Si mettono subito al lavoro, dopo aver protetto i pavimenti con teli di plastica. Aprono il muro tra questa stanza e il salotto, poi tolgono una fila di pietre da quella che sarà la parte alta della porta. Udiamo il rumore – ormai a noi familiare – dello scalpello contro la pietra: il più antico che ci sia, almeno in fatto di costruzione o restauro di case. In seguito piazzano la trave d'acciaio, fissandola con pezzi di mattoni e cemento. Finché quest'ultimo non è secco non c'è altro da fare, così cominciano a smantellare il brutto pavimento, servendosi dei piedi di porco per scalzare le mattonelle.

Parlano e ridono allo stesso ritmo con cui lavorano. Dato che Primo è un po' duro d'orecchi, hanno imparato a chiacchierare gridando quasi. E continuano così anche quando lui non c'è. Sono molto puliti, non si lasciano lo sporco alle spalle: stavolta il telefono non viene sepolto dai calcinacci. Franco, dagli occhi neri e brillanti, quasi animaleschi, è il più forte. Anche se è smilzo, possiede una forza che sembra gli derivi più dalla volontà che dal tono muscolare. Lo osservo mentre alza la pietra squadrata che faceva da primo gradino della scala; mi mostro meravigliata, e allora lui, per ostentare la sua forza, se la issa in spalla. Persino Emilio, addetto al trasporto delle pietre, sembra divertirsi nel suo lavoro. Ha sempre un'aria allegra. A dispetto del caldo porta un berretto di lana, talmente calato che i capelli gli sfuggono tutt'intorno come una corona. Potrà avere sessantacinque anni: un po' vecchiotto per essere un *manovale*. Mi chiedo se prima di perdere due dita facesse il *muratore*. Tolte le orribili mattonelle e uno strato di cemento, scoprono sotto un pavimento in pietra. Franco comincia a scalzarlo in qualche punto, e vede che sotto ancora ce n'è un altro: «*Pietra, sempre pietra!*» sbotta.

È la verità: qui la pietra è usata per tutto, le case, i muretti dei terrazzamenti, le mura delle città, le strade. Pròvati a piantare una rosa, e te ne trovi quattro o cinque grosse. L'idea dei sarcofagi, con il ritratto del defunto sul coperchio, deve essere venuta agli etruschi da un semplice pensiero: dopo una vita in cui si è sempre avuto a che fare con le pietre, non è difficile immaginare che dopo morti si divenga di pietra, appunto.

Il giorno dopo aprono lo stesso varco lungo la parete del salotto. Ci chiamano: Primo saggia con lo scalpello la parte finale di una trave portante: «*È completamente marcia, questa trave!*» dice. Poi batte sulle parti a vista. «*Qui è dura!*» Insomma, è marcia dove entra nel muro, mentre il resto è ancora sano. «*È pericoloso!*» sentenzia. La pesante trave avrebbe potuto spezzarsi, ovviamente facendo crollare anche parte del pavimento del piano superiore. Puntellano la trave con un *cristo*, mentre Primo prende le misure e va a comprare un'altra trave di castagno. A mezzogiorno la trave d'acciaio da questa parte è collocata. Gli operai non si riposano affatto, vanno a pranzo per un'ora e poi tornano a lavorare fino alle cinque.

Il terzo giorno hanno già svolto una gran mole di lavoro. Stamattina tirano giù la vecchia trave, che viene via facilmente, come un dente già lento. Con lunghe assi di legno sostenute dai *cristi* puntellano il soffitto in corrispondenza delle due estremità della trave, poi tolgono delle pietre, fanno un po' giocare la trave e infine la depongono sul pavimento. Quella nuova ci va a pennello. Che architettura straordinariamente semplice! La fissano con pietre e cemento, e mettono ancora cemento tra la trave e il soffitto. Nel frattempo due uomini disfano il pavimento. Ed, che sta lavorando in cortile proprio davanti alla porta, sente un «*Dio maiale!*». Si affaccia e vede che sotto l'enorme lastra che Emilio tiene sollevata col piede di porco c'è un terzo pavimento in pietra. I primi due strati sono di pietre grandi e levigate, pesantissime; il terzo è invece più grezzo, con ciottoli grandi come valige, alcuni scanalati e ben confitti nel terreno.

Dalla cucina li sento mugolare per lo sforzo di mettere i lastroni in posizione verticale, farli scivolare su un'asse e infine deporli all'esterno. Temo che presto troveranno la falda freatica. Emilio porta fuori con la carriola le pietre più piccole e la terra. Il mucchio di detriti diventa ogni ora più alto. Noi conserveremo le pietre più grandi. Una ha dei segni tipo geroglifici. Saranno etruschi? Controllo l'alfabeto in un mio libro ma segni simili non somigliano a niente. Forse un contadino di epoche remote ha disegnato uno schema delle colture; o forse è qualche scarabocchio preistorico. Ed la lava con il tubo di gomma e la osserviamo di lato: così i graffiti appaiono chiari, è la scritta cristiana "IHS" sormontata da una croce, con un'altra croce più rozza a fianco. Sarà stata una lapide? O un altare protocristiano? Comunque è piatta, perciò chiedo ai muratori di metterla da parte: potrà servirci da piccolo tavolino esterno. Emilio non sembra molto interessato: «*Roba vecchia*». Però insiste col dire che si trova sempre un uso, per oggetti simili. Lavorano tutto il pomeriggio. Li sento borbottare: «*Etruschi, etruschi...*». Sotto il terzo strato trovano la roccia della montagna. Stappano una bottiglia di vino da cui bevono a turno, di tanto in tanto.

«*Come Sisifo*» scherzo io.

«*Esattamente*» risponde Emilio. Nel terzo strato hanno scoperto *una soglia* in *pietra serena*, la pietra da costruzione più comune, nella zona. Evidentemente per la nostra casa sono state usate pietre provenienti da altri edifici. Le allineano lungo la parete, lodando la bellezza della pietra.

Su uno dei terrazzamenti abbiamo accumulato il *cotto* per il pavimento, serbato dal rifacimento del bagno e del terrazzo al primo piano. Speriamo che basti per la stanza nuova. Ed e io cominciamo a prendere le mattonelle buone, con lo scalpello le ripuliamo dai residui di malta, le laviamo in una carriola e le strofiniamo con spazzole di ferro. Ne abbiamo in tutto centottanta, alcune troppo sciupate, ma possono sempre essere usate a pezzi. Gli uomini non smettono di trasportare pietre. Il livello del suolo si è abbassato di circa sessanta centimetri. Il camion bianco sale nuovamente per il vialetto: porta i laterizi forati 30 x 60. I mattoni normali sono già allineati in dieci file sul pavimento livellato: si tratta più che altro di uno strato geologico, con qualche roccia che la gente del posto chiama *piscia*, perché l'acqua vi sgocciola nelle fenditure. I mattoni formano i canali di scolo; sopra posano le piastrelle lunghe, fermandole col cemento. Mescolano il cemento come fosse pasta di pane: fanno un mucchio di sabbia con un buco in mezzo, e a poco a poco ci aggiungono cemento e acqua, impastando con una pala. Sopra le piastrelle distendono la *membrana*, una specie di carta catramata, poi una spessa rete di ferro. Infine il cemento. Ne avranno per un giorno intero, immagino.

Per fortuna ci risparmiano il cigolìo dell'impastatrice di cemento. Ridiamo al pensiero di quella di Alfiero, l'estate in cui abbiamo costruito il grande muro. Un giorno aveva impastato il cemento, aveva lavorato un poco, poi era scappato via per un altro impegno. Quando è tornato lo abbiamo visto prendere a pugni l'impastatrice: si era dimenticato del cemento, che nel frattempo era diventato duro. Ridiamo delle manie dei nostri vari operai del passato: in confronto, questi sono dei principi.

Al secondo e al terzo piano, in corrispondenza della nuova porta, sono comparse delle crepe nell'intonaco, simili a quelle in casa mia, a San Francisco, dopo il terremoto. E sono caduti anche dei grossi calcinacci. Che possa esserci un crollo improvviso? Faccio ogni notte i miei soliti sogni di ansia: devo dare l'esame e non ho il libretto, non so neppure su cosa verte il corso. Oppure sono in un paese straniero, di notte, e perdo il treno. Ed sogna che un autobus carico di studenti lo raggiunge qui con i compiti da correggere entro l'indomani. La mattina mi sveglio alle sei, e brucio i toast.

Il muro è quasi a posto. Hanno inserito una terza trave d'acciaio sull'apertura, facendo da una parte un pilastro di mattoni a sostegno; hanno anche innalzato un doppio muro in mattoni tra la casa e la parete di roccia. Primo dà un'occhiata al cotto che abbiamo ripulito; alza una mattonella e uno scorpione fugge rapido, ma lui lo schiaccia col martello, ridendo al mio balzo all'indietro.

Più tardi sono a leggere nel mio studio, e vedo un piccolo scorpione risalire la parete giallo chiaro. Di solito li catturo con un barattolo di vetro e li metto fuori: questo, invece, lo lascio dov'è. Il martellare dei tre muratori mi giunge come uno strano ritmo, quasi orientale. È caldo, talmente caldo che vorrei rifugiarmi dal sole come ci si rifugia da un temporale. Sto leggendo un libro su Mussolini: aveva raccolto le fedi nuziali delle italiane per finanziare la guerra d'Etiopia, solo che non le aveva mai fatte fondere. Anni e anni dopo, quando è stato bloccato dai partigiani mentre cercava di fuggire, gli hanno trovato un sacco di anelli d'oro. Una foto lo mostra coi suoi occhi sporgenti, il cranio pelato e deforme, la mascella volitiva. Sembra un demente, o Casper il fantasma. Il *cink cink* dei martelli mi rammenta i musici indonesiani. Nell'ultima fotografia è appeso a testa in giù. La didascalia dice che una donna gli ha dato un calcio in faccia. Sono presa da uno stato di sonnolenza, e immagino gli uomini e il Duce, al pianterreno, allacciati in una danza indonesiana.

I mucchi di pietre da una parte e dall'altra della porta si fanno incombenti. Dobbiamo cominciare a spostarle. Stanislao, il nostro operaio polacco, arriva all'alba. Alle sei arriva anche Giorgio, il figlio di Francesco Falco, con la macchina per coltrare i terrazzamenti di olivi. Francesco lo segue a piedi. Come al solito tiene la roncola – un arnese a metà tra il machete e il falcetto – ficcata nella tasca posteriore dei calzoni. Deve facilitare il lavoro di Giorgio, levando via via i sassi dal percorso del trattore, scostando i rami sporgenti e preparando il terreno. Ma il nostro forcone è al contrario. «Guardate» ci dice lui. Lo prende in mano, denti in su, e quello si rivolta subito denti in giù. Allora, aiutandosi col martello, stacca la parte in metallo dal bastone, gira il manico e rimette i denti. E pensare che lo abbiamo usato centinaia di volte senza rendercene conto! Ovviamente ha ragione lui.

«I vecchi italiani sanno bene cose come questa» commenta Stanislao.

Carriola dopo carriola, accumuliamo tutte le pietre su uno dei terrazzamenti. Io prendo solo quelle piccole e medie; Ed e Stanislao si confrontano con le grandi. È un po' come fare aerobica seguendo un video, che ti stanchi fino a perdere il fiato. Bisogna bere otto bicchieri d'acqua al giorno? Nessun problema, sto morendo di sete. A San Francisco mi metto lì con la mia tutina rossa e faccio gli esercizi con le braccia, su, giù, su, giù, uno, due... Questo lavoro, però, porta a qualcosa. Chìnati e allùngati: facile, quando si tratta di ripulire un terreno. Comunque la fatica è improba: dopo tre ore abbiamo spostato solo un quarto delle pietre. *Madonna serpente!* Meglio non cercare di calcolare quante ore ci vorranno... e tutte le pietre davvero grandi sono ancora nell'altro mucchio. Terra e sudore mi scivolano lungo le braccia. Gli uomini sono a torso nudo, puzzano di sudore. Ho i capelli appiccicati e incrostati di terra. Ed si è ferito a una gamba, sanguina. Sento Francesco su un terrazzamento sopra di noi che parla agli olivi. Il trattore di Giorgio si inclina pericolosamente, ma lui è troppo esperto per rovinare giù lungo il pendio! Penso al bagno interminabile che farò. Stanislao comincia a fischiettare *Misty*. Un pietrone che non riescono a spostare ha la forma di un'enorme testa di cavallo romano. Prendo lo scalpello e gli scolpisco un po' gli occhi e la criniera. Il sole incede fiero attraverso la valle. Primo non immaginava che potessimo lavorare anche noi. Lo fa notare agli altri: lui che si è occupato di tanti restauri di case, dice, ha sempre visto il *padrone* starsene impalato a guardare, le mani sui fianchi, una smorfia sul volto. Per una donna poi, lavorare così è una cosa mai vista. Più tardi, nel pomeriggio, Stanislao bestemmia: «*Madonna sassi!*», ma poi torna a fischiettare il ritornello della canzone: «Ciliegi rosa a primavera...». Gli uomini scendono e beviamo insieme birra seduti sul muretto. Guarda cos'abbiamo fatto: una grande opera!

Ecco il solito camion bianco, questa volta con un carico di sabbia per l'intonaco (intonaco: allora stanno per finire). E si porterà via un mucchio di detriti. I tre manovali parlano concitatamente della Coppa del Mondo di calcio, che si sta svolgendo negli Stati Uniti, dei ravioli a burro e salvia, di quanto ci vuole in macchina per arrivare ad Arezzo. «Trenta minuti.» «Sei scemo, venti.»

Arriva Claudio, l'elettricista, a sistemare la treccia di fili penzoloni che porta l'energia elettrica in questa parte della casa. Conduce con sé il figlio Roberto, di quattordici anni, il quale ha le sopracciglia unite e begli occhi a mandorla, di taglio mediorientale, il cui sguardo non cessa di seguirti. È interessato alle lingue, ci spiega suo padre, ma dato che dovrà dedicarsi a un mestiere, quest'estate sta cercando di abituarlo. Il ragazzo si appoggia indolente alla parete, pronto a passare gli arnesi al padre. Quando quest'ultimo esce per prendere altri utensili dal camioncino, si china a raccogliere il giornale inglese che protegge il pavimento e comincia a studiarlo.

Prima di intonacare le pareti bisogna scavare le tracce per incassare i fili elettrici. L'idraulico deve spostare il radiatore che abbiamo messo quando è stato installato il riscaldamento centrale. Ho cambiato idea sul punto in cui fissarlo. Quanto lavoro! Se non avessero dovuto svellere per giorni i tre strati di pietra, ora il grosso sarebbe già terminato. I polacchi, che erano in Italia per raccogliere il tabacco, adesso sono tornati a casa; solo Stanislao è rimasto qui. Chi sposterà queste pietre gigantesche? Prima di andar via, i muratori ci mostrano un groviglio di erba e rametti intrecciati che hanno trovato nel muro, un *nido di topo* (la parola italiana suona più graziosa di quella inglese, *rat's nest*).

Lanciano con la cazzuola la base per l'intonaco, la lanciano letteralmente, perché deve restare appiccicata al muro; quindi la rendono liscia. Primo ha portato del *cotto* dalla sua scorta personale. Tra il suo e il nostro ne abbiamo a sufficienza. Visto che il pavimento è l'ultima cosa, dovremmo essere quasi alla fine. Sono pronta per la parte più divertente; difficile pensare al mobilio quando la stanza somiglia a un grigio, solitario luogo di confino. Ora ci tocca sopportare il primo macchinario rumoroso dell'intero progetto: il figlio dell'elettricista comincia a trapanare le pareti, creando le tracce per i nuovi fili. Non sembra molto sicuro di sé. Il padre se ne va, dopo essersi presa la scossa per aver toccato uno dei cavi sfilacciati: devono essere i peggiori che gli sia mai capitato di vedere.

L'idraulico che ha fatto il bagno nuovo e messo il riscaldamento centrale ci manda due assistenti per spostare i tubi del radiatore che hanno scollegato la settimana scorsa. Anche loro sono giovanissimi. So che la scuola dell'obbligo, per chi non prosegue con il liceo e l'università, qui finisce a quattordici anni. Sono entrambi grassotelli e silenziosi, ma hanno larghi sorrisi. Spero che sappiano cosa fare. Parlano tutti contemporaneamente, alcuni gridano, anzi.

Forse il lavoro terminerà presto, adesso. Ogni fine giornata Ed e io portiamo dentro le sdraio e ci sediamo nella stanza nuova, cercando di immaginarci lì a bere il caffè, magari sprofondati in un divanetto a due posti di lino azzurro con un vecchio specchio alle spalle; e ad ascoltare la musica, discutere della prossima impresa...

La base per l'intonaco deve asciugarsi, così hanno lasciato a lavorare solo Emilio: nella tromba delle scale, gratta il vecchio intonaco che, fra un gran polverìo, va ad aggiungersi al mucchio di detriti fuori.

Se non è intonacato, l'elettricista non può finire. Adesso capisco il genio che ha inventato i rivestimenti per le pareti: intonacare è difficile. Mi piace assistere alle varie fasi di un lavoro che non dev'essere cambiato molto dall'epoca delle tombe egizie. I ragazzi dell'idraulico hanno tagliato i tubi dell'acqua nel punto sbagliato, perciò dobbiamo richiamarli. Per riposarci andiamo a Passignano, dove mangiamo una pizza alle melanzane sulla riva del lago. Ripenso ai cinque giorni previsti per completare il progetto... Desidero ardentemente delle giornate di *dolce far niente*, considerato che tra sette settimane dovrò ripartire. Sento la prima cicala, il suo verso petulante ci avverte che stiamo entrando nel cuore dell'estate. «Sembra un'anatra che abbia preso delle anfetamine» dice Ed.

Sabato è una giornata torrida. Stanislao porta con sé Zeno, giunto da poco dalla Polonia. Stanno a torso nudo: sono abituati al caldo, durante la settimana lavorano entrambi al nuovo metanodotto. In meno di tre ore hanno tolto almeno una tonnellata di pietre. Teniamo da parte quelle piatte, che ci serviranno per vari sentierini e per un riquadro di pietre davanti a ciascuna delle quattro porte, onde evitare di portar dentro lo sporco. Le mettono già dopo pranzo: gettano una base di sabbia, e sopra le lastre di pietra, riempiendo poi di terra gli interstizi tra l'una e l'altra. Levano facilmente i semicerchi che avevamo fatto lo scorso anno coi sassi trovati sul terreno. Le pietre da loro scelte sono grosse come cuscini.

Mentre strappo le erbacce struscio il braccio sulle ortiche. Sono piante davvero feroci, pungono subito, e al menomo contatto le loro foglioline pelose rilasciano una sostanza irritante. Strano che le più tenere siano utilizzabili per un tipo di risotto. Corro in casa e mi strofino con un disinfettante, ma il braccio mi prude terribilmente, sembra vivo, come se dei vermi elettrificati si arrampicassero su di me. Dopo pranzo decido di fare un bagno, quindi indosso l'abito di lino rosa e mi siedo nel patio per aspettare l'apertura dei negozi. Ho lavorato abbastanza. Si leva una gradevole brezza, e passo il pomeriggio a sfogliare oziosamente un libro di cucina e a osservare una lucertola che spia una fila di formiche. È una creaturina magnifica, coi suoi colori verde brillante e nero, le svelte zampette, la gola pulsante, e una testa che si muove rapida. Vorrei che si arrampicasse sul mio libro, in modo da vederla meglio, ma ogni minimo movimento la fa fuggire. Poi, però, torna a guardare le formiche. Non saprei, d'altro canto, cosa vedano queste ultime.

In città compro un vestito bianco di cotone, dei pantaloni blu stile marina e una maglietta, una costosa crema per il corpo, smalto rosa per le unghie, una bottiglia di un grande vino. Al

271

mio ritorno Ed si sta facendo la doccia in casa. Mentre i polacchi hanno appeso il tubo dell'acqua al ramo di un albero: li vedo spogliarsi per una rapida sciacquata prima di cambiarsi. Le quattro porte appaiono ben protette da una larga soglia di pietra.

Franco comincia a levigare l'intonaco. Il titolare della ditta di idraulica, Santi Cannoni, arriva a controllare il lavoro eseguito dai suoi. Indossa dei pantaloncini azzurri; lo conosciamo da quando ci ha messo il riscaldamento centrale, ma lo abbiamo sempre visto vestito di tutto punto. Oggi sembra semplicemente che abbia dimenticato i pantaloni. Non posso fare a meno di guardare le sue gambe bianco smorto e prive di peli, in totale distonia rispetto alla camicia stirata, il volto distinto e abbronzato, i capelli grigi ben acconciati. Le calze di seta nera e i mocassini contribuiscono a quel senso osceno di nudità. Da quando i ragazzi hanno spostato il radiatore, quello della stanza accanto ha cominciato a perdere acqua.

Francesco e Beppe spuntano sull'Ape con i tagliaerba, pronti a massacrare rose selvatiche ed erbacce. Beppe parla in modo più chiaro, lo capiamo meglio di Francesco, soprattutto perché quest'ultimo si ostina a non portare la dentiera. E dato che gli piace moltissimo chiacchierare, diventa matto se Beppe traduce per noi. Ovviamente quando Beppe vede che non capiamo, si affanna in spiegazioni. Francesco chiama Beppe *maestro*, in senso ironico. Discutono se le lame del nostro tagliaerba debbano essere affilate o sostituite; discutono se i pali a sostegno delle viti siano meglio di ferro o di legno. Alle spalle di Beppe, Francesco scuote la testa, gli occhi al cielo: Credete a un simile babbeo? Alle spalle di Francesco, Beppe fa lo stesso gesto.

Ci portano un carico di sabbia per il pavimento, ma Primo dice che i suoi mattoni vecchi non sono della stessa misura dei nostri: deve procurarsene un'altra cinquantina per completare la posa dell'impiantito.

Piano piano sembra la parola d'ordine di chi restaura case.

Passano un'altra mano di intonaco. L'amalgama è come un

gelato grigiastro. Franco dice che ha una piccola vecchia casa e non desidera altro; nelle case grandi c'è sempre qualcosa che non funziona. Restaura le pareti al piano superiore, che si erano crepate quando abbiamo aperto il muro del salotto. Lo prego di rompere l'intonaco per vedere gli stipiti delle porte riaperte da Benito. Trova le lunghe pietre originali, nessun segno delle travi d'acciaio che avrebbero dovuto installare. Franco dice di non preoccuparsi, la pietra è perfetta per una porta di dimensioni normali.

Ora mi pare che le pareti siano asciutte, ma i muratori la pensano diversamente. Intanto è passato un altro giorno. Siamo ansiosi di prendere possesso della stanza, imbiancare le pareti, verniciare le travi e il soffitto di mattoni. Siamo pronti ad abitarla. Ho già mandato dal tappezziere quattro poltrone: due con parecchi metri di lino a quadri bianchi e blu speditomi da mia sorella, e due con un cotone a strisce azzurre e gialle che ho comprato ad Anghiari. Abbiamo ordinato il divanetto a due posti e altre due poltrone confortevoli. Il lettore di compact è stato messo in una pila di roba insieme a scatole e libri, le poltrone e gli scaffali ficcati in altre stanze. Andrà avanti così per sempre?

Nel Rinascimento si usava aprire a caso Virgilio e puntare il dito su un rigo: un modo per divinare il futuro o avere risposta a una questione importante. Nel Sud lo facevamo con la Bibbia. Gli uomini hanno sempre cercato un modo per ottenere una qualche rivelazione sul proprio destino: gli etruschi leggevano il responso nel fegato degli animali sacrificati, e non è certo un metodo più strano di quello greco, che si basava sull'osservazione del volo degli uccelli e dello sterco degli animali. Apro Virgilio e punto il dito a caso: "Gli anni portano via tutto, anche le facoltà mentali". Non molto incoraggiante.

La Toscana è una terra poco piovosa, d'estate, ma quest'anno è verdissima. Visti dal patio, i terrazzamenti sembrano onde che scendano giù per la collina. A che pro muoversi, oggi? Sotto il sole a picco leggo un libro sulle vite delle sante: in particolare ammiro Giuliana Falconieri, che in punto di morte ha chiesto che le ponessero un'ostia sul petto. L'ostia è scomparsa, assorbita dal suo cuore. Un fagiano becchetta le mie lattughe. Leggo di Colomba, che si cibava di ostie soltanto, e poi le vomitava in un cestino che custodiva sotto il letto. Mi piace Veronica, che teneva in bocca cinque semi di arancia, in ricordo delle cinque piaghe di Gesù. Ed porta degli enormi panini e del tè freddo con dentro un po' di succo di pesca. Sono sempre più affascinata dalle sante, le loro esistenze basate sulla privazione. Forse per riequilibrare la sensualità della vita italiana. C'è sempre una misteriosa ragione per cui un argomento all'improvviso ti attrae: perché mai, ad esempio, portarsi a casa quattro libri sugli uragani o tutte le opere di Mozart? Le reali motivazioni affiorano solo molto dopo. Che cosa me ne verrà, dalla conoscenza di queste stravaganti creature?

Primo arriva portando altro cotto vecchio e Fabio comincia a ripulirlo. Lavora nonostante il mal di denti e ci fa vedere dove ha le carie, nella parte inferiore sinistra della bocca. Mi devo mordere le labbra per non mostrarmi stupita: infatti la settimana prossima gli leveranno quattro denti.

Gli attrezzi di Primo per la posa del pavimento si compongono di una corda e di una lunga livella. Il resto lo fa la sua abilità, rapida e sicura: sa esattamente dove battere, dove e cosa sistemare. Dopo che tutte le pietre sono state portate via, i pavimenti delle due stanze risultano quasi allo stesso livello. In corrispondenza della soglia costruisce un lieve rialzo, quasi impercettibile. Cominciano a battere i mattoni e a livellarli. Fabio li taglia con una lama rotante dal terribile stridore, che manda in cielo nubi di polvere rossa. Ha le braccia rosse fino ai gomiti. Posare i mattoni sembra facile e divertente. In breve il pavimento è a posto, il disegno a L del cotto è simile a quello della stanza adiacente.

Arrivano gli ospiti, nonostante le lampade coperte di plastica, i cesti, i libri nel corridoio, i mobili del salotto disseminati per tutta la casa. Simone, una collega di Ed, festeggia il suo dottorato con un viaggio in Grecia, e Barbara, una sua ex studentessa che ha appena terminato un periodo di due anni in Polonia nelle Forze di Pace, è passata di qui andando in Africa. Immagino che l'Italia sia sempre stata un crocevia. Nel Medioevo i pellegrini in cammino per la Terra Santa costeggiavano il Trasimeno. Pellegrini più moderni attraversano l'Italia in lungo e in largo; la nostra casa è ben situata, per una tappa di qualche giorno. Maddalena, un'amica italiana e suo marito John, che vive a San Francisco, vengono a pranzo da noi.

Ci dividiamo tra i nostri ospiti e alcune decisioni da prendere. Oggi i muratori finiranno il lavoro! Il pranzo giunge a proposito: sarà un doppio festeggiamento. Abbiamo ordinato delle *crespelle* da Vittorio, che vende pasta fresca in città. Le sue *crespelle* sono leggerissime. Anche se siamo solo in sei ne ordino dodici del tipo con il *tartufo*, e poi ancora con il pesto e le nostre preferite, con *piselli e prosciutto*. Come antipasto, un piatto di *caprese* (mozzarella, pomodoro e basilico), un vassoio di olive, formaggi, pane e vari salami della zona. L'insalata la facciamo con la rucola dell'orto. Il vino che abbiamo comprato a Trerose, uno chardonnay di marca Salterio, è forse il bianco migliore bevuto in Italia. Molti chardonnay, soprattutto quelli californiani, sono un po' sciroppposi e sanno troppo di legno di quercia, per i miei gusti. Questo invece ha un aroma leggermente fruttato, con appena una punta di quercia.

Abbiamo apparecchiato la lunga tavola sotto gli alberi, con una tovaglia di lino gialla quadrettata e un cesto di ginestre color del sole. Offriamo del vino ai manovali, ma lo rifiutano: hanno fretta di finire. Versano sul pavimento un cemento liquido, per riempire le fessure tra i mattoni. Per ripulire lavano il pavimento e lo cospargono di segatura; infine lo spazzano. Su un fianco della casa costruiscono due colonnine per sostenere il lavandino di pietra che abbiamo disseppellito. Per due anni è rimasto nella vecchia cucina. Primo chiama Ed perché lo aiuti a spostare la gigantesca pietra. Due uomini la trasportano oltre la terrazza, e poi per tre gradini, fino al punto in ombra dove stiamo mangiando. Il nostro ospite, John, si alza per dar loro una mano. Ora sono in cinque a reggerla. «*Novanta chili, forse cento*» dice Primo. Dopo di che si portano via i *cristi*, gli attrezzi, tutto: la stanza è finita. Primo resta per qualche veloce riparazione. Prende un secchio di cemento e riempie le crepe più piccole nel muro di pietra, poi sale al primo piano per fermare qualche mattonella sconnessa.

Non è forse vero che ogni cosa termina con un'immagine poetica, un'immagine che riassume in un tocco un'esperienza intera?

Oggi non è finito solo il salotto, bensì un lavoro durato tre anni. Siamo qui, con gli amici, sotto il pergolato chiazzato di sole, proprio come avevo immaginato. Vado in cucina e dispongo una serie di formaggi locali su un vassoio con foglie di fico. Sono rossa ed eccitata, nel mio abito di lino bianco con le maniche corte e ritte come piccole ali. Sopra di me, Primo strofina il pavimento. Alzo gli occhi: ha tolto due mattoni e si vede un buco nel soffitto. Il tempo di abbassare nuovamente lo sguardo al piatto di formaggi, ed ecco che Primo dà accidentalmente un calcio al secchio e il cemento mi cade in testa! Sui capelli, sul vestito, sul formaggio, sulle braccia, sul pavimento! Guardo in alto, vedo la sua faccia stupefatta che mi spia come un cherubino in un affresco.

Non ho ancora perso del tutto il senso dell'umorismo. Torno a tavola sgocciolando cemento. Dapprima restano tutti a bocca aperta, con gli occhi sgranati, poi scoppia una fragorosa risata. Primo corre fuori, battendosi il palmo sulla fronte.

Mi faccio una doccia, mentre gli ospiti puliscono. Quando ridiscendo sono tutti seduti al sole lungo il muro, anche Primo. Ed s'informa dei denti di Fabio. È mancato dal lavoro due giorni soltanto, ed entro un mese avrà i nuovi denti. Adesso Primo brinda insieme a noi. Gli ospiti brindano alla bella giornata trascorsa e alla fine dell'opera. Anche Ed e io, che siamo stati immersi nel restauro anima e corpo, leviamo i calici. Primo si diverte; si lancia nel racconto della sua situazione dentaria, mostrandoci la bocca in cui si aprono larghi varchi. Cinque anni fa, dice, ha avuto un tale mal di denti – si tiene la testa e la inclina, gemendo – che si è strappato un dente da sé, con le pinze. «*Via, via*» dice, mimando l'estrazione del dente dalla mascella. *Via* suona in certo senso più enfatico di *go*.

Non voglio che se ne vada. È stato così gentile, e un *muratore* così accurato. Il risultato è impeccabile, e a un prezzo straordinariamente ragionevole. Sì invece, voglio che se ne vada! Aveva detto cinque giorni di lavoro: oggi è il ventunesimo. Be', non si potevano prevedere tre strati di pietra e una trave marcia. Tornerà l'estate prossima, per ripiastrellare il bagno con le farfalle e consolidare con la calce il pavimento di pietra della cantina. Rimette la carriola sull'Ape. Quello sarà un lavoro breve, *cinque giorni, signori...*

RELIQUIE D'ESTATE

Le acquasantiere di tutte le chiese non hanno acqua. Passo le dita nelle polverose conchiglie di marmo: non una goccia per bagnarmi la fronte. La calura di luglio invade il corpo ma non le chiese di pietra, che mantengono l'umido dell'inverno, rilasciando lentamente, per tutta l'estate, una grigia frescura. Entrando ora in una, ora in un'altra, ho la sensazione di muovermi in un tangibile silenzio. Sulle nostre voci sembra scendere un coperchio, o una grande mano bagnata. Nella vasta chiesa di San Biagio, sotto Montepulciano, c'è una profonda quiete. Proprio sotto la cupola, se ti metti in un certo punto e parli o batti le mani, il suono si ripercuote in misteriosa eco. La qualità del suono non è simile al grido sulla superficie di un lago, ma un rimbalzare acuto, reiterato. La voce ne risulta appiattita, come ultraterrena. Difficile non pensare a un angelo burlone a mezz'aria, contro gli affreschi, anche se è più probabile vedervi qualche piccione.

Da quando passo l'estate a Cortona, l'impressione e la gioia maggiore è che mi sento davvero a casa. Ma non solo a casa, *ritornata* al primo, ancestrale concetto di casa. Mi sento a casa perché agli incroci ci sono i camion che vendono angurie. Sempre lo stesso battere per vedere se sono mature. Il ragazzo tiene alta la rugginosa stadera coi pesi di diverse misure. Il suo bicipite muscoloso mi ricorda quello di Braccio di Ferro e il vento mi porta una zaffata dei suoi odori di erba secca, cipolle e terra. Durante i forti temporali le saette si scaricano nel terreno e la grandine rimbalza sull'aia, riportandomi l'odore di ozono della

Georgia, quando riempivo una ciotola di grani delle dimensioni di una pallina da ping-pong e la serbavo in frigo.

La domenica, qui, è il giorno della visita al camposanto, e sebbene i nostri siano molto diversi, molto più semplici di questi, le cui tombe sono tutte addobbate di splendidi fiori, anche noi andavamo a fare pellegrinaggi domenicali nei cimiteri, con mazzi di gladioli o di zinnie. Stavo seduta nel sedile posteriore dell'auto, tenendo in equilibrio tra le ginocchia il vaso di fiori, mentre mia madre si lamentava che Hazel non si era mai data la pena di cogliere un solo fiore: eppure era sua madre, che giaceva lì sotto, mica la suocera. Raccolte attorno alla tomba di Anselmo Arnaldo, 1904-1982, forse anche queste famiglie dicono, come la mia, "Grazie, Signore, perché il vecchio è sottoterra, invece di essere ancora qui a farci diventare pazzi!".

Le notti sono afose, la temperatura si avvicina a quella corporea, e le mobili costellazioni di lucciole gareggiano con le stelle. Notti di zanzare, anche, che mi rimangono impigliate nei capelli. E lunghe giornate in cui mi godo il sole. Mi aggiro per questa casa in un paese straniero come se nelle sue stanze fosse rimasto qualcosa dei miei veri antenati. Come se fosse la dimora a cui sempre ritornare.

Vivere vicino a una piccola città ovviamente conta molto, in tal senso. E vivere immersi nella natura. (È venuto a trovarmi un mio studente di Los Angeles. L'ho portato a fare una passeggiata fino al punto da cui si vede il più ampio panorama della valle, del lago, e i boschi di castagni, gli Appennini, le macchie di olivi. Non se l'aspettava; è rimasto silenzioso – cosa rara, per lui – e alla fine ha detto: «Ma sembra quasi, come dire... la natura!».) Già, la natura: le nubi sciamano di sopra il lago e sento lo scoppio dei tuoni lungo la spina dorsale, un frastuono che mi rammenta quello delle onde in mare aperto. Appunto sul quaderno: "Un fulmine ha messo fuori uso la lavastoviglie. Abbiamo sentito lo sfrigolìo di bruciato. Non è forse simile al terrore che durante i temporali invadeva i primi uomini delle caverne, raccolti attorno ai fuochi? Il tuono mi scrolla come un gattino preso per la collottola da un gatto più grande. Mi precipito in casa, i fulmini si moltiplicano. Giaccio sul terreno a sei-mila chilometri da qui, lasciandomi infradiciare dalla pioggia".

La pioggia rovina i grappoli d'uva. La natura: quali frutti sono maturi? L'acqua piovana dilaverà il vialetto? Quando si raccol-gono le patate? Quanta acqua è rimasta nel pozzo? Riaffiorano vecchi ricordi. Esco a far legna, e uno scorpione nero mi passa velocissimo sulla mano: mi ricordo allora delle tarantole pelose nel vano doccia, a Lakemont, dell'urlo di mia madre quando ci mise un piede nudo sopra, e il corpo dell'animale schiacciato le si disfece fra le dita, come se avesse pestato un banana.

Che sia l'effetto della libertà? Sogno mia madre che mi sciac-qua i folti capelli con un catino di acqua piovana.

Dolci, lunghissime giornate: mi alzo all'alba, perché quando il sole di mezza estate sorge dalle colline oltre la valle i primi raggi mi colpiscono in viso, così come colpiscono un monolito di Stonehenge durante il solstizio. E sono perfettamente sveglia quando il cielo si tinge di rosa corallo e filacce di nebbia salgo-no dalla vallata e i cardellini cominciano a cantare. In Georgia mio padre e io ci alzavamo al sorgere del sole per camminare sulla spiaggia. A San Francisco mi desto al suono della sveglia, o per il clacson del pulmino della scuola che chiama i ragazzi del piano di sopra, o ancora col camion del vetro riciclato e la sua fragorosa cascata. Amo la città, eppure non mi ci sono mai sen-tita davvero a casa.

L'Italia mi ha attirato per i suoi paesi arroccati, la gastrono-mia, la lingua, l'arte. E anche per il senso di vita vissuta, il coe-sistere di varie epoche che le conferisce un'atmosfera senza tempo (ogni mattina brindo con il caffè al muro etrusco sopra di noi), tutti gli stereotipi che prendono vita, dall'aggressione dell'*autostrada* alla passeggiata pomeridiana in piazza. Lego la mia sorte a questo posto per alcuni mesi l'anno, perché la mia curiosità per le sue diverse, stratificate culture è inesauribile. Ma è attraverso le chiese che sento il vero cordone ombelicale, del tutto inaspettato e al di là di ogni logica.

Con mia stessa sorpresa ho acquistato una Madonnina in ce-ramica con una piccola acquasantiera da tenere in casa. Il che sarebbe – per me, ex metodista e poi ex episcopale – una sorta di ipocrisia. Comunque ho preso l'acqua dalla sorgente che abbiamo scoperto vicino alla casa, il pozzo artesiano la cui pura acqua scorre lungo bianche pietre. Mi sembra già acqua benedetta. Dev'essere stata la prima riserva della casa. O forse è assai più antica della casa: medioevale, romana, etrusca. Anche se dentro di me sento che sto cambiando, non credo che diventerò cattolica, o semplicemente credente. La mia natura è essenzialmente pagana, ho da sempre nel sangue il populismo del Sud; l'idea di un papa che abbia l'ultima parola mi dà l'orticaria. Il nostro parroco accusava di idolatria chi venerasse la Madonna e i santi. I miei compagni di classe prendevano in giro Andy Evans, l'unico cattolico della nostra scuola. Per un breve periodo, durante gli anni dell'università, ero affascinata dalla messa, in particolare la messa dei pescatori alle tre di notte, nella cattedrale di St. Louis a New Orleans. Poi, però, me ne sono distaccata allorché un mio caro amico, cattolico di New Orleans, mi ha detto – ed era assolutamente serio – che fai peccato mortale se baci per più di dieci secondi. Un bacio profondo di dieci secondi va bene, ma per uno normale di venti sei nei guai! Mi piace la ritualità, ma sento che quanto mi attrae, qui, è qualcosa di più radicale.

Amo andare alle brevi messe nelle chiesette di Cortona alta, i cui rumori – sempre gli stessi – da almeno otto secoli hanno rappresentato un punto fermo per la gente del posto. La volta che è entrato un labrador in chiesa, il prete ha interrotto il sermone per gridare: «Per l'amor del cielo, qualcuno faccia uscire quel cane!». Se entro in chiesa la mattina di un giorno feriale, mi siedo da sola e ammiro il barocco provinciale. Penso: Sono qui. Mi piacciono le processioni in cui portano per le strade le reliquie: i preti in abiti dorati avanzano in una nube d'incenso, preceduti da bambini vestiti di bianco, che spargono petali di ginestre, di rose, di margherite. Nella calura di mezzodì, mi sembra quasi di avere un'allucinazione. Cosa ci sarà nello scrigno dorato tenuto in alto tra i vessilli? Un frammento della culla? Non importa se pensiamo che Gesù sia nato in un'umile mangiatoia: si tratta di un frammento della vera culla. O mi sbaglio? È una scheggia della vera croce. E passa per le strade, mostrata al popolo una volta l'anno. E d'un tratto penso: Cosa significa quell'inno, "Venite a me", che si levava tanto tempo fa nella bianca chiesa di legno in Georgia?

Nel Sud vedevo, attaccati ai tronchi degli alberi, dei cartelli con la scritta: "Pèntiti!". Su un esile pino, al di sopra del barattolo di latta per raccogliere la resina, era appeso un cartello: "Gesù sta arrivando". Qui, quando accendo l'autoradio, una voce cantilenante invoca la Vergine perché interceda per noi nel Purgatorio. In una città vicina, una chiesa possiede come reliquia un'ampolla del Sacro Latte. Come si esprimerebbe il mio studente, sembra proprio, come dire... della Madonna.

A metà giornata mi abbronzo le gambe stesa in terrazza, leggendo libri sui martiri e i santi medioevali. Sono affascinata dal martirio di San Lorenzo, che a causa del suo scomodo credo fu messo ad arrostire sulla graticola; le cronache raccontano che a un certo punto disse: «Giratemi, da questa parte sono cotto». Per questo è diventato il santo protettore dei cuochi. Le giovani vergini martirizzate furono tutte stuprate, accoltellate, torturate o rinchiuse per via della loro fede in Cristo. Talvolta la mano di Dio si allungava fin sulla terra e ne portava via una: Ursula, ad esempio, che aveva rifiutato di sposare il barbaro Conan. S'imbarcò con le sue diecimila vergini (a tutte gli uomini non erano graditi?) e vennero miracolosamente trasportate da Dio attraverso cieli ostili e depositate a Roma, dove s'immersero tutte in acqua profumata e costituirono un sacro ordine. Incredibile la quantità di miracoli: nel Medioevo ad alcune sante si materializzò in bocca il prepuzio di Cristo. Non so se ne esiste la reliquia. (Avrebbe l'aspetto di un elastico masticato? O piuttosto un avanzo di gomma americana?) L'idea del prepuzio mi blocca per dieci minuti buoni; guardo le api tra i rami dei *tigli*, cercando di immaginare come potesse avvenire quel miracolo, e non una volta soltanto. L'attimo del riconoscimento, cosa dice la donna, la sua reazione... sono riflessioni che mi coinvolgono.

Non ho mai saputo che in America vi fossero sante così eccentriche, anche se una volta qualcuno mi mandò uno scatolone di libri dedicati alle vite dei santi. Il libraio, da me interpellato, mi disse che il donatore desiderava rimanere anonimo. Continuo a leggere e scopro che qualcuna aveva una "santa anoressia" e campava di sole ostie; e che se disseppellisci le ossa di un santo il loro profumo invade la città. Dopo che San Francesco predicò agli uccelli, essi si levarono in cielo formando una croce, poi volarono via in direzione dei quattro punti cardinali. I santi si cibavano del pus e dei pidocchi dei poveri per dimostrare la propria umiltà; a loro volta i fedeli si giovavano di bere l'acqua del bagno di una persona santa. Se, dopo la sua morte, osservavi il cuore di un santo, vedevi forse al suo interno un'immagine della Sacra Famiglia scolpita in un rubino. Ora capisco: ecco come custodiscono il loro sacro sgomento!

Capisco come questo quotidiano furore, questa predisposizione al meraviglioso derivi naturalmente dal Sud assetato di miracoli. Una serie di *memento*: una vertebra della Vergine, l'unghia del piede di San Marco. La mia reliquia preferita è il fiato di San Giuseppe, padre adottivo di Gesù. Immagino una bottiglietta verde di vetro opaco con un tappo, e il repentino esalare non appena la si apre. Quando ero piccola la nostra sarta teneva i propri calcoli in un barattolo di vetro sul davanzale, sopra la Singer. Mentre mi prendeva le misure per l'orlo, la bocca piena di spilli, diceva: «Signore, fa' che non mi succeda mai più niente del genere! Gìrati. Quella roba non si scioglie neppure con la benzina». Il suo talismano contro le malattie. Simboli e presagi.

Santa Dorotea si murò per due anni in una cella addossata all'alta parete del pozzo, nell'umida cattedrale. Faceva la comunione attraverso una grata e seguiva una rigorosa dieta di pane e farina d'avena. Detestavo far visita a miss Tibby, che curava i calli a mia madre, togliendole gialli riccioli di pelle con un pelaverdure, e poi le strofinava i piedi con una lozione grassa, puzzolente come olio da ingranaggi e Ovomaltina. La nuda lampadina non illuminava soltanto il piede di mia madre appoggiato al cuscino, ma anche la bara in cui miss Tibby dormiva la notte, per abituarsi al "dopo".

Alle superiori i miei amici e io lasciavamo la macchina a un isolato dalla scuola, per spiare nelle finestre degli *Holy Rollers*, una setta di tarantolati che parlavano idiomi misteriosi, assumevano espressioni estatiche, cascavano in terra e lì restavano a gridare e a dimenarsi. E noi, blasfemi, soffocavamo il riso, pensando alla matrice sessuale di quegli atteggiamenti, di quelle posizioni contorte. Poi risalivamo in auto, dove Jeff fumava, e li vedevamo uscire tranquillamente dalla chiesa, individui normali come chiunque altro. A Napoli il sangue di San Gennaro contenuto nell'ampolla si liquefà una volta l'anno. C'è anche un Gesù crocifisso a cui crescono smisuratamente i capelli, tanto da dover essere tagliati una volta l'anno. Questo genere di miracoli mi sembra particolarmente vicino alla sensibilità del Sud.

Negli Stati Uniti penso che non esista un luogo deputato per simili stramberie, che avvengono del tutto a caso. Attraversando il Sud, non molto tempo fa, mi sono fermata a Metter, in Georgia, per mangiare un panino. Dopo maiale arrosto e tè freddo, il proprietario del locale mi indicò il bagno, situato all'esterno; occupato alla griglia, sudaticcio e dal ventre rigonfio, si limitò a farmi un cenno con la testa. Certo non mi aspettavo che, una volta aperta la porta, mi sarei trovata davanti due struzzi nel periodo della muta. Come siano arrivati in quella remota cittadina del sud della Georgia, e quale iconografica necessità abbia spinto quella famiglia a ospitare le lanose creature è un problema filosofico su cui mi accanisco nelle notti d'insonnia.

Cresciuta in quel Sud intriso di timor di Dio, di fede che guarisce e di imminente fine del mondo, mi è capitato spesso di visitare mostre di serpenti, accanto alle stazioni di servizio in cui i miei si fermavano a fare il pieno; di passare accanto a gruppi di persone che compivano una cerimonia religiosa con serpenti, da loro trattati con la massima venerazione; oppure di vedere le scalcinate "meraviglie del mondo", specie di reliquiari, nelle cittadine sui bordi delle paludi. So che le ossa di un gatto nero fanno una stregoneria potente. E che un bracciale di monete da dieci centesimi te ne protegge. Ero abituata alle gabbie di piccoli alligatori che si arrampicano sul dorso della madre, una bellezza lunga cinque metri con un'apertura mandibolare tale da potermici accogliere in piedi. La floscia rete da pollaio non ti avrebbe certo salvato, se quelle specie di ciocchi assopiti avessero deciso di destarsi e inseguirti: un alligatore può raggiungere nella corsa i 120 chilometri l'ora. E ancora: i daini albini ricoperti di zecche che mi leccavano la mano quando li accarezzavo sul naso vellutato; una pantera impagliata con pezzetti di marmo verde per occhi; una tenia di dieci metri in un vaso di vetro. Il padrone mi spiegava che proveniva dalla gola della sua nipote diciassettenne: era uscita quando il dottore l'aveva adescata con uno spicchio d'aglio infilzato in uno stuzzicadenti. Avevano aspettato che si mostrasse, quindi l'avevano acciuffata e le avevano subito tagliato la testa con un rasoio affilato, poi l'avevano sfilata dallo stomaco di Darleen così come si tira su una gomena dal fiume.

Meraviglie. Miracoli. La vita cittadina ci conduce a un progressivo distacco da un immaginario soprannaturale, ancorati come siamo alla realtà di tutti i giorni. Nelle zone rurali, invece, più vicine ai boschi e alle stelle, esso ci coinvolge ancora. Così rammento i cobra – molto più impressionanti dei serpenti a sonagli, per via della testa piatta – le cui pelli tappezzavano l'ufficio del padrone dell'Ottava Meraviglia del Mondo, una stazione di servizio al confine con la Georgia. Non siamo molto lontani da Jasper, in Florida, dove i miei si sposarono nel cuore della notte. Ne rimango affascinata, anche se mia madre mi dice che quella non è gente seria, che non valgono la visita, e che dispongo di dieci minuti esatti, altrimenti partiranno per White Springs senza di me. Ricordo il brivido leggero all'idea di essere lasciata lì, dietro la curva di quella strada fiancheggiata da querce muscose, accanto alla roulotte d'argento montata su blocchi di cemento, e la donna intravista all'interno, che si lava i capelli in un piccolo catino mentre la radio bercia «*I'm so lonesome I could cry*». Capii allora – e tuttora capisco – che l'uomo con la torcia fosforescente tatuata sulla schiena e le rose fiorite sul braccio credeva davvero che le sue meraviglie fossero reali. Lo seguo in una capanna di bambù, dove lui si mette a soffiare su un pettine avvolto nel cellophane e a quel suono il suo cobra indiano si alza. Il cobra ipnotizza il cane rognoso che scodinzola sulla soglia. Il pavone emette un verso potente, poi apre il ventaglio della coda nel suo massimo splendore: i cerchi azzurri sulle piume sono d'un blu più intenso di quello dei miei occhi o degli occhi di mia madre; e dire che – lo sanno tutti – noi abbiamo gli occhi dell'azzurro più puro che esista. Gli occhi del pavone sono identici a quelli del serpente. La moglie del padrone esce dalla roulotte con un boa *constrictor* negligentemente avvolto attorno al collo. Osserva un altro serpente, al quale ha dato da mangiare un grosso topo senza neppure farlo a pezzi. Il topo è semplicemente scomparso, come un pugno nella manica di un maglione. Compro qualcosa da bere e una galletta di farina d'avena, e poi corro alla vecchia carretta dei miei, visione confusa tra le vampe di calore. Mio padre parte sgommando; la ghiaia schizza di sotto le ruote. «Cos'hai comprato?» mi chiede mia madre, girandosi.

«Solo una bibita e questo» le mostro la galletta.

«È roba che contiene lardo, e poi tanto zucchero da farti marcire tutti i denti.»

Non ci credo, ma quando spezzo la galletta scopro che è piena di vermi. La getto subito dal finestrino.

«Che ci hai trovato, in quella fregatura?»

«Nulla» rispondo.

Crescendo ho assimilato la tipica ossessione della gente del Sud rispetto al luogo in cui si vive. Che sento come una sorta di prolungamento dell'io. Se fossi fatta di argilla rossa, scure acque di fiume, sabbia bianca e muschio, mi parrebbe assolutamente naturale.

Comunque nella mia esistenza adulta, a San Francisco, non ho mai avuto quel senso di appartenenza. La bianca città con le sue luci che si riflettono nitide sull'acqua, la pura bellissima linea della costa e le colline intorno, dal dolce profilo di giganti addormentati sotto una verde coltre, mi stupiscono sempre, quasi fossi una turista; e sono felice di aver compiuto tale breve fuga che è la mia vita da adulta. La mia casa è una fra mille; la mia vita una delle infinite storie che si svolgono nella città. I miei occhi si posano con indifferenza sulla punta acuminata della piramide Transamerica e sul frastagliato orizzonte che vedo dalla finestra del salotto. È come se tutti avessero socchiuso appena la porta per vedere chi c'è: io ti vedo dalla mia fessura, tu mi vedi dalla tua. Abbiamo un'enorme fiducia in noi stessi.

In Italia non mi stanco mai di entrare nelle chiese. Le volte, i trittici, certo: ma ognuna ha il suo caratteristico odore di polvere, l'odore del tempo. Le Annunciazioni, le Natività, le Crocifissioni sono una costante in ogni chiesa. In sostanza tutto è connesso con i due misteri fondamentali: la nascita e la morte. Noi siamo mortali. Gli altari laterali, le alte arcate, le teche coi manoscritti conservate nelle cripte, le curve ombrose dell'abside, queste forme archetipiche e il fervore religioso si intrecciano – ogni volta in modo diverso – con i soggetti della pittura. Sono attratta da uno strano quadro, che sembra quasi balzare in avanti: è nella chiesa di San Gimignano, in alto vicino al soffitto. Vi si vede Eva che emerge fiera dal fianco di Adamo. Non vi si legge l'immediatezza lieve della creazione, così come ci si figura dalle pagine del *Genesi*, dove lei appare alla stessa maniera in cui fu detto: "E sia la Luce". Qui è qualcosa di vivo, che deriva dalla passione di chi vuole presenziare al miracolo. Vivo come il cobra di Calcutta che sotto i miei occhi si drizza nell'aria umida della Georgia del sud. Adamo è carne. La scena attira lo sguardo del visitatore come la torcia fosforescente tatuata sulla schiena di quell'uomo. Come dire: Ascolta bene, il messaggio è forte e chiaro. In un affresco nel duomo di Orvieto, le creature del Signorelli hanno appena recuperato i propri corpi nel *Giudizio Universale*, e ora si ergono trionfanti accanto ai ghignanti scheletri che erano un istante prima. Alcune parti del corpo hanno ancora la fluorescenza delle nude ossa, mentre una diafana luce bianca promana dalla nuova carne in gloria. Uno strano capovolgimento, rispetto alla decadenza della carne alla quale siamo abituati a pensare; c'è come un sogno di rigenerazione. Nel medesimo contesto appaiono qua e là immagini infernali, con demoni dalla testa verde e i genitali simili a serpi. I dannati sono torturati, percossi, mentre una voluttuosa bionda (non v'è dubbio su quale peccato debba scontare) vola via a cavalcioni di un diavolo dotato di piccole, rachitiche ali. Qui siamo nella testa di qualcuno, dentro le sue fantasticherie notturne sulla nascita, la caduta, la nuova ascesa. Per quanto sublime possa essere un dipinto, c'è un aspetto fumettistico in molti quadri religiosi, nel loro narrare diretto, molto affine a quello dei fervidi fondamentalisti che ancora spadroneggiano nel Sud con le loro minacciose storie di inferno e fiamme. Se oltre alla parola "Pèntiti!", affissa ai tronchi di pino nel Sud, potesse essercene un'altra, sarebbe sicuramente: "Giorno del Giudizio".

Vagando di chiesa in chiesa, m'imbatto di continuo nelle figurazioni di San Sebastiano trafitto dalle frecce, di Sant'Agata che mostra su un vassoio i seni tagliati simili a due uova alla coque, di Sant'Agnese in ginocchio mentre un grazioso giovanetto la pugnala nel collo. Quasi ogni chiesa ha il suo scrigno delle reliquie come un mausoleo in miniatura, e che cosa significa? La spina della corona del Cristo sulla croce. La falange d'un dito di San Lorenzo. I talismani che dicono a chi guarda: "Abbi fede, segui il loro esempio". Nella cripta in penombra d'una chiesa di campagna, dove da settecento anni si venera un pugnetto di terra, vedo che davanti all'urna che la contiene c'è sempre un mazzo di garofani freschi; e siamo quasi nel Duemila. Così capisco un'altra cosa importante: ecco come la gente serba le proprie memorie, i propri desideri. Oltre a servire da vasto deposito di cultura, questo reticolo di chiese manifesta anche i bisogni più intimi degli uomini. Perciò hanno un'aria così familiare, lontanissime dalla Chiesa intesa in senso storico, dalla sanguinosa vicenda del Papato: la rozza veste di San Francesco, un'altra ampolla di Maria, questa piena di lacrime. Non mi sembrano diverse dal medaglione che possedevo un tempo, con dentro un ricciolo castano chiaro non si sa di chi, o la scatola di petali di rosa sul ripiano dello stipo, dietro la bottiglietta azzurra di Latte di Magnesia, le lettere legate con un nastro logoro o il trasparente sasso bianco preso a Half Moon Bay. Non ti scordar di me. Passando la cera e strizzando lo straccio, penso a Santa Zita da Lucca, protettrice delle casalinghe, com'era Willie Bell Smith in casa mia. Cestai, mendicanti, proprietari di pompe funebri, malati di dissenteria, notai, speleologi: tutti hanno un protettore. "Mi ero perduto, ma ora ho ritrovato la via". Il concetto medioevale che il mondo non sia altro se non lo specchio della mente di Dio si è rovesciato. Nella chiesa io leggo soprattutto un'emanazione della mente umana. È un'interpretazione assolutamente laica, lo so: abbiamo inventato le chiese sulla base dei nostri desideri, delle nostre memorie, e dei nostri personali prodigi.

Ho la gola infiammata per aver bevuto succo d'arancia, quando so benissimo che sono allergica: ed ecco pronto il santo nella chiesa di Montepulciano, nome le cui sillabe risuonano come un pizzicato di violoncello. San Biagio è una metafora ormai trasfigurata, un pugno di polvere in uno scrigno. La sua piccola serratura serve a rammentarci ciò che forse ci sta più a cuore: non siamo soli. San Biagio diventa il centro dei miei pensieri e mi fa dimenticare del bruciore alla gola. "Prega per me, Biagio, solo con te potrò andare lontano." Se il televisore fa le bizze ed è inutile schiacciare questo o quel bottone per chiarire l'immagine, non cominciare a colpirlo freneticamente di lato: c'è Santa Chiara da qualche parte nella terra dei santi. *Chiara.* Era chiaroveggente, e da qui a diventare colei che "riceve", la santa patrona delle telecomunicazioni, non c'è che un passo. Un'attività molto pratica, per una ragazza così spirituale. Una statuetta della santa sopra al televisore non fa certo male. L'anno prossimo, il 31 di luglio, esporranno la fede nuziale di Maria nel duomo di Perugia. La storia dice che fu "religiosamente sottratto" (mi pare un ossimoro) da una parrocchia di Chiusi. Pur essendo priva di ogni fede, credo che per una volta vorrò esserci.

In cima alle scale sfioro l'acqua nella mia acquasantiera di ceramica e mi segno con un cerchio sulla fronte. Quando sono stata battezzata, il prete metodista ha immerso una rosa in un catino d'argento e con essa mi ha asperso la testa. Ho sempre desiderato essere battezzata stando in ginocchio nel fangoso Alapaha, tenuta sott'acqua fino all'ultimo respiro, per poi riaffiorare tra i canti della congregazione. La mia acqua di fonte nell'acquasantiera non è benedetta, non può mondare dai peccati, né me né il mondo. È come Maria, il nome della mia zia preferita, piuttosto che Santa Maria. Maria diventa un'amica, amica delle madri che soffrono insieme ai figli, amica dei figli che vedono le madri soffrire. A Cortona trovo la sua immagine dietro ogni registratore di cassa, ogni cassiere di banca, barista, fornaio, e mi sono abituata alla sua presenza. Lo scrittore inglese Tim Parks dice che senza la sua ubiqua immagine, a ricordarci che tutto continuerà come prima, "potresti pensare che quanto accade a te sia unico e disperatamente importante... Mi chiedo se la Madonna non abbia qualcosa in comune con la luna". Sì, la mia acqua non benedetta lenisce. Mi fermo in cima alle scale e ripeto la bella parola *acqua*. Anni fa mia figlia ha imparato a dire *acqua* a Princeton, in riva al lago, sotto un baldacchino di alberi con enormi fiori rosa. «*Acqua, acqua*», gridava, raccogliendola a piene mani e gettandosela in testa. *Acqua* è una parola che rende meglio lo scintillio e la caduta, il madore e la scoperta. La sua voce risuona ancora in me, ma nel rammentare l'episodio mi viene da toccarmi il mignolo: quel giorno, infatti, persi tra l'erba l'anello d'oro con sigillo, gioiello di famiglia, e non riuscimmo a ritrovarlo. "Acqua di vita. Intimità della memoria."

"Intimità." La sensazione di essere sulla terra come ci fu Eva, quando nulla la divideva dalle cose.

In certi dipinti la Madonna regge sul palmo la città, o la protegge sotto il suo manto. Sono in grado di ripercorrere col pensiero ogni strada della mia città, in Georgia. Conosco a memoria le biforcazioni degli alberi di pecan, l'acqua che trabocca dai canali di scolo, i peri del viale. Spesso i paesini arroccati della Toscana assomigliano a grandi castelli: vaste abitazioni fatte di strade strette come corridoi, e le *piazze* come saloni da ricevimento, brulicanti di visitatori. Le chiesine di paese trasmettono un senso di intimità: i lini stirati sull'altare, le stoffe di pizzo e le dalie nei vasi potrebbero benissimo stare in una cappella di famiglia; e gli appartamenti potrebbero essere le stanze private di una grande dimora. Il mio territorio si amplia come al tempo in cui i muri della casa dei miei nonni, della zia, degli amici, e quelli di casa mia, mi erano familiari come le linee della mano. Mi piace inerpicarmi per le serpeggianti viuzze che salgono al convento, dove lascio nella "ruota" di Santa Caterina una trina da rammendare: la prende dall'altra parte una suora invisibile, una delle tante sorelle che da quattrocento anni abitano in questo braccio del castello. Non le scorgo neppure un'unghia, o l'ombra dell'abito. Fuori, due donne che si conoscono probabilmente da una vita siedono sulla soglia di casa a lavorare a maglia. La ripida via scende dritta verso le mura cittadine. E oltre si stende l'ampia vallata. Una minuscola Fiat si arrampica dove nessun'altra macchina potrebbe osare. Che pazzo! Mio padre ci portava in auto per strade fangose, guadando le profonde pozzanghere che improvvisamente ci si paravano davanti. Io ero terrorizzata. Lui rideva e suonava il clacson, mentre l'acqua scrosciava oltre la metà del finestrino. Ma era davvero a quell'altezza?

Noi possiamo tornare a vivere in queste grandi case: ci basterà aprire i cancelli, girare nella serratura la gigantesca chiave di ferro e spingere il battente.

SOLLEONE

Solleone. Utile, il suffisso italiano "*-one*", che funziona da accrescitivo. *Porta* diventa *portone*, e non c'è alcun dubbio che si tratta dell'entrata principale. Da *torre* abbiamo *torrione*, che è il nome di un quartiere di Cortona, dove un tempo dovette esserci una grande torre, appunto. *Minestrone*, una grande minestra. E *solleone* – letteralmente: i giorni in cui il Sole si trova nel segno del Leone – mi fa pensare ad un grande sole. *Dog days* diciamo noi nel Sud. Si chiamano così – mi spiegò la nostra cuoca – perché fa così caldo che i cani impazziscono e mordono le persone: avrebbero morso anche me, se non le obbedivo. In seguito rimasi delusa nel sapere che invece il nome deriva dal cosiddetto "cane di Orione", Sirio, che sorge e tramonta insieme al sole. L'insegnante di scienze ci disse che Sirio è grande dodici volte il sole, e io pensavo che in qualche modo questo aumentasse il calore. Qui un immenso sole riempie il cielo, come nei disegni infantili più elementari, dove si vede la casa, l'albero, e il sole. Le cicale lo sanno, e formano il più perfetto accompagnamento alle giornate torride. Sin dall'alba ripetono all'infinito il loro stridulo frinire. Non ho mai capito come sia possibile che un animale così piccino faccia un simile baccano solo vibrando il torace. Quando raggiungono certi vertici sonori sembra che qualcuno scuota dei tamburelli fatti con gli ossicini dell'orecchio interno. A mezzogiorno mutano all'improvviso, e il loro verso rammenta il *sitar* indiano, uno strumento fastidiosissimo. Solo il vento riesce a zittirle; forse non possono tenersi strette a un ramo e contemporaneamente vibrare. Ma il vento soffia di rado, tranne, di tanto in tanto, lo *scirocco*, con le sue raffiche tutt'altro che rinfrescanti, sotto il sole a picco. Se fossi un gatto inarcherei la schiena. Il vento caldo porta la sabbia dei deserti africani, che ti si deposita in gola. Stendo fuori i vestiti e si asciugano in pochi minuti. Le carte nel mio studio svolazzano qua e là come bianche colombe, per poi posarsi ai quattro angoli della stanza. Dai *tigli* cadono le foglie secche, e i fiori assumono di colpo un colore smorto, anche se quest'estate abbiamo avuto abbastanza acqua da innaffiarli ogni giorno. Il tubo di gomma tira l'acqua direttamente dal vecchio pozzo, e forse gli alberi si sono rovinati a causa del getto troppo freddo dopo una giornata afosa. Il pero sul terrazzo rammenta lo sguardo di una donna che abbia due settimane di ritardo. Avremmo dovuto diradare i frutti: ora i rami si spezzano per il peso delle pere, color oro che vira al rosso. Sono indecisa fra leggere un libro di metafisica o mettermi a cucinare. I fondamenti dell'essere o la zuppa fredda all'aglio? Non sono due cose così distanti, dopo tutto. O anche se lo sono, che importa? Fa troppo caldo per pensarci.

Più la giornata è calda, più presto al mattino faccio la mia passeggiata. Alle otto, alle sette, alle sei, e anche a quell'ora mi spalmo il viso con crema solare a protezione 30. Il percorso più ombreggiato comincia dal Torrione: una stradina scende a Le Celle, un monastero del XII secolo dove la piccola cella di San Francesco dà su un torrente. I primi francescani che vivevano in romitaggio sul monte Sant'Egidio cominciarono a costruire Le Celle nel 1211. Architettonicamente si tratta di un alveare di pietra addossato al fianco della collina, che in qualche modo richiama le caverne in cui abitavano. Passeggiando da questa parte la pace e la solitudine sono tangibili. All'inizio dell'estate si sente la musica del torrente che scende per la stretta gola, e talvolta anche un canto che la sovrasta. Ma adesso il torrente è quasi del tutto inaridito. Gli orti dei fraticelli sono esemplari. Uno dei frati cappuccini scende scalzo verso la città; cammina a fatica, appoggiandosi su due bastoni. Indossa un rozzo saio marrone di stoffa ruvida e uno strano cappuccio bianco a punta (da cui il nome del *cappuccino*). Con la sua barba bianca e gli occhi marroni e fieri, sembra un'apparizione del Medioevo. Quando lo supero mi dice sorridendo: «*Buongiorno, signora. Si sta bene, qui, vero?*» indicando con un cenno del capo il paesaggio all'intorno. Scivola via silenzioso, come Frate Tempo che viaggi per la terra su un paio di sci.

Ma stamani imbocco la stradina che sale in cima al colle, passo accanto ad alcune case nuove, quindi a un canile, i cui ospiti continuano ad abbaiare finché non sono parecchi metri distante. La strada diventa un sentiero bianco che si snoda tra i pini e i castagni, senza macchine, senza anima viva. Ai bordi sembra che qualcuno abbia seminato a caso dei fiori selvatici: tutti hanno messo radici e poi sono fioriti. Salgo su una collina per osservare meglio una casa abbandonata, così vecchia che ha ancora il tetto di ardesia. I rovi circondano le porte e le finestre. Guardo dentro, nelle stanze in penombra. Da lì si gode un panorama a 180° di Cortona e della Val di Chiana, un mosaico giallo e verde di orti e campi di girasoli. Il piano superiore ha probabilmente i soffitti bassi, giusto per farci entrare un rudimentale letto di castagno, con sopra una trapunta di piume d'oca. E qui davanti il terrazzo, di fronte al lillà. Una rosa rosa fiorisce rigogliosa nonostante che nessuno la curi. Di chi era? Della moglie di un silenzioso taglialegna, che fumava la pipa e beveva *grappa* nelle sere d'inverno, mentre la *tramontana* scuoteva i vetri? Forse lei lo rimproverava, per averla confinata in quel posto sperduto nella campagna. Oppure no, era contenta di preparare i pizzi per il corredo della *contessa.*

La casa è piccola, ma che bisogno c'è di stare dentro, quando hai un vasto terrazzo affacciato sul mondo? Una casa che attende ha un enorme potenziale; ne vedi una e cominci a pensarti lì, immaginando di vivere un'altra vita. Magari qualcuno la comprerà, e poi comincerà a girare per la Toscana in cerca di ardesia per restaurare il tetto. O forse il nuovo proprietario deciderà di sostituirlo con delle tegole moderne. Qualsiasi siano le sue predilezioni, egli certo sarà attratto da quell'isolamento da nido d'aquila, e dal fascino magnetico del panorama; avrà trovato un luogo in cui riposare, cercando sollievo dalla frenetica vita di ogni giorno.

Alla fine della strada, un sentiero tra i boschi conduce alla via romana. Immagino che sia stata lastricata dagli schiavi. Quando mi hanno detto della via romana accanto alla casa, ho pensato che fosse un caso unico; invece dopo poco ho visto un librone sulle molte vie romane in questa zona. Passeggiando da sola, cerco di figurarmi i carri che scendono la collina, anche se l'unica cosa che potrei incontrare sarebbe un *cinghiale*. Trovo un torrente con un rivolo d'acqua ancora. Forse un messaggero romano sul punto di svenire per un colpo di sole si è fermato qui a riposare e a rinfrescarsi i piedi, come sto facendo io. Poi avrà ripreso il cammino, per portare le nuove sui progressi nella costruzione del Vallo di Adriano. Ci devono essere stati visitatori più recenti, però: sull'erba resta un preservativo e un fazzoletto di carta appallottolato.

Andando in città m'imbatto in un uomo che per ogni riguardo parrebbe in agonia. L'hanno messo sulla soglia di casa, al sole, la sua ultima speranza di vita. Tiene le mani sul petto, con le dita allargate, cercando di scaldarsi il più possibile. Ha mani enormi. Ieri ho preso la scossa così forte che il pollice mi è rimasto indolenzito per mezz'ora. Stavo tentando di sfilare da dietro il radiatore il cavo della lampada del mio studio, che chissà come era finito lì. L'interruttore che avevo in mano si è rotto, e io sono rimasta col pollice tra i fili della corrente e l'altra mano sul radiatore. Urlando ho fatto un balzo indietro, come un animale colpito. Mi chiedo se l'uomo al sole ha la stessa sensazione. Le sue forze scemano, e l'energia solare gli giunge in aiuto, gli dà nuova carica. La moglie gli siede accanto, in atteggiamento di attesa. Non rammenda né appronta un mazzo di fiori. Aspetta che lui parta per il suo viaggio nell'aldilà. Forse, dopo, ne comporrà il corpo, ungendo le ossa con olio d'oliva e vino. O forse il caldo sta dando alla testa anche a me, e l'uomo è solo in convalescenza dopo un'appendicectomia.

Dobbiamo fare un salto ad Arezzo, che dista circa mezz'ora da qui, per pagare l'assicurazione dell'anno prossimo. Si aspettano che andiamo di persona, piuttosto che mandare un assegno. Lasciamo la macchina nel parcheggio della stazione, torrido. Il termometro digitale, in pieno sole, registra 36°. Dopo una piacevole visita al signor Donati e un gelato, ci fermiamo a comprare una camicia nel negozio preferito di Ed, Sugar, poi nel mio preferito, Busatti, per degli asciugamani. Quando torniamo alla macchina, su di essa riverbera la cifra "40°". Le maniglie sembrano infuocate. E il caldo dell'interno ci investe con violenza. Apriamo tutto per far circolare l'aria e infine montiamo. Ho le palpebre a bollore, gli orecchini pure. Ed tiene il volante col pollice e l'indice. I capelli mi fumano. I negozi stanno chiudendo: sono le ore più calde del giorno più caldo dell'anno. A casa mi ficco in un bagno freddo, con un asciugamano bagnato sulla faccia, e ci rimango finché il corpo non prende la temperatura dell'acqua.

La siesta è diventata un rituale. Chiudiamo le persiane, lasciando però le finestre aperte. Per tutta la casa lame di luce spiovono sul pavimento. Se sono in vena di pazzie, esco a fare una passeggiata all'una e mezzo: nessuno in giro, neppure un cane. Mi viene in mente la parola *torpore*. Durante le tre ore consacrate ogni negozio chiude i battenti. Se ti serve qualcosa per una puntura di vespa o per l'allergia, peggio per te. La siesta è il momento preferito dagli italiani per guardare la televisione; e anche per fare all'amore. E forse è questa la differenza tra il temperamento mediterraneo e quello del nord: figli concepiti nella luce e figli concepiti al buio. Ovidio, prima ancora del primo millennio, ha scritto un poema su queste ore pomeridiane: giace a letto in un afoso pomeriggio estivo, una persiana chiusa, l'altra socchiusa, perché – spiega – la fanciulla ha bisogno della penombra per celare la sua esitazione. E poi le leva il vestito, che peraltro non copriva molto. Be', niente di nuovo sotto il sole. Quindi, come ora, una rapida sciacquata e si torna al lavoro.

Che idea meravigliosa: tre ore a metà giornata che sono un invito a perseguire i tuoi personali interessi, i tuoi desideri. Nella parte del giorno in cui sei ancora ben attivo, e non la sera, dopo otto o nove ore di frenetica attività.

La casa è avvolta nella penombra e nel silenzio. Persino le cicale hanno smesso di frinire. Pomeriggio di pace, quasi irreale. Sarà forse in parte per il piacere di camminare a piedi nudi sul *cotto* levigato, ma mi metto a vagare di stanza in stanza. La classica visione, già numerose volte contemplata nelle altre camere, e ora nel salotto nuovo: travi scure, soffitto bianco di mattoni, pareti bianche, pavimento di *cotto* tirato a cera. Secondo me le strutture irregolari, i colori fortemente contrastati delle tipiche dimore toscane rappresentano lo stile architettonico più accogliente in assoluto. Fresco e sereno d'estate, sicuro e confortevole d'inverno. Anche le tipiche case dei tropici, coi soffitti di bambù e le pareti fatte di semplici stuoie, pronte a raccogliere la menoma brezza; o gli edifici del Sud-ovest in stile *adobe*, con le panche e il focolare che seguono le linee curve del corpo umano, trasmettono la stessa, logica sensazione: Qui posso vivere. L'architettura sembra naturale, come se queste case sorgessero dal paesaggio, e fossero poi facilmente forgiate dalla mano dell'uomo. In italiano uno strato di vernice si dice *mano*. Prima che la stanza fosse intonacata, ho notato le iniziali di Fabio incise nel cemento fresco. E mi sono ricordata che anche i polacchi avevano scritto "POLONIA" alla base del muro di pietra. Mi chiedo se gli archeologi trovano sempre simili tracce, lasciate da chi ha eseguito un lavoro. Sulle pareti della caverna preistorica di Pech Merle, in Francia, mi stupii di vedere, sopra i cavalli pezzati, delle impronte di mani, come quelle che possono fare i bimbi all'asilo. La firma di un artista vissuto in epoca precedente la lingua scritta era tracciata col sangue, la fuliggine, la cenere. Quando furono aperte le grandi tombe egizie, sulla soglia trovarono impresse nella sabbia le impronte dell'ultima persona che vi era stata, quella che aveva terminato il lavoro.

Una farfalla, rimasta intrappolata nella mia stanza, sbatte e sbatte contro le imposte, senza riuscire a volar fuori. Mi addormento, il ventilatore ronza, girando a destra e a manca la lucida testa di metallo.

Amo il caldo. I suoi eccessi. Qualcosa dentro mi dice di sì. Sarà che sono cresciuta nel Sud, ma lo sento come un sì basilare, che mi riporta indietro a quelle antiche teste fossili, appartenute ai primi uomini che vennero alla luce sotto un enorme sole.

Il paesaggio sembra fresco nonostante la calura. I terrazzamenti non sono scoloriti, quest'anno, come talvolta è successo. Gli Appennini ci appaiono verdi di boschi. Vedo una piscina, nel fondovalle, e una figuretta che si tuffa.

Poiché siamo un po' in alto, la notte la temperatura si abbassa fino a un gradevole tepore. Nel tardo pomeriggio, di solito, nubi cumuliformi attraversano la valle, proiettando le loro ombre sulle verdi colline. È la notte di San Lorenzo, la sua pioggia di stelle: festeggiamo con una cena. Le abbiamo già viste altre volte, e ben conosciamo i sussulti, il puntare il dito al cielo con un secondo di ritardo, alla luminosa scia d'una meteora, così improvvisa, spenta da così tanto tempo. Allo studio di Boezio ho preferito la preparazione di una zuppa all'aglio, che adesso si sta raffreddando in frigo. Il pollo con basilico e limone – una scoperta casuale – e la teglia di patate al gratin (un piatto che ho cucinato per anni) sono pronti per essere infornati. Ho abbastanza pere mature da pelare e affettare per prepararle con una improvvisata crema al mascarpone. Pulisco il tavolo esterno dagli escrementi degli uccelli e apparecchio con la tovaglia che ho cucito durante l'inverno, usando i ritagli avanzati (quindici anni fa!) dai cuscini per le poltrone di vimini del patio, a Palo Alto. Passai giorni e giorni a smerlare il bordo del cuscinone per la chaise longue. Mi sembra ieri: esco dalla porta, sprimaccio i cuscini, dico al cane: «Cuccia!» e vado in giardino, pieno di nespoli e kumquat, aranci e olivi. Tutto si conserva: avrei mai potuto immaginare, quando comprai questa stoffa a fiori gialli a Calico Corners, che sarebbe finita su una tavola in Italia, seguendomi in una nuova vita?

Come carte che vengano rapidamente smazzettate, la mia mente passa in rassegna le migliaia di congiunture, banali o profonde, che hanno contribuito a ri-creare questo luogo. Bastava una svolta casuale, e ora sarei da un'altra parte; e io stessa una persona diversa. Da dove è venuta l'espressione "un posto al sole"? La mia mente razionale si aggrappa all'idea del libero arbitrio, della casualità degli eventi; eppure ho nel sangue il senso di un destino segnato. Mi trovo qui perché a quattro anni, una notte, sono fuggita dalla finestra.

Tutti i frutti dell'estate sono maturati al grande sole mediterraneo. A cominciare dalle ciliegie, al mio arrivo, per seguitare con le pesche gialle. Lungo la strada romana che porta a Sant'Egidio raccogliamo i frutti più divini che esistano, le fragoline selvatiche, che pendono come gioielli sotto le loro foglie seghettate. Ecco poi le pesche bianche, dalla polpa profumatissima. Il gelato fatto con esse ti manda in estasi. E ancora le susine, di tutte le varietà, dalle gocce d'oro a quelle scure, fino a quelle verdi più grosse di palline da golf. Dal sud comincia ad arrivare anche l'uva. Le meline selvatiche, le prime pere mature: quelle piccole e verdi, e quelle tonde, gialle e chiazzate. In agosto i fichi iniziano a ingrossare, ma raggiungono la completa maturazione solo a settembre. Infine le more, il frutto del cuore dell'estate.

Alla fine di agosto, prima di tornare in America, ogni mattina esco e ne riempio il colino per farci colazione. Gli uccelli ne vanno pazzi, ma per quanto ci si mettano non possono mangiarle tutte. Raccogliere le more è un piacere arcaico; lasciare quelle con ancora una punta di verde e quelle che si disfano al semplice tocco, e prendere solo i frutti maturi al punto giusto. Alla fine ho le dita rosse. Il sapore delle more calde di sole mi riporta a un giorno in un cimitero abbandonato, quando ne riempii un barattolo. Ero piccola, mi sedetti su un mucchio di terra e cominciai a mangiarle; non pensavo che la pianta che produceva quel buonissimo frutto affondava le sue radici tra vecchie ossa di morti.

Le api fanno dei buchi nelle pere. E quando cadono a terra ci pensano i tordi. Chissà come affiorano in noi certi bisogni appartenuti a chi ci ha preceduto? I profumi mielati mi rammentano la terribile nonna Davis. Mio padre la chiamava "il Serpente". Era cieca, con gli occhi da statua greca, ma io ho sempre pensato che potesse vedere. Il suo affascinante marito aveva perduto tutti i terreni che lei aveva ereditato dai genitori, proprietari di un discreto pezzo della Georgia del sud. Durante le gite domenicali, chiedeva sempre a mia madre di portarla sulla proprietà che aveva perduto. Non vedeva dove eravamo, ma sentiva nell'aria umida l'odore delle arachidi e dei campi di cotone. Allora: «Tutta questa terra» mormorava, «tutta questa terra...». Io alzavo gli occhi dal libro. Procedevamo in una distesa marrone, a perdita d'occhio. Da lì chi avrebbe mai creduto che la terra è rotonda? La prima volta che ho ripensato a lei è stato sui terrazzamenti, già arati e pronti per nuove piante. Terra fertile, ricca come una torta al cioccolato. Cara nonna – pensavo – faccia rugosa, vecchia serpe, guarda ora "tutta questa terra".

Una pioggia improvvisa e violenta spezza l'afa, inzuppa il terreno e poi finisce di botto. Dalla finestra vedo il verde paesaggio dilavato. Il sole torna a picchiare, ma ora meno intensamente. Siamo alle soglie dell'autunno. Da dove viene questa consapevolezza? Forse dall'odore di foglie morte, dall'aria che si fa diversa, dalla luce che prende una lieve sfumatura ambrata, e poi dalla foschia azzurra che ogni sera invade la valle. Vorrei vedere le foglie cambiar colore, raccogliere mandorle e nocciole, sentire i primi freddi e accendere la mattina un fuocherello di rami d'olivo per levare l'umido. Rimetto gli abiti estivi nella sacca sotto il letto. Intreccio qualche ghirlanda di tralci insieme a salvia, timo, e origano, da usare a dicembre. Metto i fiori di finocchio disseccati in un barattolo dipinto che ho trovato in casa. Forse anche la *nonna* a cui mi sono tanto affezionata li teneva lì.

L'uomo col pastrano sulle spalle si ferma davanti al tabernacolo col suo mazzo di fiori. Leva la polvere col dorso della mano. Per tutto l'autunno, mentre io sarò occupata con gli studenti, lui verrà su dal sentiero, indossando forse un vecchio maglione fatto a mano, e poi una sciarpa attorno al collo. Ora se ne sta andando. Sosta un istante, si volta a guardare la casa. Mi chiedo per la millesima volta a cosa sta pensando. Mi vede alla finestra, si aggiusta il soprabito sulle spalle e si avvia verso casa.

Rimetto a posto sugli scaffali i libri sparsi per la casa. Preparo un'ultima crostata di more, prima della partenza. Una lucertola sguscia dentro, poi terrorizzata fugge via. Penso all'immediato futuro. Quale calamita mi sta attirando altrove, adesso? Sistemo sui ripiani dell'*armadio* le lenzuola stirate. Mettendo in ordine la scrivania trovo una lista: prodotto per lucidare il rame, corda, chiamare Donatella, piantare i girasoli e la malva. Il sole batte sul muro etrusco, trasformando in trine gli alberi di carrubo. Due farfalle bianche intrecciano nell'aria i loro voli. Passo di finestra in finestra, per meglio imprimermi dentro il paesaggio.

INDICE

Finito di stampare nel mese di agosto 2000
presso il Nuovo Istituto Italiano d'Arti Grafiche Bergamo

Printed in Italy